TRANSMETTRE L'A

Paul LEMOINE

TRANSMETTRE L'AMOUR

Une éducation à l'écoute de l'enfant

nouvelle édition

vie des hommes

nouvelle cité

Composition : Jean-Marie Wallet
Couverture : Laurent Boudre

Illustration de couverture :
p. 1, mère avec son enfant, © Mario Ponta

© Nouvelle Cité 2007
Domaine d'Arny – 91680 Bruyères-le-Châtel

ISBN 9782853135177

À mes enfants
après quarante ans de pédiatrie

REMERCIEMENTS

Quand je jette un regard sur le passé, je perçois bien des erreurs. Mais lorsque je vois nos onze enfants, fruits de notre amour, je pense que le bilan est positif. Je le dois à tous ceux qui m'ont aidé à comprendre l'enfant et son besoin d'amour, je tiens à dire à tous ici un très grand merci :

– D'abord à mes remarquables parents, dont l'amour vrai et désintéressé a imprégné ma vie. Qu'ils gardent à jamais mon admiration, ma reconnaissance, mon amour.

– Puis à mes maîtres en pédiatrie, qui m'ont beaucoup appris, et j'en ai eu d'éminents.

– À mes élèves et collaborateurs, dont les questions, les remarques, l'esprit de contradiction parfois, m'ont obligé à réfléchir, à remettre en question bien des problèmes.

– À mes infirmières, puéricultrices, auxiliaires puéricultrices, dont le dévouement et aussi les remarques judicieuses m'ont été si précieux.

– Mais ce sont les enfants qui m'ont le plus appris. Quels merveilleux petits maîtres sont-ils, si on sait les observer, les écouter, les comprendre... les aimer! J'ai essayé de leur apporter ce que je pouvais. Mais l'amour est fécond et finalement ce sont eux surtout qui en retour m'ont le plus apporté et instruit. Pour moi, que de dogmes se sont effondrés devant le bon sens si simple de ces petits, leur franchise, leur silence parfois si éloquent.

Merci à vous tous, les milliers d'enfants que j'ai côtoyés, que j'ai aimés et qui m'avez aimé.

Merci surtout à vous, mes onze enfants :

– JEAN, tu nous as fait comprendre la paternité, la maternité. Après ta naissance rien n'était plus pareil qu'avant, un être nouveau était là, au centre de nos vies, né de notre amour, et nous en avions l'entière responsabilité, il fallait toujours en tenir compte : dans les grands projets, et dans les moindres gestes.

Tu nous as d'emblée appris que les principes éducatifs les meilleurs ne valent souvent rien, devant la réalité et les réactions inattendues d'un enfant, ils doivent être adaptés à ses vrais besoins.

Merci de tout ce que tu m'as appris.

Merci de la générosité si touchante que tu as toujours montrée pour tes frères et sœurs.

– MARIE, alors qu'avec Jean nous avions cru découvrir les vraies notions d'éducation, tu nous as fait comprendre, de ton petit air narquois, qu'il n'en était rien. Certains principes restaient bons ; d'autres devaient être adaptés à un nouveau tempérament... et ils le seront ensuite dix fois.

Tu as bien compris nos méthodes éducatives, et tu as voulu t'en inspirer plus tard dans ton rôle de professeur.

Merci de nous avoir si bien compris.

– ANNE, « ma fille économique »!, tu m'as bien démontré la variabilité des rations alimentaires nécessaires à un enfant, rations qui pouvaient parfois paraître dérisoires! Tu as rendu ainsi bien des services à de très nombreux enfants, en me faisant mieux comprendre la prévention de l'anorexie d'opposition, et aussi l'importance des problèmes affectifs dans cette prévention.

Merci.

– LUC, tu nous as si bien montré qu'on obtient tout ce qu'on veut d'un enfant par l'amour et la confiance, mais rien par la force. Que de diplomatie il nous a fallu avec toi, mais plus encore pour essayer d'expliquer la chose à certains de tes professeurs.

Merci de ce qu'il en est résulté.

Toi aussi, mon bon élève en navigation qui fut rapidement mon maître.

– DOMINIQUE, silencieux, mais toujours documenté, sachant d'un mot rectifier une erreur ou donner la précision qui manque.

Toi, l'intrépide, inconscient des dangers.

Plein de prévenance pour ta mère.

Merci.

– FRANÇOIS, toi qui ne pouvais souffrir une injustice, surtout si elle s'adressait aux autres.

Toi qui n'as pu t'épanouir que lorsque tu as pris conscience de la vanité des appréciations qui t'étaient souvent décernées par certains, bien à tort.

Tellement empressé d'aller voir maman en rentrant de l'école que tu passais en courant devant elle sans la voir.

Merci.

– MARC, tu nous as si bien montré combien une croissance tardive peut retentir sur l'équilibre et les études d'un adolescent. Mais tu as su en temps voulu reprendre confiance en toi.

Toi aussi, l'espiègle, qui savais ne pas trop dépasser les limites permises de l'impertinence.

Merci de la joie que tu as su répandre dans la famille et bien au-delà.

– CHANTAL, tu n'hésites jamais à nous dire nos vérités, à relever nos erreurs, nos faiblesses, ce qui n'empêche pas une grande affection.

Merci de ta franchise.

Dès que tu as reçu tes diplômes d'ingénieur agronome et d'ingénieur horticole, te voilà partie en Centrafrique, donnant tes deux premières années aux Africains.

Merci pour eux et pour nous.

– PHILIPPE, qui avait tout petit une si grande soif d'apprendre, un désir de comprendre. Pourquoi faut-il que certains s'ingénient à les transformer en corvée dès l'entrée à l'école?

Tu as retrouvé cette soif de découverte en reprenant confiance en toi, lors de ton entrée en médecine, plein d'ardeur et d'enthousiasme.

Merci.

Toi aussi, l'excellent marin, le bricoleur si adroit, qui a su glaner près de tes cinq frères les meilleures méthodes, qui dépassent de loin celles que leur père avait essayé de leur apprendre autrefois.

– BÉNÉDICTE, tu as connu les problèmes que pose toujours à un enfant la venue d'une petite sœur de cinq ans plus jeune. Tu en es sortie par un enrichissement d'amour.

Merci de la bonne entente que tu as avec elle.

Toi, si bonne petite ménagère dès tes trois ans.

– MARGUERITE, venue un peu tardivement, après quelques inquiétudes, ta naissance a été la plus grande joie de notre vie : joie bien sûr d'avoir un nouvel enfant. Mais surtout joie de voir la façon dont tes dix frères et sœurs t'ont, non pas « acceptée »…, mais accueillie avec un amour qu'ils ont osé afficher partout sans honte et qui nous a prouvé que notre désir de transmettre l'amour n'avait pas été vain.

À toi, merci de l'amour que tu sais rendre à chacun et à tes vieux parents (« comme des espèces de grands-parents », nous avais-tu dit, avec cette spontanéité charmante, lorsque tu étais toute petite).

– À vous tous, merci de la si bonne entente qui a toujours existé entre vous.

Merci de l'amour que vous savez répandre autour de vous.

– Enfin un merci tout spécial à toi, Josette, qui m'as donné l'immense bonheur d'avoir tous ces enfants.

C'est par amour que tu les as mis au monde, montrant tant de joie à chaque naissance que tu as gardé ta jeunesse.

Amour dont tu les as comblés tout au long de leurs vies.

C'est toujours d'un commun accord que nous avons ensemble abordé chaque problème éducatif.

Je crois trop au retentissement sur tout le reste de l'existence de cet amour maternel durant les premières années de la vie pour ignorer que c'est toi qui as fait d'eux ce qu'ils sont aujourd'hui pour notre plus grand bonheur.

Tu as su transmettre l'amour.

Merci.

AVANT-PROPOS

Arrivé à l'âge de la retraite, sachant qu'il approche de la fin de sa vie, un père de famille éprouve le besoin de faire son testament : transmettre à ses enfants ce qu'il a acquis de plus précieux.

J'ai eu deux vocations, toutes les deux passionnantes : père de famille et pédiatre. Elles ont été liées, chacune me permettant de mieux comprendre l'autre. Elles m'ont, pendant quarante ans, amené à vivre presque continuellement avec ces enfants si attachants, essayant chaque jour de percer leurs énigmes. Soutenu par l'amour de ma femme, j'ai toujours eu sa constante collaboration, elle avait le rôle principal à la maison et je lui soumettais souvent des cas embarrassants de pédiatrie. Je pense donc que la seule chose précieuse que j'ai acquise pendant ma vie, la seule que j'ai à transmettre, c'est ce que j'ai pu comprendre des enfants et surtout mon amour pour eux. Ce sera mon seul testament.

Vous êtes déjà, ou vous serez bientôt, des éducateurs, vous avez bien des idées sur l'éducation. Certaines sont sûrement bonnes, d'autres forcément auront à être révisées, de façon à mener à bien ce « grand métier », qui consiste en une seule chose : apprendre à l'enfant à aimer, en l'aimant d'un amour vrai, désintéressé, pour lui et non pour les satisfactions qu'il peut nous apporter.

J'ai cru de mon devoir d'écrire ces pages à l'intention de mes enfants, mais puisqu'on me l'a demandé, pourquoi pas à celle de tous ceux qui voudront les lire. Ce sont tout simplement des conseils que, durant ma carrière, j'ai donnés à mes élèves et aux parents qui venaient me consulter, ils pourront peut-être en aider d'autres.

Pourtant, vouloir donner des conseils sur l'éducation! Quelle prétention! J'en suis conscient. Qui peut sonder tous les mystères de l'enfance. Personne n'a de souvenir remontant avant sa quatrième année, ce qui complique singulièrement le problème. Nous essayons de comprendre le comportement, les sentiments d'un enfant, avec notre jugement d'adultes qui se croient raisonnables, les rapportant à nos habitudes d'adultes que nous considérons comme seules valables, les traduisant en mots d'adultes, qui n'ont bien souvent aucun sens pour l'enfant.

Celui-ci en effet n'est pas un homme en miniature. C'est un être différent et en constante évolution sur tous les plans : physique, intellectuel et affectif. Pour imaginer ce qui se passe dans sa petite tête, il faut essayer de se mettre dans l'état d'esprit qu'il est censé avoir au stade où nous le croyons rendu. On risque constamment de faire de lourdes erreurs dont les conséquences sont bien difficiles à prévoir.

Je prends un exemple bien simple : la réaction de défense d'un enfant à la naissance du suivant. Que de parents m'ont parlé de « jalousie ». Il est bien évident qu'au premier abord, rapporté à nos sentiments d'adultes, et traduit dans notre langage d'adultes, l'enfant a une réaction (et parfois très agressive) qui est celle qu'un adulte peut considérer comme de la jalousie. Mais ce mot qui implique un défaut est très mal adapté à ce cas particulier. Il s'agit en effet simplement de la réaction normale de tout enfant, à l'âge où, si son évolution affective s'effectue normalement, il cherche à accaparer sa mère pour lui tout seul. Il se sent forcément frustré par la naissance d'un rival encombrant. Ses réactions ont pour but parfois peut-être de supprimer ou d'éloigner le petit frère, mais surtout d'accaparer l'amour de maman pour lui-même. Il ne s'agit pas d'un défaut, puisque non seulement c'est normal, mais il est même très bénéfique qu'il passe par là, qu'il sente cette frustration et réagisse contre elle, pour qu'à partir de là son évolution affective progresse de façon enrichissante.

Mais justement tout va dépendre, en grande partie, de la façon dont les parents réagissent de leur côté, donc interprètent ce phénomène :

– Une éducation pleine de diplomatie, faite parfois de subtilités bien délicates, va aider l'enfant à accepter ce partage de l'amour maternel : premier partage, première ébauche d'un amour un peu désintéressé, qui engage fortement l'avenir.

– On conçoit que l'erreur de considérer ce fait comme un défaut, de gronder ou sévir, aboutira à l'inverse : l'enfant ressentira plus fortement la frustration et s'enfoncera dans son agressivité, son repli sur lui-même. Il fera de plus en plus de colères, de caprices, et finalement, ne réussissant pas à accepter son petit frère, il risquera peut-être de devenir un jour un adulte égoïste et réellement jaloux.

Pour la plupart des réactions de l'enfant, on trouvera des difficultés analogues. Lourde responsabilité des éducateurs! Et pourtant simples erreurs de jugement sur les sentiments réels de l'enfant... et erreurs bien faciles à commettre.

C'est pourquoi je n'ai aucune prétention. Je me suis souvent trompé et me tromperai encore souvent. Mais je crois que le peu que j'ai appris par mes erreurs, soutenu par l'amour de mon épouse, pourra peut-être aider certains d'entre vous à en éviter, de bien involontaires, mais aux conséquences parfois graves.

Oui, je suis parfaitement conscient de la prudence qu'il faut pour affirmer quelque chose sur l'enfant. Et durant toute ma carrière médicale, j'ai eu à ce sujet une prudence plutôt exagérée, n'affirmant que ce dont j'étais sûr, c'est-à-dire bien rarement. Je n'ai pas souvent porté un diagnostic ferme, faisant part aux parents de toutes mes hésitations. (Certains m'ont dit : « On a l'impression que vous pensez tout haut. ») Il m'est beaucoup plus souvent arrivé de leur dire : « Je ne sais pas. » En matière d'éducation, il m'a fallu plus de vingt ans d'expérience pédiatrique pour oser donner quelques conseils. Dans ces pages, en accord avec ma femme, je n'affirmerai que ce à quoi je crois vraiment. Tout en connaissant les limites de ma certitude.

Chacun y trouvera forcément des points qui le heurteront. J'ai écrit, après mûres réflexions, ce qui correspond à ma conviction profonde. Je crois en conscience que je n'ai pas le droit de me taire. J'aime la franchise et je ne dis jamais le contraire de ce que je pense (c'est la raison sans doute pour laquelle tous mes enfants ont gardé une certaine confiance en leurs parents). Je vous demande de lire ces pages en n'y recherchant rien d'autre que tout l'amour que j'ai mis à les écrire et en pensant que, peut-être, certains conseils sont valables et qu'il vaut mieux s'en apercevoir avant, plutôt qu'après avoir essuyé un échec.

Je préviens les lecteurs qui ne me connaissent pas que je suis chrétien, qu'ils ne s'étonnent donc pas de quelques rares passages sur l'ensemble du texte où ma foi transparaît, sans rien changer au problème (j'aurais pu les supprimer sans aucun inconvénient, mais je n'en vois pas l'utilité). En revanche, dans les deux derniers chapitres, je serai obligé de faire référence à mes convictions religieuses, je m'en expliquerai alors.

I. – ÉDUCATEUR :
LE GRAND MÉTIER

Un état d'esprit nécessaire

Un seul but, transmettre l'amour

Éducateur : métier difficile pour les parents qui nécessite d'observer, d'écouter, d'essayer de comprendre les motivations de l'enfant, ses réactions, pour modifier, adapter en conséquence nos propres réactions. Et cela pendant quinze à vingt ans, avec des joies mêlées d'angoisses, mais toujours la confiance. Dur métier certes, plein de réflexions et d'hésitations, d'angoisses mais de maîtrise de soi, d'abnégation surtout, mais aussi plein de joies profondes. Quel métier plus passionnant peut-on concevoir que d'amener cet enfant, qu'on a mis au monde par amour, à devenir un homme ou une femme valable, capable d'aimer, c'est-à-dire de se donner un jour aux autres, à de grandes causes, quel que soit son avenir. C'est bien là le « grand métier », le plus important, celui dont dépend l'avenir de l'humanité.

Mais pour réussir cette éducation, il faut :

– d'une part, un état d'esprit de l'éducateur, fait de bon sens, de patience, d'amour surtout, et aussi une parfaite collaboration des deux parents ;

– d'autre part, un but précis et constant : transmettre cet amour.

UN ÉTAT D'ESPRIT NÉCESSAIRE

Pour éduquer les parents doivent d'abord s'adapter aux besoins de l'enfant.

1. Du bon sens

Ne nous entêtons pas dans des principes forgés à l'avance et qui paraissent pourtant séduisants.

Ne considérons pas comme une panacée les découvertes que nous avons faites, sous prétexte qu'elles ont réussi un jour, ou pendant une période, sur tel enfant. En fait, cela variera avec chaque type d'enfants, chaque enfant, chaque période de l'enfance.

Il faudra jour après jour, pendant des années, admettre qu'on n'a pas tout compris, qu'on a fait des erreurs et qu'on en fera d'autres.

Ce bon sens nécessite une première vertu qui est l'humilité : ce difficile métier, on n'aura jamais fini de l'apprendre. Ayons le courage de nous considérer toute notre vie comme des apprentis, capables d'accepter de réviser nos jugements, nos acquisitions, l'interprétation de nos observations, à la lumière de faits nouveaux, aussi bien que de vieux témoignages, qui sont parfois à reprendre, avec une interprétation plus judicieuse que celle qui nous les avait fait abandonner.

2. De la patience

Ce petit nourrisson qui vient de naître mettra vingt ans à devenir un homme, une femme. Et avant d'être cet adulte accompli, il devra franchir une à une les étapes de l'enfance, évoluer à son rythme.

Il progresse toujours par paliers, et on est souvent étonné de le voir stationner, parfois longtemps, avant de nouvelles acquisitions. Cela peut nous agacer. Et pourtant c'est son évolution normale.

Oui, il faut qu'il soit d'abord cet enfant :

– qu'il vive sa vie d'enfant dans sa plénitude ;

– qu'il passe ces différents paliers en temps voulu et pendant le temps nécessaire ;

À chaque étape :

– acceptons ses faiblesses en protégeant sa fragilité discrètement, sans rien annihiler ;

– conservons ses qualités d'enfant, en l'aidant à acquérir de nouvelles valeurs, lorsqu'il en est capable.

En voulant brûler les étapes on ne peut aller qu'à la catastrophe.

3. De l'amour

Mais le plus important est l'amour, un amour vrai, don de soi, que doit avoir acquis l'adulte. Et il est bon de s'assurer qu'on l'a acquis.

Tout le monde aime les enfants. Comment ne pourrait-on pas aimer ces petits êtres si merveilleux, si gracieux, si attachants. D'autant qu'on a en soi un si fort instinct de paternité, de maternité… de transmettre la vie.

Mais aime-t-on vraiment les enfants pour eux, ou pour le plaisir qu'ils nous procurent, ou pour la satisfaction de cet instinct de procréation, et à la condition qu'ils ne dérangent pas le programme ?

a) Dès la conception

Dès la conception du premier enfant le problème se pose. Beaucoup désirent acheter d'abord l'auto, la télévision, le réfrigérateur, voire la maison. Ce n'est que lorsqu'on est bien « installé » qu'on va programmer l'enfant, et sans « déranger » les vacances, les sports d'hiver, tel voyage, tel examen...

Tout cela est fort raisonnable en apparence, même en partie légitime. Mais la question qui m'intéresse est de savoir si l'enfant est attendu pour lui, ou pour la satisfaction des parents. Je vois souvent placardés sur nos murs ces autocollants : « Un enfant si je veux, quand je veux. » Il vaudrait mieux placarder : « Un enfant si je suis capable de l'aimer. »

Pourtant ces parents-là aiment leur enfant, mais de quel amour? Ne l'aiment-ils pas comme une petite chose qu'on se procure quand on en a envie, pour sa satisfaction personnelle, comme on aime son bateau, son auto... Ils en sont encore au stade archaïque de l'amour dont je parlerai bientôt, que j'appellerai amour captatif du nourrisson, tout à fait normal et bon à cet âge, mais non pas lorsqu'il s'agit d'un adulte. Ce sont les mêmes qui diront « faire l'amour », ne recherchant en fait dans cet amour que leur plaisir, la satisfaction de leur instinct sexuel (ce qui est légitime) mais bien peu l'épanouissement de leur conjoint (ce qui serait également bien souhaitable).

b) Les enfants suivants

Il en est de même pour *les enfants suivants,* pour le rythme des naissances. Je ne suis pas du tout contre une programmation des naissances. (Sans quoi nous aurions sûrement eu vingt-cinq enfants!) Depuis des années, dans mes cours sur les carences affectives de l'enfant, je cite comme cause importante de ces carences les familles trop nombreuses. J'ai alors un bel éclat de rire dans la salle!

Bien sûr, j'aime les familles nombreuses, mais je suis tout à fait contre les familles « trop nombreuses ». Cela ne veut pas forcément dire les familles de dix enfants ou plus (je ne pense pas qu'un de mes enfants puisse considérer qu'il a été de trop). Les familles trop nombreuses que j'ai rencontrées étaient bien souvent des familles d'un ou deux enfants.

Pour moi une famille trop nombreuse est celle dont l'enfant n'a pas été désiré ou au moins accepté par amour pour lui, et que de catastrophes j'ai vues en pareil cas. Oui, que les gens qui n'aiment pas les enfants n'en aient pas, plutôt que de vouloir réaliser ce non-sens d'élever un enfant sans véritable amour.

Par contre que ceux qui aiment vraiment les enfants n'aient pas peur d'en avoir. Quel nombre ? Cela les regarde. En fait le nombre qu'ils se sentent capables d'élever, c'est-à-dire d'aimer.

J'espère qu'il y aura encore des grandes familles, mais pour cela il faut beaucoup oser et peut-être surtout oser passer pour des imbéciles, de pauvres gens qui n'ont pas su se débrouiller. Oui, je sais par expérience ce qu'il en est de ces sourires ironiques, ces regards compatissants, ces réflexions blessantes, ou simplement étonnées : « Comment vous qui êtes médecin… », et qui feraient mal, si on ne les prenait tout simplement comme bien amusantes.

Aujourd'hui bien sûr on veut être, ou paraître, des individus raisonnables. Ma femme et moi ne l'avons sûrement pas été aux yeux de beaucoup ! Mais nous remercions tous les jours le ciel de ne nous avoir pas donné cette raison-là. Et plus je vieillis, plus je pense que c'est peut-être nous qui avions raison.

Si l'on veut que la France vive, je souhaite qu'il y ait des gens pas trop raisonnables, pour compenser la trop grande prudence des autres (bien sûr, je ne dirais pas la même chose dans certaines contrées du monde). Mais pour cela, la chose la plus importante est de savoir se moquer du qu'en-dira-t-on.

Question d'argent aussi, me dira-t-on. Oui bien sûr, en partie. Mais je ne crois pas que ce soit l'essentiel ; c'est davantage une conception différente de la vie. Je lisais un jour un article, écrit par un père de famille de deux enfants, qui indiquait son budget et concluait : « Comment ne pas être révolté. » J'avais exactement le même budget pour faire vivre huit personnes (c'était le temps où les internes étaient peu payés, puis se faire une clientèle en pédiatrie était difficile). Il fallait économiser sur tout, faire mes visites à bicyclette, puis avec une très vieille voiture, les jouets des enfants étaient presque tous fabriqués par ma femme et par moi pendant quinze ou vingt ans ; mais nous étions très heureux et nos enfants aussi, je le crois. Il faut savoir faire confiance à la providence ! La seule chose que je ne recommencerais pas, c'est que pendant cette même période, je n'avais pas pris d'assurance-vie, trouvant que je n'avais pas de quoi la payer ! C'était folie, d'accord !

c) Chaque jour

Et ce don qu'on a fait, ou qu'on aurait dû faire lors de la conception de l'enfant, ou de son acceptation, est à *refaire chaque jour, tout au long de sa vie.*

Lorsque l'enfant est là, est-ce un bagage encombrant, ou un être humain auquel on consacre sa vie ? A-t-on conscience d'être vraiment entré dans le « grand métier », le plus important, celui dont dépend l'avenir de l'humanité et qui prime tout le reste : façonner un homme, une femme ? Il n'est pas question que les parents soient des esclaves, pas totalement. D'ailleurs, pour apprendre à l'enfant à aimer, il faudra lui apprendre à accepter lui aussi des contraintes. Mais sachons bien qu'il ne le fera que dans la mesure où nous l'aurons d'abord fait pour lui.

Que de fois j'ai entendu cette réflexion, anodine en apparence : « Un enfant, c'est bien mignon, mais... » et quel que soit ce qui vient après ce « mais », cela veut dire : « C'est bien encombrant et il n'est pas question de se laisser accaparer. » Oui ! c'est peut-être vrai, mais ce calcul est catastrophique. Cela veut dire qu'on n'a rien compris à ce qu'est un enfant : c'est une petite chose agréable, mais qu'il faut savoir laisser dans un coin lorsqu'on n'en a plus besoin, comme la petite fille qui abandonne sa poupée lorsqu'elle n'a plus envie de jouer avec elle! Sans se soucier de savoir si lui a encore besoin de nous.

Je voudrais qu'on dise tout simplement : un enfant c'est accaparant, je le sais, mais je suis en train d'en faire un homme. On sacrifie à un métier passionnant, parfois simplement lucratif, et pourquoi pas au plus grand des métiers, celui d'éduquer ses enfants, celui de forger l'humanité future? Oui, cela vaut vraiment la peine, malgré tous les sacrifices nécessaires. Et en retour, que de joies, et celles-là réelles et durables. Alors que, si on refuse de sacrifier pour son enfant de petits plaisirs parfois bien passagers, que de peines en perspective. L'enfant non désiré ou non accepté sans réserve le sent bien, consciemment ou dans son subconscient, et ce sera une catastrophe.

Mais à ce sujet, je dois signaler également que j'ai entendu bien des fois des mères de famille, qui ont bien accepté leurs enfants et les aiment vraiment, dire dans des moments de fatigue ou d'impatience, des phrases comme celles-ci (devant leurs enfants et à l'âge où ils prennent tout à la lettre) : « Les enfants sont odieux, une charge insupportable », ou bien : « Je désirais tel nombre d'enfants, j'en ai eu tant » (donc un ou deux de trop). Lequel d'entre eux ne se posera pas la question de savoir qui est de trop et si par hasard ce n'est pas lui; comment pourrait-il ne pas en être bouleversé!

Oui, l'amour qu'on doit à l'enfant, c'est ce don de soi sans calcul et il le sent bien.

d) Totalement désintéressé

Mais plus encore, cet amour, ce don que l'on fait à l'enfant, doit être totalement désintéressé. L'enfant n'est pas une chose qui nous appartient, mais une personne qui nous est confiée, et que nous respectons comme un individu à part entière. Nous ne l'élevons pas pour nous, mais pour lui, pour l'aider à remplir son rôle humain, et se donner un jour, mais à d'autres. L'homme quittera son père et sa mère, nous dit la Genèse.

Et pourtant qu'il est difficile d'éviter cet *instinct possessif des parents* :

— ce sont nos enfants ;

— nous désirons qu'ils nous fassent honneur, même si c'est par un vernis superficiel plus que par des qualités profondes ;

— nous voulons qu'ils réussissent, attachant souvent plus d'importance aux carrières brillantes ou lucratives qu'à la valeur humaine, ou tout simplement aux goûts et aux dons de l'enfant ;

— nous avons peur de les perdre, en fait peur de les laisser vivre, risquant de les surprotéger, d'annihiler leur élan, leur audace et d'en faire des timorés. Qu'il faut prendre sur soi pour cacher son angoisse et accepter les risques raisonnables, nécessaires à la joie de l'enfant, à son bonheur, à sa valeur humaine, à l'épanouissement de sa personnalité ! Bien sûr on a peur de les perdre, mais il faut dépasser cette peur. Le rôle d'un père ou d'une mère, c'est de trembler toute sa vie en ne le montrant pas. C'est, je pense, le seul mensonge qu'on soit autorisé à faire à un enfant.

4. Ligne de conduite commune entre époux

Enfin, il est capital qu'il y ait entre les époux une ligne de conduite commune.

Une bonne mise au point est souvent nécessaire pour s'adapter, ensemble, aux variations de situations, suivant l'évolution de l'enfant.

Et un véritable amour conjugal réalisera cette ambiance d'amour dont a besoin l'enfant.

*

* *

Tout cela peut paraître évident ! J'espère qu'il n'en est rien pour vous. Quand on réfléchit bien et sincèrement, on est obligé de constater qu'on n'a pas atteint l'amour idéal. Il y a dans nos motivations bien des restes d'égoïsme, d'autosatisfaction, d'orgueil. Nous n'atteindrons jamais l'amour parfait. Le tout est de faire effort pour y tendre. Il faut s'éduquer d'abord soi-même.

UN SEUL BUT,
TRANSMETTRE L'AMOUR

Ayons également bien en vue le but qu'on veut atteindre : c'est de transmettre à l'enfant cet amour.

Le seul but et moteur de la vie, c'est l'amour. Sans lui, il ne peut y avoir qu'égoïsme ou haine et on sait où cela mène. Éduquer un enfant consiste donc uniquement à lui apprendre à aimer, avec toute la progression adaptée à chaque âge et à chaque enfant. Et quand je dis « uniquement », c'est bien exactement, à la lettre, ce que je veux dire.

Que de fois j'ai entendu des parents me dire devant l'échec : « Pourtant j'ai bien élevé mon enfant. » Mais un enfant bien élevé, qu'est-ce que c'est ? Un enfant propre, bien poli, sachant dire « bonjour », « s'il te plaît », « merci »…, qui est sage et ne dérange pas les adultes, qui fait honneur à ses parents, qui travaille bien à l'école… Tout cela n'a aucun intérêt en soi. Bien sûr, c'est bon, mais ce n'est pas ce qu'il faut chercher à apprendre à un enfant en premier. Cela viendra spontanément… par amour. Et alors ce sera excellent. Mais si, pour assurer notre honneur et notre sérénité, nous cherchons à revêtir l'enfant de ce vernis superficiel, non suscité par un sentiment profond d'amour, ce ne sera qu'un masque sans intérêt, ce sera tout simplement lui apprendre l'hypocrisie.

Non ! Ce qu'on doit chercher dans l'éducation d'un enfant, ce n'est pas du superficiel. Mais c'est l'aider, en s'épanouissant dans la joie :

– à prendre conscience de sa condition humaine ;

– à acquérir sa personnalité, en utilisant au mieux ses possibilités ;

– à devenir un individu libre, donc capable de se diriger selon sa conscience, de prendre ses responsabilités, de percevoir les limites de sa liberté dans son intérêt et celui des autres, et d'en accepter volontairement les contraintes.

Et tout cela ne sera possible que s'il est capable d'aimer, de se donner. Cet amour, c'est donc bien la seule chose qu'il faille s'efforcer d'inculquer à l'enfant.

II. – ÉVOLUTION
AFFECTIVE
DE L'ENFANT

Le stade oral : l'amour captatif

Le stade anal : l'amour échange

Le stade génito-sexuel : l'amour partage

L'éducation est centrée sur l'amour. Il est donc très important, pour discerner l'essentiel de chaque problème éducatif, de toujours bien avoir à l'esprit l'évolution affective du jeune enfant. Il faudra constamment s'y référer, pour essayer de comprendre les réactions de l'enfant dans telle ou telle circonstance.

Il est difficile de ne pas évoquer Freud, mais je parlerai le moins possible un langage philosophique ou psychiatrique, d'une part parce que je ne suis ni philosophe ni psychiatre et que j'aime dire les choses tout simplement. D'autre part, si dans les notions modernes il y a beaucoup de bonnes choses à prendre, on y parle à mon avis beaucoup trop de sexe et pas assez d'amour véritable, et on semble trop souvent confondre les deux. Je ne méprise nullement la sexualité qui a sa part importante dans l'amour, mais qui doit être dominée par l'amour.

Je parlerai donc surtout d'amour. Cela répond, je pense, beaucoup plus à la réalité et au but qu'on veut atteindre. L'homme est vraiment conduit par l'amour, il recherche avidement l'amour et il ne peut être satisfait que par le véritable Amour.

J'ai souvent eu la conviction que bien des échecs psychiatriques, devant des névroses et des psychoses, étaient dus au fait qu'à ces hommes ou adolescents qui cherchent l'Amour, on ne présente qu'un amour dérisoire au stade archaïque, bien décevant pour un adulte : un repli sur soi, au lieu d'un épanouissement dans le don de soi (qu'il faille parfois repartir à zéro, à ce stade archaïque, j'en suis bien d'accord, mais il ne faudrait pas trop s'y complaire).

Oui, aimer c'est se donner.

Mais pour l'enfant qu'est-ce que l'amour ?

Beaucoup de parents m'ont posé cette question : « Est-ce qu'un nourrisson aime sa mère ? » Lorsque j'étais jeune pédiatre, j'hésitais à répondre. En effet si l'on réfléchit trop, on le trouve bien loin du don de soi ce petit être semi-conscient, qui veut tout, tout de suite. Il attend tout de sa mère, sans rien donner à la place. Aujourd'hui, vieux pédiatre, je réponds sans hésiter : mais oui, il aime sa mère, il l'aime intensément, il ne fait que cela, aimer sa mère, mais à sa façon d'enfant, d'une façon uniquement captative. Et cela est excellent puisqu'il ne peut pas faire mieux. Dieu l'a créé ainsi : « [...] et il vit que cela était bon. » Et même ce gracieux sourire, qui semble dire merci et nous comble de joie, exprime surtout sa satisfaction lorsqu'il a ce qu'il veut.

Avant d'atteindre le don de soi, ou plutôt de tendre vers cet idéal qu'il n'atteindra jamais totalement, il faut qu'il parte de cet amour archaïque, et que la notion d'amour évolue chez lui par étapes. Il va progresser par paliers, sur chacun desquels il va stationner longtemps. Mais il est important qu'il franchisse chaque palier au bon moment, sinon ce qui n'est pas acquis à cette date sera beaucoup plus difficile à acquérir plus tard, parfois même impossible. Aidons-le grâce à un juste mélange, d'abord et surtout de satisfactions, puis de contraintes judicieusement proposées au bon moment, pour qu'il soit capable de les accepter. Dans ce juste équilibre réside tout le secret... mais aussi la difficulté de l'éducation.

Quelle est donc cette évolution affective du jeune enfant ?

LE STADE ORAL : L'AMOUR CAPTATIF

Le premier stade est le stade oral de Freud (surtout marqué par les six premiers mois de la vie). C'est ce stade d'*amour uniquement captatif* : « J'aime le plaisir qu'on me donne. »

À ce stade archaïque, les besoins affectifs sont primordiaux et même on peut dire que tout a une énorme charge affective. Le nourrisson réagit globalement dans tout son être, par des sensations de joie ou de contrariété, suivant que son équilibre physiologique est respecté ou non. Et son principal besoin est l'alimentation et tout ce qui se rapporte à la bouche. À ce stade, il aime sa mère parce qu'elle satisfait ce besoin vital : elle apaise sa faim et lui procure en même temps ce plaisir sensuel de la tétée. Il aime sa mère-nourrice, plus exactement sa mère-nourriture : on pourrait presque dire qu'il aime sa mère comme nous aimons un aliment!

Amour à sens unique, égoïste dirait-on dans notre langage d'adultes, mais amour. Et il est indispensable que l'enfant passe par là pendant ses six premiers mois et qu'il soit avant tout satisfait.

Il est à noter que pendant ces six premiers mois, l'enfant ne reconnaît pas encore sa mère. Il tend les bras à toute personne qui lui sourit, le prend dans ses bras ou le nourrit avec amour. Et il la remercie par son plus beau sourire. Mais il faut bien comprendre que peu à peu, insensiblement, il s'attache à cette personne qui le nourrit et s'en occupe, ce qui engage fortement l'avenir. En effet, passé six mois et surtout huit à neuf mois, l'enfant est attaché intensément et de façon exclusive à cette personne-là et il a peur des étrangers. Donc durant ces premiers mois, alors qu'il ne semble pas reconnaître sa mère, il est capital que ce soit bien elle qui le nourrisse, sinon de façon exclusive, du moins le plus souvent possible, pour que d'emblée ce soit bien à elle qu'il s'attache. Sinon on s'expose à des problèmes sérieux.

Si l'on veut essayer de résumer les choses en interprétant ce que ressent confusément le nourrisson, il est important de l'amener à faire la progression suivante : d'abord « j'aime le plaisir qu'on me donne », qui se transforme en « j'aime le plaisir que maman me donne », pour qu'à la fin de cette première étape, ce soit : « J'aime maman qui me donne ce plaisir. » Il sera alors prêt à affronter le deuxième stade.

LE STADE ANAL : L'AMOUR ÉCHANGE

Le deuxième stade (surtout à partir d'un an) correspond au stade que Freud appelle sadico-anal. Je l'appellerai tout simplement : *amour échange* : « Je te donne pour que tu m'aimes davantage. »

Le nourrisson est alors attaché exclusivement à sa mère et, jamais satisfait, il veut l'accaparer de plus en plus. Il a deux moyens de l'accaparer et il est expert pour les utiliser au mieux de son intérêt.

Le premier est de lui faire plaisir et il ne s'en privera pas si maman sait comprendre ses petits cadeaux et montrer sa satisfaction par encore plus d'amour, puisque c'est ce que cherche l'enfant. Mais il est capital qu'elle comprenne ! Ce qui n'est pas toujours si évident au premier abord. En effet, c'est à sa façon d'enfant que, pour l'accaparer, il cherche à lui faire plaisir : en la tirant par la manche alors qu'elle est occupée à lire ou à travailler (et ne s'occupe plus assez de lui), pour lui faire admirer quelque merveille qu'il a découverte ou inventée : un bout de tapisserie déchirée, un livre crayonné, une belle tasse qu'il a trouvée dans le placard... ce qui n'est pas forcément toujours du goût de maman. (Les adultes sont décidément des gens très curieux qui ne savent pas comprendre et n'admirent pas les belles choses !) Mais quelle catastrophe si elle punit, alors que l'enfant venait simplement lui faire plaisir, pour lui demander de l'aimer !

Puis, maman étant vraiment trop absorbée ailleurs, il finit bientôt par attirer son attention, sous n'importe quel prétexte ou par simple jeu. Il faudra bien sûr qu'elle sache imposer la petite limite qui devient nécessaire, mais gentiment et à bon escient, et la limite n'est pas toujours facile à définir. Quels patience et savoir-faire il faut! On n'admirera jamais assez la patience d'une mère.

Mais si maman manifeste trop vivement son agacement, ou ne sait pas deviner ce qui est en fait une ébauche d'amour, l'enfant découvrira toujours très facilement le second moyen d'accaparer, qui celui-là réussit toujours, infailliblement; c'est de faire des bêtises, des colères, des caprices... de la provoquer de n'importe quelle façon. Il est sûr que maman va réagir et même si c'est pour gronder ou punir, cela n'a pas d'importance, elle s'occupe de « moi », c'est cela qui est important. On risque alors de tomber dans un cercle vicieux bien dangereux, ce serait parfois le cas de dire cercle infernal, lorsque l'enfant, constatant que cela marche, fera de plus en plus de bêtises et d'autant plus que sa mère réagira et sévira davantage (on verra plus loin comment en sortir, mais il est tellement plus simple de ne pas y entrer).

Parmi les petits cadeaux que l'enfant va faire à sa mère, il y a bien entendu la propreté sphinctérienne, qui à cette date est sans doute le point capital pour la mère et pour l'enfant, et dont l'acquisition dans un bon équilibre affectif va engager toute l'évolution affective ultérieure. Freud dit que la première selle dans un pot est le premier cadeau que fait l'enfant à sa mère. Il oublie, je pense, ce premier sourire si plein de signification. Mais il a peut-être raison, en ce sens que c'est le premier cadeau vraiment un peu conscient. En effet, au début, l'enfant n'y voit aucun avantage, être dans des couches humides ne le dérange absolument pas. Cette propreté est une contrainte qu'il va accepter, uniquement pour faire plaisir à maman, dans le but d'obtenir plus d'amour.

Il faut donc que maman montre bien sa satisfaction devant toute ébauche de progrès et évite toutes les erreurs de diplomatie bien faciles à commettre comme nous le reverrons. Car si elle montre trop d'impatience, si elle réagit devant une culotte sale, l'enfant ne comprendra plus très bien ce qu'elle désire, mais il s'apercevra rapidement que c'est de faire dans sa culotte qui accapare le plus maman et il ne s'en privera pas. Il ne sera sûrement pas propre de bonne heure.

Donc second stade capital dans l'évolution affective : amour échange, amour encore plein d'« égoïsme », dira-t-on, et même plus encore qu'au premier stade ; l'enfant n'agit que par intérêt et de la façon où il trouve le plus son intérêt. Il donne pour avoir encore davantage et ne donne rien s'il n'obtient rien. Mais tout de même, si tout se passe bien, il arrive à donner quelque chose de lui-même, bien peu en apparence, une selle, un pipi dans un pot, mais c'est beaucoup. C'est un progrès énorme puisque c'est une ébauche d'amour don de soi. On conçoit la gravité d'un blocage à ce stade, il retarde la propreté sphinctérienne, il entraîne de gros problèmes caractériels (caprices, colères…) mais surtout cette absence d'ébauche de ce don de soi, au bon moment, risque d'enrayer l'évolution affective ultérieure.

Mais qu'il faut de patience et de diplomatie pour ne pas montrer son dépit devant une culotte sale, que l'enfant vient gentiment montrer à maman, puisqu'il a compris qu'elle préférait qu'il ait le derrière sec, de même pour ne pas gronder devant une assiette cassée, que l'enfant allait poser sur la table pour aider !

LE STADE GÉNITO-SEXUEL : L'AMOUR PARTAGE

Le troisième stade (entre deux ans et demi et cinq ans), que Freud appelle génito-sexuel, avec le conflit d'Œdipe, je l'appellerai stade de l'*amour partage ;* en effet, l'enfant doit apprendre à partager avec d'autres l'amour maternel ou paternel.

À cet âge, l'enfant cherche de plus en plus à accaparer cet amour et il veut un amour exclusif qui n'admet pas de partage. Or il va se trouver confronté à des rivaux, et c'est le drame, mais drame qui doit devenir bienfaisant, en le faisant progresser dans l'amour.

1. Le conflit d'Œdipe

Le premier rival est le parent du même sexe, avec le fameux *conflit d'Œdipe* :

L'enfant, dit Freud, découvre son sexe (ce qui est souvent évident : il n'y a qu'à regarder ses dessins, sur lesquels les personnages sont souvent nettement sexués) et il s'attache de façon prédominante au parent du sexe opposé, cherchant à éliminer l'autre.

Cela est *très net chez le garçon* et c'est tout naturel, sans qu'il soit nécessaire d'y mettre trop de sexe, puisque, en fait, il ne fait que s'attacher davantage à celle à laquelle il s'est attaché de plus en plus depuis la naissance ; y voir un désir d'inceste et le comparer au mythe d'Œdipe, je le veux bien, mais le problème qui m'intéresse est le retentissement sur l'amour de l'enfant. Le fait capital est qu'il découvre un rival : maman aime aussi papa et même d'une façon assez intense. Il y trouve ombrage, et va tout naturellement essayer de s'interposer entre ces deux amoureux, de dissocier ce couple qui s'aime, ce qui empêche maman de se consacrer entièrement à lui tout seul.

Mais, d'une part, ce rival est de taille, par sa force physique et par la place qu'il a dans le cœur de maman, et il s'aperçoit qu'il ne peut le supprimer. D'autre part et surtout, si toute la diplomatie nécessaire est assurée du côté des deux parents, il constate que cet amour conjugal des parents entre eux ne le frustre en rien de l'amour maternel qu'il reçoit de son côté. Peut-être même perçoit-il confusément que l'épanouissement de sa mère par cette atmosphère d'amour fort ne fait que favoriser ses propres relations avec maman, qui n'en est que plus souriante, joyeuse, disponible.

Alors, sentant qu'il n'a rien à perdre, peut-être même tout à gagner, il va accepter de partager avec papa l'amour de maman. Ce père va alors devenir celui qui a su aimer maman et en être aimé, l'homme à imiter, le modèle à suivre.

Chez la fille cette fixation intense sur le père avec lutte contre la mère est souvent exacte, mais moins constamment évidente. Elle est forcément atténuée par le fait que, jusqu'à deux ou trois ans, la fille elle aussi était attachée à sa mère et il persistera le plus souvent une grande part de cet attachement. Mais cela ne l'empêchera pas sans doute de percevoir cet amour conjugal des parents entre eux et d'y trouver ombrage et c'est là l'essentiel du conflit, qui aboutira au même résultat.

Stade capital de l'amour : acceptation du partage, bien sûr à la condition d'y trouver son intérêt, mais quand même partage, donc premier renoncement à un amour égoïste. Il est donc nécessaire que l'enfant entre normalement dans ce conflit et en sorte de façon épanouissante. Cela suppose un amour conjugal réel et beaucoup de tact de la part des parents. (Que le parent délaissé ne laisse pas deviner sa déception et n'insiste pas.)

Un conflit d'Œdipe mal liquidé laissera forcément des traces dans l'adaptation sociale et conjugale ultérieure.

2. La naissance d'un petit frère ou d'une petite sœur

Souvent vers cet âge se produit un deuxième conflit, dont on parle moins, mais aussi important dans son intensité et aussi utile à l'évolution affective : *la naissance d'un petit frère ou d'une petite sœur.*

Tout enfant normal réagit contre cet intrus, qui vient prendre trop de place à la maison et dans le cœur de maman. Et la réaction est d'autant plus forte qu'il est plus âgé lors de cette naissance (du moins jusqu'à cinq ou six ans). Je ne pense pas qu'il y ait d'exception et c'est heureux, c'est tellement utile. Certains parents m'ont dit qu'il n'en avait rien été chez leur enfant. Je pense qu'ils n'ont pas su interpréter quelques petits caprices ou régressions momentanés, ou bien que cette réaction a été décalée de quelques mois par rapport à la naissance, ce qui me semble se produire assez souvent.

Mais cette réaction est d'intensité très variable (et les plus fortes ne sont pas forcément les plus apparentes) :

– Elles sont parfois très intenses : l'enfant semble vouloir réellement supprimer ce rival : que d'enfants ont voulu piétiner leur petit frère, mettre le pied sur sa tête…

– Souvent en fait, l'enfant accueille gentiment son petit frère, lui fait des caresses, lui prête son nounours. Puis tout d'un coup, sans cause apparente, cela se termine par une gifle ou le nounours envoyé dans la figure.

– Le plus souvent, alors que les relations avec le dernier-né sont apparemment bonnes, ce sont tout simplement des caprices, des colères, qui n'ont pas d'autre but que d'attirer l'attention de maman sur lui-même, surtout au moment où elle pouponne ou fait manger l'autre : « Le petit frère est bien mignon, mais il ne faut pas m'oublier ! »

– De toute façon il est rare de ne pas constater quelques régressions, pour essayer de revenir au stade bébé : il ne peut plus monter un escalier, manger seul, il refait dans sa culotte ou dans son lit…

– Que de difficultés scolaires sont dues à une rivalité envers un cadet, surtout si la différence d'âge est de cinq ans environ. Il est bien compréhensible que cet enfant de cinq à six ans, qui va à l'école pendant que le petit frère reste seul avec maman, ressente pendant la classe une frustration, parfois très marquée, qui inhibera fortement sa possibilité d'attention. Il est bien normal aussi qu'il soit odieux dès le retour à la maison pour accaparer enfin maman. (Ce sera le moment de ne surtout pas réagir aux colères et caprices, mais de s'efforcer de les prévenir en extériorisant sa joie de revoir l'enfant. Il est important qu'il sente que lui aussi a beaucoup manqué à maman.) Mais parfois des problèmes scolaires peuvent persister de façon durable.

Qu'il est important dans tous ces cas d'agir avec prudence. Là encore il faut d'abord que l'enfant ne se sente pas frustré, qu'il comprenne qu'on l'aime autant qu'avant, voire plus. Alors seulement, il va pouvoir accepter ce nouveau partage de l'amour maternel puisqu'il ne perd rien. Au contraire, cela lui apporte la joie d'avoir un compagnon de jeu. Mais que de diplomatie nécessaire :

Avant la naissance, il est bon de prévenir l'enfant, mais sans trop insister (en particulier si à la question : « Tu es content d'avoir bientôt un petit frère ? » il répond un « non » sec et bien significatif). Ne pas lui faire trop sentir que maman est fatiguée et s'occupe moins de lui, parce qu'elle attend un bébé. S'il doit changer de chambre ou de lit pour laisser la place au suivant, que ce soit assez longtemps avant la naissance, et sous un prétexte qui n'ait rien à voir avec celle-ci.

Dès la naissance, on manifestera le plus d'amour possible à l'avant-dernier :

C'est la principale raison pour laquelle mes dix aînés sont nés à la maison et que Marguerite y est revenue deux jours après l'accouchement. Il me semblait capital que celui qui était devenu l'avant-dernier puisse sauter sur le lit de maman quelques heures et souvent moins après la naissance. Tant pis pour ce qu'en pensent les accoucheurs!

Deux précautions sont importantes :

D'abord que l'enfant sente le moins possible de frustration : ne pas l'écarter sous prétexte qu'il a les mains sales et qu'un nouveau-né c'est fragile ; le pouponner un peu avant ou après s'être occupé du bébé ; lui donner ses repas si possible peu après les tétées, l'aider un peu à manger s'il en manifeste le désir, mais momentanément et sans vouloir exagérer dans ce sens (un juste milieu est toujours bon) ; ne jamais utiliser les mots « grand » ni « petit », ils sont tous les deux « mignons » ; et surtout ne pas toujours lui répéter que lui qui est grand doit être sage, ne pas faire de bruit… toujours à cause de ce petit frère ! (Non seulement il perd sa place de petit, mais en plus devenir grand comporte tous ces inconvénients !)

En même temps, ne pas remarquer les caprices, les colères, les régressions affectives, les pipis dans la culotte, les gestes hostiles envers le petit frère. Bref, il faut qu'il s'aperçoive bien que cela n'accapare pas maman. Par contre qu'il sente qu'on apprécie les petits services qu'il rend pour l'aider (non parce qu'il est « grand », mais parce qu'il est « gentil »).

Une vigilance s'impose parfois, mais avec beaucoup de discrétion :

Marguerite a fait grand peur à sa mère et à moi, lorsqu'elle avait vingt mois et que sa petite cousine Frédérique avait été amenée à Nantes par ses parents pour la montrer et la faire admirer, bien sûr. Elle s'était bien rendu compte que le centre d'attraction venait de changer un peu de direction. Le bébé était par terre dans son couffin, elle a mis le pied sur sa tête. Geste innocent mais plein de signification.

Sa mère a su, comme bien souvent, cacher son émotion et sa peur et, sans aucune réaction, d'un geste naturel, apparemment indifférent, mettre tout simplement le couffin sur la table.

Personne n'a rien remarqué, son geste n'a eu aucun intérêt! Et donc pour elle-même il est passé inaperçu. Quelques mois plus tard, la même cousine revenant à Nantes, c'était la grande joie, sans aucune agressivité.

Mais qu'il est difficile d'avoir toujours cette calme présence d'esprit, pour, en un quart de seconde, faire au bon moment le geste simple qu'il faut, même devant un danger imminent!

Conflit d'Œdipe bien liquidé, naissance d'un petit frère bien acceptée, quel bond en avant dans l'amour : l'acceptation du partage, premier renoncement à un amour égoïste. Au début, cela nécessite des avantages en retour, mais bientôt ce sera le partage sans calcul. Si c'est raté, on conçoit la catastrophe possible.

Qu'il est important que tout cela se passe dans une chaude ambiance familiale!

*
* *

Donc vers cinq ans, l'essentiel est fait, toutes les possibilités d'amour sont acquises, à l'état d'ébauche, oui, mais acquises, vers un amour vrai, qui viendra peu à peu grâce à un juste dosage de satisfactions et d'acceptations de quelques contraintes.

Mais ce n'est qu'à la puberté que l'amour réellement oblatif pourra être acquis, que l'adolescent pourra comprendre qu'il y a plus de joie à donner qu'à recevoir.

Dans tout cela je fais quelques remarques :

Comme toujours, attention de ne pas vouloir aller trop loin et, pour éviter à tout prix les frustrations, d'aller à l'excès inverse. Il ne faudrait tout de même pas faire si bien que l'enfant ne s'aperçoive pas qu'il a un rival; tout serait manqué dans cette magnifique occasion de progresser dans l'amour. Veillons simplement à ne lui demander que ce qu'il est capable d'accepter. Limite bien délicate et qui variera avec chaque enfant, ce sont ses réactions qui nous guideront, pour faire le juste dosage.

Ne pas réagir à une colère, un caprice, cela ne veut pas dire céder à tout, bien au contraire. Cela veut simplement dire faire comprendre à l'enfant qu'on n'est nullement impressionné, que cela n'a pour nous aucun intérêt. Alors que réagir d'une façon quelconque, c'est montrer à l'enfant qu'il a gagné et donc qu'il faudra recommencer (on y reviendra).

Surtout ne pas s'impatienter devant ces petits conflits. Ils durent toujours plus longtemps qu'on le voudrait, puisqu'on voudrait qu'ils soient réglés du premier coup, et justement plus l'enfant sent notre angoisse, notre impatience (et il le sent toujours fort bien), plus le conflit durera.

De même, alors qu'on croyait tout réglé, il y a bien souvent de nouvelles régressions, mais qui seront suivies de nouveaux progrès toujours aussi fructueux.

III. – IMPORTANCE DES PREMIÈRES ANNÉES

J'ai entendu des mères me dire : « Je mets mon enfant en nourrice, mais je le reprendrai à trois ans pour faire son éducation. » Erreur monumentale : l'éducation est terminée à trois ans, en tout cas avant cinq ans et c'est bien facile à comprendre : l'évolution d'un enfant est telle que l'essentiel des acquisitions est fait avant trois à cinq ans. Toutes les acquisitions se font beaucoup plus facilement et rapidement à cet âge et, venant sur un terrain vierge, elles marquent pour la vie.

Mais *ce qui n'est pas acquis pendant cette période est très difficilement récupérable* et cela sur tous les points.

Sur le plan physique, l'enfant prend vingt-cinq centimètres la première année et dix centimètres par an les trois suivantes (donc plus de cinquante centimètres en quatre ans). Mais bien des raisons (maladie prolongée, carences alimentaires, anorexie d'opposition grave…) peuvent arrêter la croissance aussi bien en taille qu'en poids. L'enfant peut fort bien ne prendre que dix à quinze centimètres la première année au lieu de vingt-cinq. Ce qui est important à savoir c'est que lorsque la maladie est guérie ou le trouble alimentaire rectifié, l'enfant recommence à grandir normalement, c'est-à-dire normalement pour son âge : il prendra dix centimètres par an de un à quatre ans, donc il grandit parallèlement à la courbe normale, mais en conservant toujours les dix centimètres qui lui manquent à un an.

Sur le plan intellectuel, l'enfant fait également des acquisitions énormes les trois premières années : il marche à un an, sait manipuler les objets au même âge, est propre à dix-huit mois, fait des phrases entre deux et trois ans et à trois ans a pris conscience de sa personnalité. Si pour une raison quelconque il arrête son développement psychique, il mettra ensuite beaucoup plus de temps à faire ces acquisitions et gardera toujours un retard.

C'est le cas par exemple des myxœdèmes congénitaux (insuffisance thyroïdienne) : non traités, ces enfants ne se développent que très lentement sur le plan physique comme intellectuel. Traités aux hormones thyroïdiennes, leur développement va s'effectuer. Mais sur le plan intellectuel cela dépend pour une très grande part de la date du traitement : si celui-ci est commencé précocement dès les premières semaines de la vie, le développement peut être normal. Si celui-ci est commencé tardivement vers un an, ce que j'ai vu trop souvent autrefois, il y aura toujours un retard important.

C'est le cas de ces enfants-loups, découverts dans des tanières de loups ou autres animaux et dont quelques cas ont pu être étudiés médicalement avec assez de précision. Même mis dans de bonnes conditions, leur instruction est très difficile : ils mettent des années pour acquérir ce qu'un nouveau-né acquiert normalement en un an et encore ce sera toujours très imparfait.

C'est le cas aussi de ces enfants semi-abandonnés que j'ai vus tant de fois (du fait du rejet plus ou moins conscient des parents ou de débilité de ceux-ci). Pour certains, il est bien difficile de les différencier de grands encéphalopathes.

Sur le plan affectif, il est bien évident que l'on observe le même phénomène. À cinq ans tout l'essentiel de l'évolution affective est acquis, à l'état d'ébauche ; tout manque d'acquisition, tout retard sera très difficilement récupérable, voire irrécupérable.

Or, sur ces trois plans, pour que toutes ces acquisitions se fassent bien, *un juste milieu est nécessaire dans la stimulation.*

Pour grandir physiquement, il faut une alimentation normale : saine, suffisante et bien équilibrée, c'est-à-dire sans excès non plus de certains aliments.

Pour se développer intellectuellement, c'est une nourriture intellectuelle (un enfant de deux ans peut avoir entre vingt et deux cents mots, suivant qu'on lui parle ou non). Mais là encore des excès de stimulations peuvent entraîner une opposition, un blocage,

Sur le plan affectif, il en est de même : à chacune des périodes que nous avons décrites, il est capital que, d'abord, les besoins affectifs normaux soient satisfaits pendant le temps nécessaire. Mais aussi qu'à la fin de chaque période, l'enfant soit capable de renoncer aux excès. Sinon l'enfant restera fixé à ce stade affectif.

Il est très important de noter en effet qu'un enfant carencé sur le plan affectif cherche, par tous les moyens, à obtenir ce qu'il n'obtient pas normalement, devient odieux et finalement a tendance à se replier sur lui-même, pouvant aller jusqu'à l'autisme.

Mais les excès affectifs peuvent donner le même résultat : l'enfant comblé à l'excès, n'ayant jamais de contrariétés, aucun refus, ne se sent jamais assez satisfait et cherche par tous les moyens à avoir toujours plus. Lui aussi se replie sur lui-même et a de plus en plus de peine à accepter les contraintes.

L'un comme l'autre deviennent inaccessibles à l'amour.

Il est capital de bien prendre conscience de l'importance des toutes premières années, et surtout du rôle primordial des facteurs affectifs qui marquent l'enfant pour le reste de son existence. C'est à cet âge qu'il faut lui donner le maximum, quitte à accepter soi-même quelques sacrifices.

Une mère de famille me disait récemment : « Les premières années font la suite merveilleuse ou atroce ; il faut savoir faire un bon investissement dans le temps. »

Quand je dis que tout est terminé vers trois à cinq ans, cela ne veut pas dire qu'il ne faille plus rien faire ensuite ; mais l'essentiel est acquis, les bases sont posées, le reste s'édifiera dessus facilement. Si elles ne sont pas acquises à temps, ce sera beaucoup plus difficile ensuite et moins parfait.

On me dira que l'enfant n'aura aucun souvenir conscient de

cette période. C'est exact, mais tout est imprimé dans son subconscient et pour la vie, et c'est bien sur ces bases que tout va s'édifier. C'est exactement comme une maison, on ne voit pas les fondations mais elles sont là, et si elles sont bonnes, la construction sera facile et tiendra bon.

Que ce chapitre n'affole pas certains parents, qui jugeraient qu'à cinq ans tout est perdu. Ayons confiance en l'Amour, un grand amour peut rectifier bien des choses. Je pense en particulier à certains adoptants, dont le courage et l'abnégation ont réussi des merveilles.

Mais il est bien évident qu'il est toujours plus long et plus difficile de réparer les erreurs que de les éviter. Les parents qui n'ont pas su, avant cinq ans, donner l'amour nécessaire, seront-ils toujours capables de donner alors ce surcroît d'amour, indispensable pour réparer ce qui n'a pas été fait en temps voulu? C'est là ma crainte. Cependant rien n'est impossible à l'Amour.

IV. – ÉDUCATION DE L'AMOUR

Satisfaire les besoins affectifs

Accepter quelques contraintes

Importance de la présence de la mère

L'éducation, donc l'apprentissage de l'amour, doit commencer le plus tôt possible, donc dès le jour de la naissance et c'est capital. En effet, non seulement l'éducation est pratiquement terminée à trois ou quatre ans, mais, contrairement à ce qu'on pourrait croire, ce sont les premiers mois qui sont les plus importants. Ce petit nourrisson semble inconscient, mais tout va s'imprimer en lui pour la vie.

Cette éducation consiste en deux choses :

– Satisfaire normalement tous ses besoins affectifs légitimes, donc pratiquement tous ses besoins, car tous ont une charge affective intense et presque tous sont légitimes, seuls quelques excès sont nocifs.

– L'amener doucement à accepter les légères contraintes indispensables d'abord à son équilibre personnel, puis à la vie sociale et morale.

Tout son avenir tient à l'amour qu'on lui donne durant cette première période de la vie, dans ce juste équilibre.

SATISFAIRE LES BESOINS AFFECTIFS

1. Les premiers mois

Tous les besoins ont une grosse charge affective et doivent être satisfaits normalement. À ce stade d'amour uniquement captatif, tout ce qui respecte un bon équilibre physiologique le rend heureux et donc satisfait cet amour.

Mais il y a deux besoins essentiels : téter et être bercé.

a) Le besoin de téter

Il est capital à ce stade oral, centré sur l'alimentation. Et dans ce besoin primordial, il y a deux éléments à satisfaire :

On doit d'abord veiller à apaiser la faim et à procurer une bonne digestion à l'enfant par un régime bien approprié, bien équilibré suivant l'âge et respectant ses besoins réels : donnons des quantités adaptées à son appétit et non imposées d'après des barèmes, qui ne sont qu'un ordre de grandeur. Car les besoins d'un nourrisson peuvent varier énormément d'un enfant à l'autre (parfois du simple au double). Suivons des horaires adaptés au rythme de son estomac. Au début le mieux est l'alimentation à la demande (mais avec bon sens). Il est absurde de laisser hurler un enfant la nuit, alors qu'il a réellement faim (du moins les premiers jours de la vie). Il est aussi absurde de le réveiller dans la journée parce que c'est l'heure (s'il dort c'est qu'il n'a pas encore besoin de manger). Je détaillerai plus loin ces problèmes alimentaires.

Mais on doit, en même temps, combler son besoin buccal de succion, son besoin cutané d'être blotti contre le sein de sa mère. La satisfaction de ce besoin sensitif (je crois pouvoir dire sensuel) est aussi importante que l'apaisement de la faim : l'enfant sera confortablement blotti contre sa mère ; le repas durera un temps suffisant (dix à quinze minutes environ) pour que ce besoin soit bien satisfait. Que d'enfants hurlent après un repas copieux mais trop rapide, tout simplement parce qu'ils n'ont pas eu une dose de succion suffisante.

C'était le cas de Bénédicte, sa mère à quarante ans n'ayant pas assez de lait, elle vidait rapidement les deux seins, puis se précipitait goulûment sur un biberon et le vidait trop vite. Après ce repas copieux mais trop rapide elle hurlait. Sa mère la remettait tout simplement au sein où il n'y avait plus rien à prendre. Mais immédiatement elle se calmait avec un air de béatitude et s'endormait en quelques minutes.

Bien sûr l'enfant va souvent trouver son pouce, ce qu'il faut respecter, mais il est préférable de veiller à un juste équilibre pendant la tétée. Les parents trouvent aussi la tétine pour y suppléer. C'est un pis-aller qui peut rendre service aux parents pour ne pas entendre de cris. Mais ce bouchon n'a rien à voir avec toute l'ambiance affective, buccale, cutanée, chaleureuse d'une tétée bien comprise.

De même il est préférable de ne pas interrompre une tétée ou un biberon, ce qui énerve l'enfant ; laissez-le faire.

*
* *

Il est bien évident que seul l'allaitement maternel au sein réalise pleinement tout cela et satisfait parfaitement ces besoins affectifs du premier âge. Il reste capital durant les six premiers mois : repas parfaitement équilibrés, quantités et durée réglées par l'enfant selon ses propres besoins (sans non plus prolonger trop longtemps tout de même) et surtout cet important contact maternel. Si malheureusement l'enfant est à l'allaitement artificiel, essayons de le remettre le plus possible dans des conditions approchant celles de l'allaitement maternel (tétine pas trop percée, enfant bien blotti contre maman).

b) Être bercé

Le deuxième besoin essentiel est *d'être bercé,* pris dans les bras. Le nourrisson a besoin de ces mouvements rythmés. Pourquoi faut-il que ces berceaux, inventés autrefois par le bon sens populaire, et autrement esthétiques que certains petits lits modernes, soient actuellement relégués dans les musées, ou dans les salons…, mais comme bac à fleurs. (Je sais bien que les fleurs ont elles aussi besoin d'amour!) Aujourd'hui, il est vrai, l'automobile a en partie remplacé les berceaux. Quel est le nourrisson qui ne se calme pas instantanément lorsque l'auto démarre!

Mais au trimballement de l'auto, je préfère tout de même les bras des parents, car là aussi il se calme instantanément. Et il faut le prendre lorsqu'il en a besoin et le pouponner pendant quelques minutes en particulier avant et après les repas (mais sans aller à l'excès, nous le verrons plus loin).

Profitons de ces moments, qui sont courts dans la journée d'un nourrisson, pour jouer avec lui, lui sourire, lui parler, chanter. On constate rapidement le plaisir que lui procurent ces contacts humains et il va rapidement le manifester par le premier sourire si délicieux, premier remerciement qu'il fait à sa mère, toute première ébauche d'un amour échange. Ébauche, oui! mais combien importante.

2. Fin de la première année

Dans les derniers mois de la première année, l'enfant garde les mêmes besoins, mais qui se modifient légèrement.

a) Les besoins alimentaires

Ils donnent la joie de découvrir des aliments plus variés, particulièrement utiles à sa croissance. Joie, mais à la condition que ces aliments lui soient proposés gentiment, progressivement, et non imposés de force parce que le médecin ou le livre de puériculture l'a dit.

b) Les contacts humains

Ils viennent de plus en plus aider son développement psycho-moteur. La charge d'amour qu'ils contiennent est capitale pour l'éveil intellectuel.

Mais en retour, cette toute première découverte du monde le remplit de bonheur.

Il a besoin de sa mère pour lui donner les objets. Il les regarde d'abord avec un intérêt croissant. Puis vers quatre mois lorsqu'il a découvert ses mains, il va s'en servir maladroitement pour porter immédiatement à la bouche, pour savoir si c'est bon. Bientôt ce sera pour le manipuler, découvrir l'objet puis le dilacérer. Puis vers dix mois lorsqu'il sait lâcher l'objet, il le jettera par terre pour accaparer davantage maman.

Il a encore plus besoin de sa mère pour découvrir la magnifique puissance de la parole : plaisir d'émettre des sons et de découvrir l'emprise de ses premiers essais sur l'entourage, et il saura en user! Quelle joie ces premiers « re » vers deux mois, qu'il émet avec tant d'efforts, mais de satisfaction aussi, lorsqu'il a réussi et que la maman le lui renvoie en écho. Puis ces cris aigus vers six-sept mois : ces « a » qui deviennent « baba », et papa, étant persuadé que cela veut dire « papa », finit par en persuader l'enfant et donner au mot sa signification. Vers dix-douze mois ce sera vraiment « papa ». Mot unique mais mot phrase, de significations variées suivant les moments et les intonations (mais papa est un peu déçu lorsqu'il s'aperçoit que ce mot ne s'adresse pas seulement à lui, mais à n'importe quel homme, du moins au début).

Il aura également besoin de sa mère pour apprendre à marcher vers un an, et quelle joie la première réussite !

À cet âge, il a également besoin de sécurité, de se sentir protégé, au moment où il distingue bien sa mère des étrangers dont il a peur.

Le voilà donc vers un an sachant marcher, manipuler les objets, avec un rudiment de parole, trois mots : papa, maman et non. Trois mots seulement, mais quelle puissance dans ces trois mots qu'il sait fort bien exploiter, et quelle variété d'expression déjà ! Tout cela, tout ce qui aide à sa bonne évolution tant physique que psychique, le remplit de joie et satisfait son besoin intense d'amour.

3. Les années suivantes

Durant les quelques années suivantes les besoins affectifs deviennent différents : L'enfant a toujours besoin de cajoleries. Mais je vois deux besoins essentiels qui caractérisent cet âge : besoin de libre activité, et besoin de découvrir le monde, joie de connaître, d'apprendre.

a) Besoin de libre activité

Un des caractères majeurs du jeune enfant est cette vitalité qui nous surprend, nous pauvres adultes fatigués. Malheureusement trop souvent elle agace certains, qui voient un défaut dans ce qui est nécessité physiologique : cela développe ses poumons, ses muscles, son adresse et l'aide à découvrir le monde ; quel explorateur intrépide, plein d'ardeur, d'enthousiasme, d'audace. Oui, il a besoin de bouger et c'est un grand plaisir pour lui.

Ces tout jeunes enfants semblent infatigables, et de fait, ils font des kilomètres dans une journée, mais à la condition qu'ils soient libres de marcher à leur rythme et à leur fantaisie, d'aller de découvertes en découvertes si pleines d'intérêt : une fleur, un caillou... qu'ils courent montrer à maman, et ils en profitent pour faire un petit câlin. Ça, c'est intéressant et donc non fatigant. Ils auront simplement, en fin de journée, cette bonne lassitude qui les fera dormir calmement.

Mais qu'un adulte s'imagine de leur faire faire une promenade en les tenant par la main, ce sera bien souvent vite fastidieux et fatigant. Au départ l'enfant sera content de partir pour ce qu'il croit une exploration passionnante, mais si on marche un peu trop vite, sans lui parler assez, bientôt il se laissera traîner, retournera vite en arrière si on le lâche, ou bien, de ce geste charmant, il décrit rapidement un demi-cercle pour se planter devant vous les bras en l'air, vous disant dans ce langage muet, mais si parlant : « Ça suffit, ta promenade est ennuyeuse, donc fatigante, mets-moi sur tes épaules », et là il se trouvera fort bien, pendant quelque temps.

Libre activité qui est donc une nécessité vitale et qu'il faut respecter, en le laissant suivre son rythme.

Mais, me dira-t-on, quand ils sont plus grands, si on n'y veille pas, cette activité débordante va dégénérer en bêtises absurdes, voire dangereuses, se terminant en bagarres et en pleurs. En fait, c'est bien plus quand on y veille trop que cela va dégénérer ainsi ; si on essaie d'endiguer ce flot, en interdisant, en grondant, on n'obtiendra pas le moindre résultat. Les enfants sont alors d'une surdité totale.

Il est même important de bien savoir que les disputes ou bagarres, les cris ont, dans la très grande majorité des cas, pour but unique d'attirer l'attention des parents, de les obliger à prendre parti, chacun espérant que ce sera pour lui. Donc plus on se laissera prendre au piège, plus on criera, plus cela dégénérera. Non, les enfants doivent rapidement comprendre que cris, bagarres, colères ne nous intéressent pas. Mais, par contre, veillons bien à leur faire sentir qu'eux nous intéressent, que ce qui est normal nous intéresse, donc cette vitalité. Et lorsque cela commence à dégénérer, ce n'est pas en voulant endiguer, réfréner ce flot tumultueux qu'on obtiendra le calme, c'est en le canalisant vers une nouvelle activité, un nouveau jeu et au besoin en y participant, ou même en demandant un service à la condition qu'il présente un certain intérêt pour eux et en restant à leur niveau. Ils sont contents de faire quelque chose avec papa ou avec maman.

Cette vitalité chez un être immature va forcément entraîner des conséquences au sujet desquelles il faudra une certaine vigilance, mais aussi beaucoup de bon sens.

– *L'instabilité*
L'enfant ne peut pas rester en place et il est forcément très instable. Mais il y a deux sortes d'instabilité chez l'enfant.

L'une est normale : pour fixer son attention, il a besoin d'un intérêt et si cela l'intéresse il est alors capable de rester tranquille, de répéter de nombreuses fois le même geste pour le parfaire jusqu'à ce qu'il ait bien réussi. Encore faudra-t-il changer souvent d'occupation. Mais vouloir qu'un jeune enfant reste tranquille sur une chaise, sans en descendre, à ne rien faire d'intéressant, sans faire de bruit avec ses pieds… C'est vraiment une impossibilité absolue. Que de fois ai-je eu de la peine à faire comprendre à une jeune mère que son enfant de deux ans, qui pendant une demi-heure de consultation ne restait pas assis sur sa chaise, mais faisait l'inventaire de mon bureau, touchant aux clefs, tirant sur un tiroir, n'était pas un enfant insupportable, mais tout simplement normal.

Mais cette instabilité peut devenir pathologique : très souvent toutes les idées qui passent par la tête de l'enfant se heurtent à un « non ». Alors d'interdiction en interdiction, l'enfant, qui ne peut se fixer sur rien qui l'intéresse, ne cherche même plus à se fixer, il se contente d'être à l'affût de toutes les bêtises à faire. Il a acquis cette instabilité pathologique qui fera la terreur des maîtresses à l'école maternelle.

Dans mon bureau, en consultation, les premiers, bien normaux, n'avaient pratiquement pas besoin de surveillance ; je me contentais de dire aux parents affolés : « Laissez-les donc », quitte à ouvrir un tiroir où il y avait des choses intéressantes pour eux.

Les autres, on ne peut pas les quitter des yeux, ce qui d'ailleurs est catastrophique, car ils s'en rendent toujours compte et se sentant intéressants font encore plus de bêtises. Qu'il aurait été plus simple de les laisser se stabiliser sur ce qui les intéresse.

Tout cela paraît peut-être évident ; en fait je n'en suis pas tellement sûr, car ce qui intéresse l'enfant, ce n'est pas toujours ce que croient (ou désirent) les parents. Bien souvent ceux-ci voudraient qu'il joue avec sa poupée, ses petites autos, son livre d'images (et à certains moments ce sera effectivement le centre d'intérêt). Mais bien souvent aussi, l'intérêt, pour l'enfant, est de faire quelque chose avec maman ou papa, ou bien de faire comme eux avec les mêmes instruments.

J'ai une photo de Bénédicte qui, vers l'âge de trois ou quatre ans, est debout sur une chaise, devant l'évier de la cuisine à faire la vaisselle. Ce n'est pas une photo truquée. Non ! à cet âge, son grand plaisir était de faire la vaisselle et quelle joie de faire la vraie vaisselle, avec la vraie lavette ; elle faisait fort bien, pendant une demi-heure, la vaisselle de toute la famille, il n'y avait plus qu'à l'essuyer. Si par malheur cela avait été interdit, elle se serait précipitée sur le balai qu'elle maniait également à la perfection, passant parfois tout le temps nécessaire à balayer la salle à manger sans laisser une miette. Ça, c'était intéressant. Mais que de parents auraient trouvé que cela non plus n'était pas une bonne idée pour une petite fille de trois ans et voilà tout simplement pourquoi un enfant qui ne peut se fixer sur quelque chose qui l'intéresse peut devenir vraiment instable.

– *La témérité*

Une autre conséquence de cette vitalité de l'enfant est *l'audace,* et la témérité.

Il n'a aucune conscience du danger. Aidons-le gentiment à en prendre conscience (à bien regarder avant de traverser une rue). Mais surtout sans lui inculquer la crainte, le doute de soi, la peur.

Dominique était, je pense, plus téméraire que tous ses frères. Comme eux, il aimait beaucoup monter dans les arbres, mais chez lui c'était une inconscience totale du danger, il se promenait sur les branches sans trop se soucier de leur solidité. Un jour j'ai eu très peur à le voir fièrement campé dans le haut d'un tilleul, sur une branche morte. Après avoir pris la sage précaution de lui conseiller de monter plus haut (car lui demander de descendre l'aurait obligé à refaire de la gymnastique sur cette branche), je suis monté dans l'arbre jusqu'à son niveau. J'ai donné un coup de pied sec sur la branche morte, qui a cassé net à sa stupéfaction, puis je suis descendu pendant qu'il montait plus haut, sur des branches vertes.

Anecdote d'un autre ordre : à chaque naissance, la maman restant dans sa chambre les premiers jours, c'était la joie de lui monter ses repas. Il fallait donc établir un tour et chacun montait un plat. Un jour, c'était à François, âgé de trois ans, de monter la soupe. Je lui confie donc l'assiette, non sans une petite crainte cachée. Mais, pour lui, monter voir maman était une telle joie que, dans sa précipitation, l'assiette est tombée au milieu de l'escalier. Après réparation des dégâts, une nouvelle assiette étant remplie, il est venu tout naturellement se présenter de nouveau pour la monter. Une personne étrangère qui était là s'est récriée. Mais volontairement je lui ai redonné l'assiette disant tout naturellement : « C'est son tour » et cette fois c'était sans crainte, j'étais bien sûr qu'il ne la laisserait pas tomber. Pour moi il était capital de ne pas transformer en échec une petite maladresse tout à fait accidentelle.

Dans tous les cas le but n'est pas de supprimer le risque, mais d'aider à acquérir cette lucidité, faite de confiance en soi et d'adresse, qui permet d'éviter l'accident.

Moyennant quoi la satisfaction de ce besoin d'action est un des besoins primordiaux de l'enfant, qui le remplit de joie.

b) La joie de connaître

La deuxième satisfaction de cet âge, et peut-être encore plus grande, est la *joie de connaître*, d'apprendre, de découvrir le monde. Cette joie, l'enfant l'a d'ailleurs dès la naissance, il a déjà commencé à découvrir le monde : par la bouche, la vue, puis le toucher. Mais à cet âge apparaissent le touche-à-tout, les « pourquoi? ».

Quand il a acquis la marche vers un an, il devient l'explorateur plein d'enthousiasme toujours à l'affût de nouvelles découvertes, joie de manipuler tout, joie de sortir de son parc, de la maison. C'est l'âge du *touche-à-tout* – besoin évident pour l'enfant de découvrir les objets, comment ils sont faits, à quoi cela sert, et imiter ses parents... ce qui est source de connaissances fructueuses et de dextérité. Donc besoin à respecter en le laissant toucher à presque tout, et ce sera relativement facile si on met hors de sa portée les quelques objets dangereux ou trop fragiles. Que de choses l'enfant peut manipuler sans inconvénient, et si on le laisse faire il ne casse en général rien.

Lorsque Jean, vers dix-huit mois, était enfermé à Paris dans un petit appartement, son grand plaisir était de déménager le buffet de la cuisine où était rangée la vaisselle; il mettait tout par terre, puis la rangeait de nouveau à son idée, qui d'ailleurs se défendait aussi bien. Cela l'occupait une demi-heure à une heure et il n'a jamais rien cassé. Peut-être n'est-ce pas pour rien dans son adresse actuelle.

Par contre, lorsqu'un enfant touche à un objet fragile, si on lui crie : « Tu vas le casser », il est bien sûr qu'il va le laisser tomber!

Puis il va acquérir le langage et découvrir son pouvoir magique pour maîtriser les objets qu'il nomme et pour maîtriser les adultes par le charme du langage enfantin (ce qui ne lui échappe pas).

Cela entraîne pour lui la joie de parler : joie des premiers sons, des premiers mots, joie d'apprendre de nombreux mots dont il se grise, les répétant à tout instant pendant quelques jours, lorsqu'il les a découverts (surtout s'il se rend compte de son succès).

Mais aussi que de choses il va apprendre par cette parole et dès qu'il sait bien manipuler ce langage vers deux ans et demi-trois ans, ce sera l'*âge des « pourquoi ? »*. Il veut tout savoir, et à tout ce sera un « pourquoi ? », auquel il faudra toujours répondre la stricte vérité, adaptée à son âge. Et il y aura immédiatement un autre « pourquoi ? » au sujet de notre réponse. Bien sûr cela va souvent devenir plus ou moins un jeu et de « pourquoi ? » en « pourquoi ? » on finit par ne plus pouvoir répondre. Mais il fera alors lui-même la réponse avec un sourire.

Joie d'apprendre ! Y a-t-il chez l'enfant un attrait plus grand ? Pourquoi faut-il si souvent, sous prétexte qu'il entre à l'école, ou dans une classe plus importante, que cette joie d'apprendre se transforme en une corvée sans intérêt, qui semble inventée par les adultes pour l'ennui des enfants ? Et pourtant lorsque cette joie persiste, quels progrès rapides fait l'enfant !

N'est-ce pas, Marguerite ! que tu as été heureuse de ne jamais trouver personne qui t'enlève cette joie !

Voilà donc à mon avis les principaux besoins du jeune enfant, besoins ayant tous une charge affective intense, qu'on doit respecter pour lui permettre de développer la notion d'amour : pour que du stade uniquement captatif, il arrive à une ébauche d'amour échange, il doit d'abord se sentir aimé.

ACCEPTER
QUELQUES CONTRAINTES

Mais, en même temps qu'on satisfait les besoins, et dès le début, encore plus d'amour l'amènera à accepter quelques contraintes absolument nécessaires, d'abord à son propre épanouissement, puis plus tard à la vie sociale et morale.

Être libre, c'est être responsable de ses actes, donc être conscient des excès qui peuvent nuire à notre intérêt, à notre bonheur, et aussi accepter les limites de cette liberté, nécessaires pour respecter celle des autres.

Certaines tendances psychiatriques actuelles voudraient supprimer à l'enfant toute contrainte. C'est une absurdité nuisible d'abord à l'enfant, puis à la société. Cela revient à cette démagogie si fréquente dans tous les domaines, qui veut donner aux hommes toutes les satisfactions alléchantes, tout en sachant que c'est impossible et qu'en fait cela va contre leur propre intérêt. Pour l'enfant, il est simple de lui faire accepter d'emblée de petites contraintes, ce sera difficile, voire impossible, plus tard.

Mais ces contraintes absolument nécessaires ne doivent pas être imposées par la force, c'est totalement anti-éducatif. Cela ne peut aboutir qu'aux attitudes suivantes :

Ou bien l'opposition systématique, qui est la moins grave : c'est la réaction normale de tout enfant auquel on veut imposer de force quelque chose qu'il juge contraire à son intérêt, parce que, imposé trop tôt, avant qu'il ait la maturité suffisante pour comprendre et accepter – ou parce qu'il n'en a pas besoin – ou tout simplement parce que c'est imposé brusquement sans diplomatie. Réaction heureuse si elle nous amène à modifier notre façon de faire.

Ou bien une soumission apparente tant que la personne, qui donne l'ordre ou la défense, est présente, mais pour faire immédiatement le contraire dès qu'elle a le dos tourné. Réaction si fréquente et particulièrement mauvaise, apprenant à l'enfant la rouerie : un acte n'est mauvais que s'il est vu !

Ou bien, plus rarement, une soumission servile, peut-être plus catastrophique, car elle annihilerait la personnalité de l'enfant. À moins qu'elle n'aboutisse tout simplement, lors de la crise pubertaire, à éclater en une crise d'opposition dramatique… mais peut-être bénéfique.

Pour qu'une contrainte ait une valeur éducative, elle doit être acceptée bien consciemment et volontairement par l'enfant, par amour : au début parce que l'enfant sent que c'est pour son intérêt (à ce stade d'amour uniquement captatif). Puis, lorsqu'il sera capable de mieux comprendre, parce que faire plaisir à ses parents est un moyen pour lui de les accaparer davantage, avant, bien plus tard, de le faire tout simplement pour faire plaisir, gratuitement. Ces contraintes vont donc varier selon l'âge.

1. Les premiers mois

On peut se poser deux questions : y a-t-il des contraintes nécessaires ? Et l'enfant peut-il les accepter librement ?

Oui, bien sûr, il y a *des contraintes nécessaires* et dès les premiers jours de la vie.

Pourtant, me dira-t-on, c'est le stade d'un amour uniquement captatif et donc à ce stade l'éducation de l'amour consiste uniquement à lui donner cet amour, c'est-à-dire à satisfaire tous ses besoins physiologiques normaux pour qu'il soit heureux. Je suis tout à fait d'accord, mais j'ai bien dit : besoins physiologiques *normaux*. Et pour que l'enfant soit pleinement heureux, il est nécessaire que ses satisfactions se fassent dans un bon équilibre à tous points de vue et cela implique des limites à ses satisfactions : qu'il ait chaud, mais pas trop – qu'il soit bien nourri mais sans excès – que son régime soit équilibré, donc varié, et qu'il n'ait pas mal à l'estomac – qu'il soit bercé, qu'on le prenne, qu'on lui parle, mais il a aussi besoin d'une dose énorme de calme et de sommeil, etc.

Les contraintes à cet âge sont rares. Elles consistent uniquement à limiter certains excès, exclusivement dans l'intérêt de l'enfant, pour lui donner un maximum de bien-être, donc d'amour, et dès les premiers jours de la vie. Cela semble évident! Mais qu'il est tentant pour ce jeune nourrisson, qui ignore encore bien des choses, de vouloir prolonger certaines satisfactions, sans savoir que ce sera nocif. Aidons-le un peu au début.

Voici deux exemples qui sont, je pense, les plus importants, à cet âge :

Je suis partisan de l'alimentation à la demande au début; il est absurde de laisser hurler un enfant qui a faim, ou de le réveiller alors qu'il dort bien calmement. Mais cela doit être fait avec bon sens. Or, certaines mères, prenant la chose trop à la lettre, donneront à boire à l'enfant dès qu'il pleure, croyant qu'il a faim, et multiplieront le nombre des repas, ne laissant plus à l'estomac le temps de se vider; finalement l'enfant pleurera simplement parce qu'il a mal à l'estomac. Bien sûr, le nourrisson qui a toujours plaisir à téter boira au moins une partie du repas, et cette satisfaction le calmera momentanément. Mais l'estomac non reposé souffrira encore davantage une heure ou deux après et cela recommencera. Il est donc capital, alors, de refuser à l'enfant cette satisfaction toute momentanée, qui aggrave en fait ses troubles digestifs, de façon à lui donner le bonheur d'une bonne digestion quelques heures plus tard. (Je reviendrai plus loin sur ce point important.)

Deuxième exemple : il est bon de bercer l'enfant, de le prendre dans les bras, de lui parler… on sait quel plaisir cela lui fait. Mais à cet âge il a également un énorme besoin de sommeil (il dort pratiquement toute la journée entre les repas). Sachons nous en tenir à un juste milieu : le prendre suffisamment dans les bras, mais pas trop, ce qui le fatigue, l'énerve et l'empêchera de bien dormir. Or, que se passe-t-il lorsque vous avez pris un nourrisson dans les bras, joué un peu avec lui (ce qui est parfait)? Il pleure dès que vous le posez dans son lit. « Cela lui fait mal au dos d'être couché », disaient mes aînés, de leurs petits frères ou sœurs! En fait cela veut dire très clairement : « Je veux être repris », et si vous le reprenez, il se calmera instantanément, mais les pleurs recommenceront dès qu'il sera de nouveau couché… et ainsi de suite. Cela peut durer longtemps et il finira par pleurer surtout parce qu'il est énervé et fatigué. Il mettra longtemps à s'endormir et aura un sommeil agité. Donc, à la condition qu'il ait été suffisamment bercé, qu'il ait fait son rot si besoin est, il ne faut surtout pas le reprendre lorsqu'on le recouche et cela dès les premiers jours de la vie. Très rapidement au lieu de pleurer, il vous fera un sourire de remerciement et s'endormira paisiblement.

Voilà donc des contraintes nécessaires et uniquement dans l'intérêt de l'enfant. Mais sont-elles *acceptées librement?*

Vous me direz sans doute : « Non. » Vous avez apparemment raison. Mais à cet âge, il ne peut en être autrement : l'enfant est entièrement dépendant de l'adulte pour tout, les satisfactions comme les contraintes. C'est à nous de faire le maximum pour son bien. En fait, je crois pouvoir répondre presque oui à la question. Car si le nourrisson ne fait rien librement, il sait fort bien donner son avis, à sa façon. De même qu'il remercie par un sourire et par son calme la personne qui l'a nourri ou l'a bercé, il sait fort bien et rapidement en faire autant lorsque, au lieu de pleurer parce qu'il souffre ou est énervé, il est calme et souriant parce qu'une erreur digestive ou autre a été rectifiée. Je pense qu'il a donné son approbation.

Les contraintes à cet âge sont donc rares, puisque uniquement dans l'intérêt de l'enfant. Et elles seront réglées très rapidement si on s'y prend très tôt et avec une fermeté stricte mais pleine d'amour.

*

* *

Par contre, je ne suis pas du tout d'accord sur le fait de mettre l'enfant dans une chambre éloignée de celle des parents pour que ceux-ci dorment en paix sans entendre de cris. Il y a des moments où l'intérêt de l'enfant doit nous rendre sourd aux cris (j'aurai sans doute l'occasion d'y revenir). Mais quand un nourrisson pleure, c'est souvent qu'il y a quelque chose qui ne va pas, et le traitement n'est pas de se boucher les oreilles, mais d'essayer de trouver la cause des pleurs.

2. Vers un an avec l'apparition de la marche

Ce sera l'âge où il sera nécessaire d'opposer *quelques « non »* à l'enfant. Il ne peut en être autrement devant toutes les bonnes idées qui lui passent par la tête.

Mais si l'on veut que ces « non » aient une valeur éducative, il faut certaines conditions, de façon que l'enfant puisse les accepter.

a) Des « non » rares

Aux parents qui me demandaient conseil, je disais qu'il n'en fallait pas plus d'un par jour (j'aurais volontiers dit par semaine, si je n'avais pas eu peur de passer pour un plaisantin). S'il y a des dizaines de « non » par jour, il vaudrait beaucoup mieux qu'il n'y en ait aucun. L'enfant est incapable d'obéir et vous serez, de votre côté, incapables d'exiger l'obéissance à chaque fois. Il y aura donc dans la journée une majorité de « non » auxquels l'enfant n'obéira pas, et le plus souvent sans que vous réagissiez, et quelques-uns auxquels il faudrait qu'il obéisse! Quel est l'enfant qui peut comprendre cette subtilité? Il est bien évident qu'il n'obéira jamais (sinon de temps en temps par la force). En fin de journée il n'aura certainement rien compris à ce qui était bon ou pas. Et les parents se croiront obligés les jours suivants, de multiplier de nouveau les mêmes défenses avec le même résultat.

Alors que s'il n'y a qu'un « non » par jour, l'enfant est capable de l'accepter, puisque tout le reste est permis, et il aura compris quelque chose : il saura une fois pour toutes ou en deux ou trois fois qu'il ne faut pas toucher à cette chose-là parce que c'est dangereux ou que cela est réservé à papa ou maman et il ne sera plus nécessaire d'y revenir. C'est pour cette raison qu'un seul « non » par jour (voire par semaine) suffit, mais bien sûr à la condition d'avoir toujours eu cette attitude, et, tout de même, de mettre hors de portée de l'enfant la plupart des objets qu'il ne doit pas toucher.

Je prends l'exemple de Jean à cet âge, dans le petit appartement où il déménageait le placard de la cuisine. Une seule chose était interdite : mon dossier de préparation à l'internat, de multiples documents répartis dans environ 200 chemises, qui faute de place était tout à fait à sa portée sur une étagère dans le couloir. Il y a touché deux ou trois fois, ce qui pour moi posait de beaux problèmes de reclassement. Mais ensuite il a très rapidement admis que cela était du domaine de papa, le reste de l'appartement lui suffisait.

b) Des « non » valables

Également il faut toujours que ce « non » soit *valable*, uniquement pour les choses sérieuses et c'est aussi ce qui permet de les restreindre beaucoup. Il est important qu'au début ces « non » soient presque uniquement pour l'intérêt de l'enfant et il s'en rendra bien compte : « Cela brûle, cela fait mal », et d'ailleurs, s'il en fait l'expérience, il pourra en avoir la preuve. (Mais il n'est pas nécessaire d'insister trop, ce qui risquerait fort d'attiser sa curiosité : il peut être bien tentant de faire l'expérience d'une chose qui semble si mystérieuse.)

c) Des « non » aimables

Enfin, que ce « non » soit *aimable,* accompagné d'un geste de la main et d'un regard affectueux.

Je me souviens d'une anecdote qui est arrivée à Marguerite, lorsqu'elle avait un an ou dix-huit mois. Elle allait toucher à quelque chose de dangereux et, ayant peur, je me suis précipité en criant un « non » trop brusque. Immédiatement elle a touché à l'objet en pleurant de rage. C'était bien normal, et c'est moi qui avais eu tort de crier. Quelques jours plus tôt ou plus tard, dans des circonstances tout à fait analogues, sa mère, elle, a pris le quart de seconde nécessaire pour se maîtriser et d'un geste amical a dit gentiment : « Marguerite, cela est à maman. » Le bras encore en l'air elle s'est retournée avec un bon sourire interrogateur et maman renouvelant son geste, elle n'a touché à rien.

3. Puis, acceptation de quelques contraintes

Peu à peu l'enfant va être amené à *accepter quelques contraintes* de la vie sociale et d'abord familiale.

La première sera la propreté sphinctérienne, j'y consacrerai un chapitre spécial, car elle est très importante : de sa réussite ou non, dans un climat affectif bien compris, dépendra en bonne partie la façon dont seront acceptées les contraintes ultérieures.

Il est capital que ces contraintes ne soient pas imposées de force, mais acceptées par amour; pour cela il y a un certain nombre de conditions.

a) Une maturité suffisante

Il est d'abord indispensable d'attendre que l'enfant ait acquis une *maturité suffisante*; intellectuelle : qu'il soit capable de comprendre ce qu'on désire; et affective : qu'il soit capable d'une ébauche d'amour. Une contrainte imposée avant cette maturité n'a aucune valeur éducative. Si l'enfant l'accepte, c'est du dressage et non de l'éducation et ce sera donc totalement inutile et non durable. Mais ce qui est plus grave, c'est que le plus souvent cela va déclencher une réaction d'opposition plus ou moins inconsciente, qui risque de persister lorsque la maturité sera acquise (on verra combien c'est évident pour l'éducation sphinctérienne).

b) Des contraintes rares

Là encore qu'elles soient *rares* :
Nous avions passé un dimanche au bord de la mer avec une autre famille; le soir, la mère excédée me dit : « Comment faites-vous pour que vos enfants vous obéissent? » Ce que je lui ai répondu devait revenir à peu près à ceci : « Mes enfants ne m'ont pas obéi plus que les vôtres puisque je ne leur ai rien demandé – ils n'ont pas pu me désobéir, puisque je ne leur ai rien défendu. » De fait il n'y avait rien à exiger, ni à défendre, ce jour-là. Si elle m'a posé cette question c'est sans doute tout de même que j'avais dû demander un service à l'un des miens. Mais de la part de cette mère de famille, cela avait été une pluie d'ordres et d'interdictions strictement inutiles, auxquels ses enfants ne pouvaient pas obéir s'ils étaient normaux (...et ils l'étaient!) et cette mère ne réagissait pas davantage à ces désobéissances constantes. Il est bien évident que dans ce fatras d'interdictions inutiles, s'il y en a eu une de valable, on ne pouvait pas demander à ces enfants de la deviner.

c) Avec diplomatie

Qu'elles soient présentées avec *diplomatie* en tenant compte du stade affectif de l'enfant, avec en somme la progression suivante : c'est pour ton bien – cela ferait plaisir à maman – cela serait bien. Mais surtout pas de discours, ni de phrases, il n'est souvent pas même besoin de mots; un sourire, un geste peut parfois suffire. L'enfant est intelligent!

d) Avec amabilité et politesse

Être toujours *aimable et poli*. Si on dit à un enfant sèchement : « Va faire cela », il n'ira pas. Si on lui dit : « Voudrais-tu me rendre ce service? », il le fera.

Je ne crois pas avoir demandé à mes enfants (sauf aux aînés!) de dire « s'il te plaît », « merci », « bonjour »... Mais j'ai essayé de le dire le premier, toutes les fois que c'était utile, cela me paraissait bien préférable. Le matin quand je descends à la cuisine prendre le petit-déjeuner, si l'un d'eux est là, je tâche de lui dire bonjour le premier. Mais je suis très distrait et il m'arrive souvent d'oublier! Cela m'a permis une fois ou l'autre de dire à celui ou celle qui était là : « Excuse-moi, je ne t'ai pas dit bonjour », et l'autre de me répondre avec un gentil sourire : « Ah, moi non plus... le matin on n'est pas très réveillé. » Cela me semblait être nettement plus sympathique qu'une remontrance, et plus efficace.

e) Seul l'exemple est efficace

Je pense en effet que *le plus important est l'exemple;* il n'est guère besoin de parler le plus souvent. Si l'enfant a un instinct d'opposition terrible à la contrainte, il a aussi un don d'imitation merveilleux. Mais l'exemple que l'on donne, ce n'est pas celui que l'on veut donner un jour en rectifiant la position pour donner le « bon exemple », les enfants ne sont pas dupes de ces supercheries. C'est celui que l'on donne tous les jours en vivant devant eux. En tout cas, il est capital de ne jamais demander à un enfant ce qu'on ne fait pas soi-même, de ne jamais interdire ce qu'on fait. D'ailleurs les enfants ne sont pas aveugles. Je cite une petite anecdote.

Comme bien des gens, il y a certains aliments que je n'aime guère, et dont habituellement je ne remplis pas trop mon assiette, je dois l'avouer! Ma Chantal, à l'âge où une fille s'attache amoureusement à son père, se mettait souvent près de moi à table. Un jour, le repas commençait par des carottes râpées, et je ne partage nullement le goût de ma famille, qui aime beaucoup cela! Le plat terminant le tour de la table, Chantal venait de se servir et me le passa; je le pris, pour le poser négligemment sur le milieu de la table, en « oubliant » de me servir! Ce geste n'avait nullement échappé à la clairvoyance d'une petite fille, qui toute sa vie a essayé d'éduquer son père. Sans rien dire, elle reprit le plat, et avec un bon sourire me le tendit de nouveau. Évidemment, avec le même sourire, j'ai bien été obligé de me servir et plus copieusement que d'habitude, en la remerciant de si bien penser à son père.

Mais un ou deux jours plus tard, il y avait du poisson, qu'elle n'aimait pas; lorsqu'elle me passa le plat, elle avait « oublié » de se servir. Je lui ai repassé le plat de la même façon et elle s'est servie en riant.

f) Des contraintes motivées et raisonnables

Enfin que ces contraintes soient *motivées* et *raisonnables*, ce qui fera leur rareté. Parmi les défenses ou contraintes que j'ai vu imposer aux enfants si souvent, il y a à mon avis trois groupes :
- celles qui n'ont aucune importance,
- celles qui sont utiles à l'enfant,
- celles qui sont nécessaires.

Celles qui sont sans aucune importance, ou n'ont pour but que d'assurer la tranquillité des parents, ce sont bien souvent de beaucoup les plus nombreuses. Je pense qu'il ne faut même pas en parler pour la très grande majorité d'entre elles. Cela nécessite bien sûr quelquefois de prendre un peu sur soi, mais quel bénéfice pour tout le monde.

Par exemple, quand Dominique et François faisaient le soir des séances de patins à roulettes dans le couloir. Cela n'avait pas d'autres inconvénients que le bruit et quelques écorchures pas bien graves sur les pieds des meubles. C'était largement compensé par la détente après le travail, et le plaisir qu'ils avaient et aussi par celui qu'on avait parfois à applaudir des prouesses assez remarquables dans des slaloms compliqués.

Je crois que c'était plutôt avec Marc et Philippe qu'avaient lieu également, les soirs d'hiver, ces parties de football au même endroit, avec des shoots retentissants qui me faisaient sursauter, lorsque le goal n'avait pas réussi à arrêter le ballon et que celui-ci venait frapper violemment la porte de mon bureau. Jean, inquiet comme architecte, et peut-être un peu scandalisé dans son rôle d'aîné, m'a dit un jour : « Ils vont casser ta porte. » Je lui ai répondu : « Je préfère qu'ils la cassent, mais qu'ils soient normaux. » La porte a résisté, il a suffi d'un bon lessivage et ses frères sont bien normaux... seule la lampe du plafond a été cassée une fois. Ce n'est pas cher payé les mois (et peut-être même les années) de parties de foot passionnantes dans ce couloir.

Cela ne veut pas dire que tout était permis et en tout temps. Il est bien évident que lorsque j'avais des clients, ils attendaient d'eux-mêmes leur départ et, si parfois, par erreur, ils commençaient alors que j'étais encore en consultation, il suffisait de le faire savoir pour que tout s'arrête momentanément jusqu'au départ du dernier consultant.

Les contraintes qui ont une utilité familiale ou autres et surtout qui permettent en même temps à l'enfant de prendre conscience de certaines notions d'amour adaptées à son stade affectif (services à rendre, partage...) doivent être proposées de temps en temps, par exemple faire la vaisselle, desservir la table. Le mieux alors est de faire soi-même le travail, en demandant « qui veut aider ».

C'est ce que nous faisions les premières années et tous venaient. Mais j'avoue que, depuis bien des années, j'y participe assez peu, puisqu'en général il n'y a pas assez de place pour tout le monde dans la cuisine !

Enfin certaines contraintes sont nécessaires, soit à l'équilibre de l'enfant soit à celui de la famille : accepter l'heure du coucher ou des repas, respecter le sommeil des autres, ou leurs jeux, une propreté élémentaire... soit à sa formation humaine : aller à l'école et donc se lever et s'habiller à temps, pratiques religieuses essentielles pour les croyants. L'enfant peut fort bien comprendre d'emblée que tout cela est tout simplement nécessaire à la vie d'un être humain, comme de boire, manger, respirer, ou à celle de la famille. Donc demandons-le tout naturellement dès qu'il est capable de comprendre et bien sûr en le faisant soi-même le premier, si du moins il se trouve qu'on a la même chose à faire, ce qui est le plus souvent le cas. Ce sera assez simple. Par contre, si on attend trop longtemps sous prétexte de ne rien exiger, et qu'un beau jour on veut demander une contrainte de nature importante, l'enfant sentira forcément que c'est sans grande conviction, surtout si par hasard on ne s'y soumet pas soi-même. Il y aura forcément des problèmes. Pour ces choses essentielles, une fermeté calme et douce est parfois nécessaire au début, très momentanément, pour aider l'enfant, dans son intérêt. Il s'en rendra vite compte et l'acceptera.

Par exemple, pour le sommeil : Jean, revenant de passer quelques jours à Montaigu chez sa grand-mère, vers l'âge de quatre-cinq ans, me dit le soir lorsque je suis allé lui dire bonsoir dans son lit : « Il ne faut pas éteindre, chez mémé, je ne pouvais dormir qu'avec la lumière » (donc le meilleur moyen d'empêcher de dormir ! Mais ne jugeons pas les grands-mères, leur rôle en éducation est bien difficile). J'ai simplement répondu avec le maximum de gentillesse possible : « Non, la lumière empêche de dormir, tu le sais bien. » Et après un baiser, j'ai éteint et je suis parti. Il a appelé quelques minutes (sans bien sûr que je manifeste aucune réaction) et s'est endormi. Le lendemain soir, il n'a rigoureusement rien dit lorsque j'ai éteint la lumière, il s'est tourné immédiatement sur le côté pour dormir.

Lorsqu'il s'agit de choses importantes, et le bon sommeil d'un enfant en est une, il suffit de montrer cette fermeté calme, sans gronder, ni céder et une seule fois suffit si les parents ont l'autorité (c'est-à-dire surtout pas la sévérité, mais tout simplement s'ils ont acquis la confiance de l'enfant, qui sait qu'on n'abuse jamais de cette confiance, et que finalement c'est dans son intérêt).

Par contre, est extrêmement nocif pour un enfant ce que j'ai vu tant de fois dans ma carrière : ne pas dormir pendant une heure ou deux heures, appeler sans arrêt, demander successivement toutes sortes de choses… tout simplement parce qu'il sait que les parents vont revenir cinq, dix, quinze fois… ou bien encore ces enfants auxquels le soir les parents disent d'aller se coucher et qui n'en font rien ; dix, vingt fois, l'ordre est redonné en grondant, en élevant la voix, sans la moindre réaction de part ni d'autre. Et une heure plus tard ils sont toujours là, jusqu'au moment où les parents finiront par aller les coucher. Si cela pouvait attendre une heure, il est bien évident qu'il fallait tout simplement attendre cette heure-là avant de le demander, et dans certains cas c'est légitime. Mais il n'est pas évident que ce le soit toujours, pour l'intérêt et l'équilibre nerveux des enfants. Une douce fermeté dès le début aurait été préférable.

Être raisonnable, cela veut dire aussi s'adapter à l'âge avec bon sens.

Dire à un enfant de deux ou trois ans de ne pas ennuyer une grande personne, cela n'a aucun sens pour lui. Tout simplement orientons son activité débordante sur quelque chose qui l'intéresse. Quelques années plus tard il faudrait qu'il soit capable d'accepter par amour cette petite contrainte momentanée.

Dire à un enfant du même âge d'être sage dans une église parce que c'est un lieu saint, cela n'a aucun sens pour lui. Mais on peut éveiller sa curiosité en faisant sentir qu'il y a là un mystère qui nous dépasse, et, en lui montrant par notre attitude notre respect pour ce lieu et pour la présence de Dieu, il est capable de l'imiter quelques minutes ; à cet âge ils aiment entrer dans les églises. Mais lorsque des enfants de six à huit ans courent et chahutent dès qu'ils entrent à l'église, c'est je pense qu'on ne leur a pas appris à temps qu'il y a là un lieu sacré, une présence réelle qui impose le respect. Il est alors bien tard pour le faire.

En résumé, que de choses on obtient d'un enfant avec un tout petit peu de fermeté, associée à beaucoup de douceur.

Même en médecine : que de fois des étudiants en médecine, qui n'avaient pas pu examiner un enfant tellement il se débattait, ont été stupéfaits de me voir faire le même examen sans aucune difficulté. Il avait suffi d'un geste amical, d'un sourire, d'un mot de mise en confiance et quelques paroles de félicitations pendant l'examen : « C'est bien », « Tu es mignon », « Tu montres bien » (alors qu'il est prêt à s'opposer au début de l'examen) pour que tout s'arrange (enfin le plus souvent)…

*
*   *

Voilà à peu près comment je conçois l'éducation d'un enfant.

Si entre trois et cinq ans, comblé d'amour, il a pu parfaitement comprendre que les quelques contraintes qu'il a acceptées n'ont fait qu'accroître son bien-être, son bonheur et l'amour de ses parents pour lui, que le partage ne l'a pas frustré, mais lui a donné plus de joie, tout est fait. Bien sûr il est loin du don de soi désintéressé dont il sera peu à peu capable à la puberté seulement, mais il y arrivera sûrement.

Si au contraire, il est encore bloqué dans un amour uniquement captatif, replié sur lui et souffrant alors inconsciemment de tout le bonheur qui lui manque par ce seul fait, quelle catastrophe et qu'il faudra longtemps pour, peut-être, arriver un jour, à rectifier les choses.

Je sais que beaucoup trouveront en tout cela fantaisie irréalisable.

En fait, c'est facile si on a bien compris l'enfant. Si on commence l'éducation dès le jour de la naissance, avec toute la progression et la diplomatie adaptées à ses possibilités. En somme si on est capable de lui donner l'amour.

J'ai souvent entendu des gens dire à ma femme : « Vous avez onze enfants, mais vous avez la chance qu'ils soient faciles. »

Elle a eu de la chance! oui! Mais peut-être ont-ils eu la chance d'avoir une mère qui avait parfaitement compris qu'en les mettant au monde, elle en assumait toutes les responsabilités et se donnait sans réserve à tous et à chacun : leur donnant, en les allaitant, autant d'amour que de lait; les gardant près d'elle la nuit la première année (sachant que son instinct maternel valait tous les monitoring! quand elle dit qu'elle n'aurait pas pu dormir sans cela, cela ne veut pas dire qu'elle n'aurait pas beaucoup mieux dormi, mais qu'elle ne s'en sentait pas le droit); les confiant le moins possible à d'autres, les premières années; s'imposant les contraintes nécessaires pour supprimer les couches en temps voulu et leur apprendre dans l'amour la propreté; se laissant accaparer sans en donner l'impression, cherchant le juste milieu en tout, sans jamais s'énerver, sans jamais rabrouer.

En somme aucune action d'éclat. Simplement cette disponibilité dans tous les humbles détails, de façon si naturelle qu'elle semble avoir uniquement eu de la « chance » d'élever onze enfants normaux et « faciles »!

IMPORTANCE DE LA PRÉSENCE DE LA MÈRE

Tout ce que je viens de vous dire sur les besoins affectifs de l'enfant suppose la présence des parents et tout particulièrement de la mère. Le père a un rôle capital lui aussi, d'abord dans l'épanouissement de sa femme qui sera une bonne mère, dans la mesure où elle sera une épouse épanouie. Mais aussi il participe à l'éducation, aide la mère, la remplace en cas de besoin, et même totalement si c'est nécessaire. Il sera le meilleur des substituts maternels. Je ne pense pas cependant que ce soit l'idéal. Le rôle principal dans l'éducation pendant les trois premières années revient à la mère par la nature des choses, contrarier la nature n'est jamais sans quelques risques. D'ailleurs l'allaitement au sein, qui est un élément capital à la base de l'éducation et contribue pour une large part à la fixation affective sur la personne qui nourrit l'enfant, peut difficilement être fait par le père!

De même, lorsqu'on voit un homme et une femme porter un enfant, peut-on comparer la gaucherie de l'homme et la beauté de la femme, qui le porte avec une grâce naturelle si remarquable qu'elle a inspiré tant de peintres et de sculpteurs?

Homme et femme sont égaux, mais très différents et complémentaires : les qualités de l'homme viennent de sa virilité, celles de la femme de sa féminité ; il est certainement préférable que chacun joue son rôle, pour assurer le bon équilibre du couple et des enfants.

Beaucoup de jeunes ménages actuellement confondent cette égalité des sexes (sur laquelle je suis tout à fait d'accord) avec identité. Ils veulent que l'homme et la femme partagent à égalité l'éducation, même celle des tout jeunes enfants, ce qui aboutit parfois à ces pères maternant. Je ne suis pas du tout contre cette aide très efficace à leur femme, mais si c'est de façon trop régulière, c'est aller contre la nature et donc c'est dangereux.

L'enfant se fixe au début sur une personne; la fixation égale sur deux ne peut que le perturber. D'autre part cela l'empêche de bien percevoir cette distinction des sexes, si importante. Tout cela est sûrement nocif chez le tout jeune enfant.

Bientôt, au contraire, le père aura un rôle complémentaire capital, s'il a gardé sa place dans sa virilité.

Je ne peux qu'approuver les maris qui soulagent de leur mieux leur épouse et participent largement à la vie familiale et en particulier aux tâches les plus astreignantes. Mais qu'on n'inverse pas trop les rôles, sauf en cas de force majeure. L'homme trouvera lui aussi bien des tâches astreignantes de son côté, si dans un grand amour il veut soulager sa femme.

*

* *

Il y a aussi le problème des femmes qui élèvent seules leur enfant. Il manque en effet quelqu'un. Mais là encore, comme je le disais plus haut aux parents adoptants pour une tout autre raison, gardons toute notre confiance en l'Amour. Dans ces cas, une image masculine reste nécessaire; l'enfant la trouvera parmi les parents ou amis.

V.– ACQUISITION DE LA PERSONNALITÉ

Le nourrisson et la crise des huit mois

Le petit enfant et la crise des trois ans

La grande enfance et la crise pubertaire

Partant d'une inconscience et d'une dépendance totales, l'enfant prend peu à peu conscience de sa personne humaine et acquiert son autonomie, pour devenir un jour un être indépendant, libre, ayant sa personnalité, avec ses caractères particuliers, différent des autres.

Cette évolution se fait progressivement par paliers, mais surtout est marquée par quatre crises de personnalité très importantes.

– celle de huit mois, dont j'ai déjà parlé dans le développement affectif, au moment où l'enfant commence à percevoir son individualité et celle de sa mère, avec l'angoisse d'être séparé d'elle ;

– celle de trois ans, pour bien se distinguer des autres ;

– celle de la puberté, pour se dégager de ses habitudes enfantines ;

– celle dite d'originalité juvénile, pour entrer dans le monde des adultes, avec ses caractères bien particuliers.

LE NOURRISSON
ET LA CRISE DES HUIT MOIS

Ce nourrisson qui, à la naissance, ne connaît que sa bouche (et encore il s'agit simplement du réflexe archaïque de succion) va *durant sa première année* découvrir peu à peu son corps ou plus exactement le corps humain.

C'est d'abord le visage. Mais c'est en fait le visage souriant de sa mère, auquel il répond par son premier sourire. À quatre mois, il découvre ses mains ; il les observe, joue avec et s'aperçoit que cela peut servir à apporter vers la bouche, puis à jouer. Vers six mois il découvre son pied, comme un simple jouet au début (et il le porte à sa bouche). Puis il s'aperçoit que cela peut lui permettre de se déplacer à plat ventre, à quatre pattes, puis debout. À un an il a une notion à peu près complète du corps humain et se reconnaît dans un miroir, après avoir cru que c'était un autre que lui et avoir cherché ce qui se passait derrière le miroir.

Pour toutes ces acquisitions, il est presque entièrement dépendant des adultes : pour voir le sourire de ses parents, pour attraper les objets qu'on lui présente, pour se mettre debout.

Par exemple, pour se mettre debout il faut d'abord qu'il ait découvert ses pieds et il ne le fait pas toujours spontanément. Que de fois j'ai vu des enfants semi-abandonnés, n'ayant aucune stimulation psychomotrice, qui, à dix-huit mois et plus, restent inertes, assis par terre, sans avoir la moindre idée de ce à quoi peuvent servir les jambes.

Lorsqu'on les soulève pour essayer de les mettre debout, ils gardent les jambes en l'air, les cuisses fléchies à l'équerre. Ils ignorent totalement qu'ils ont des membres inférieurs.

Si on les aide à découvrir leurs jambes, en quelques jours ils peuvent se mettre debout, mais ce n'est pas si facile. Il faut jouer avec eux et en particulier jouer avec leurs pieds. J'ai aussi utilisé parfois le youpala à ressort, en mettant l'enfant assis dedans, les pieds affleurant juste le sol : le moindre mouvement involontaire du pied le fait sauter un peu, ce qui l'amuse et parfois très rapidement il comprend enfin qu'il a des pieds et que cela peut servir à quelque chose. Il se met à donner des coups de pied par terre pour sauter, puis rapidement se met debout.

Mais tout cela n'est pas nécessaire, si d'emblée vers six-sept mois, tout simplement on joue avec lui. Il sait alors fort bien vous envoyer son pied dans la figure et s'en servir bientôt pour se mettre debout.

Durant cette première année, ce nourrisson, qui découvre le corps humain, d'une façon parcellaire et impersonnelle, va devoir apprendre que ce corps fait en réalité un tout, et qu'il est distinct des autres individus.

Le premier sourire montre déjà qu'il est sorti de son repli total sur lui-même, pour prendre confusément conscience de quelque chose d'extérieur, mais qu'il ne distingue pas très bien de lui. Ce sourire sera rendu à n'importe quel visage qui lui sourit et même à un masque.

Mais va arriver l'âge de huit mois environ, où, tout d'un coup il ne sourit plus aux étrangers. Au contraire, en l'absence de sa mère, il leur répond en baissant les yeux ou en pleurant. Il devient anxieux devant eux. C'est *la peur des huit mois,* dont parle Spitz : peur des étrangers, ou surtout angoisse de ne plus sentir la présence sécurisante de sa mère.

Cela prouve qu'il commence à distinguer son « moi » du « non-moi ». Il se différencie des étrangers, et leur présence lui fait ressentir l'absence de sa mère. Il a donc perçu que celle qui l'a nourri, blotti contre elle, choyé, caressé…, qui ne faisait qu'un avec lui, a en fait elle aussi son individualité et peut se détacher de lui. Cette angoisse le fera s'attacher de plus en plus à celle dont la présence représente la sécurité. Il est capital que cette petite crise se passe dans cette sécurité.

LE PETIT ENFANT
ET LA CRISE DES TROIS ANS

1. À un an

Il a acquis une petite autonomie : il a une assez bonne préhension, il sait bien saisir l'objet entre le pouce et les autres doigts et il sait le lâcher, donc manipuler un objet ; il dit quelques mots et surtout comprend bien des choses ; il acquiert la marche, prouesse capitale dont il est fier, ainsi que ses parents. Mais le rôle de ceux-ci est encore très important dans cette acquisition. J'en parle un peu, car ce sera un exemple typique pour bien d'autres acquisitions ultérieures.

D'abord les parents doivent avoir le bon sens de choisir le moment opportun. Certains voudraient aller trop vite, alors que l'enfant n'est pas encore capable de garder son équilibre ; cela risque de l'insécuriser, de déclencher trop de chutes qui peuvent le retarder. D'autres ont peur qu'il prenne trop tôt sa liberté. Attendons tout simplement qu'il ait la maturité nécessaire, qu'il commence à bien tenir debout (ce sera entre neuf mois et dix-huit mois, habituellement douze à quatorze mois).

D'autre part, lorsque l'enfant est apte, qu'ils évitent encore certaines erreurs, telles que l'abandonner à lui-même ou le tenir continuellement par la main ou surtout l'effrayer en lui disant : « Attention » (la chute sera immédiate).

Il faut tout simplement *susciter l'intérêt* : par exemple venir à maman ; et lui *donner confiance* : l'enfant debout contre un meuble, on se met à cinquante centimètres, les deux bras tendus et on lui dit tout naturellement un « viens » très confiant. Il fera sans hésiter cette distance et comprend qu'il sait garder son équilibre.

S'il chute : ne pas se précipiter en voulant le consoler, ne pas lui dire : « Tu ne t'es pas fait mal », il va immédiatement se mettre à pleurer ; ne pas se moquer ou dire : « C'est raté ! » Mais le féliciter d'avoir presque réussi : « Bravo », « Ça y est ». Et il se relève en riant pour recommencer avec succès cette fois.

Que de premiers pas de toutes sortes il y aura dans sa vie et que d'échecs (maladresses, échecs scolaires…). C'est toujours de cette façon qu'il faudrait agir : donner et redonner confiance à l'enfant.

Je pense à François, lorsqu'à trois ans il renversait l'assiette de soupe de maman dans l'escalier ; avec quelle joie et quelle confiance il a repris une deuxième assiette immédiatement pour la porter, sans risque cette fois. Il était capital de ne pas rester sur un échec.

Je pense à Marc, lors de son examen de passage en sixième : le matin il avait complètement raté le français et j'avais calculé que pour passer il fallait, l'après-midi, qu'en mathématiques il ait presque le maximum qui était 60 points ! Lorsqu'il est venu tout penaud m'annoncer sa note de français, j'ai simplement dit tout tranquillement : « Tu n'as pas eu de chance, mais ce n'est pas grave puisque tu es bon en maths. Tu peux très bien avoir 60 en maths. » Après une petite réflexion, il m'a répondu « oui ». J'ai donc dit : « Cela te fait ce qu'il faut pour être reçu. » Il est parti avec un sourire triomphant et a eu effectivement 58 points, juste ce qu'il fallait.

J'avoue que j'ai ardemment souhaité qu'il ne rencontre pas en route son professeur qui aurait dit, avec la meilleure intention du monde (pour « l'encourager » !) la même chose, mais de la façon suivante : « Fais bien attention car si tu n'as pas 60 en maths tu es refusé », et je suis sûr de ce qu'aurait été le résultat.

2. *Durant la deuxième année*

L'acquisition du langage va lui permettre peu à peu de mieux prendre conscience des choses qu'il nomme, et de maîtriser un peu les adultes. Mais alors qu'il parle presque correctement à deux ans et demi, il n'emploie pas encore les pronoms personnels. Il parle toujours de lui à la troisième personne et en effet il semble ne pas très bien se différencier des autres.

3. *La crise des trois ans*

Mais un beau jour vers trois ans voilà qu'il utilise le « je », ce qui montre qu'il se distingue nettement des autres. Brusquement il prend conscience de sa personnalité et il va l'affirmer avec force par la *crise de trois ans* : ce sera par l'indépendance et l'opposition, et c'est le drame familial. Cet enfant si docile qui se contentait de petits caprices vite résolus va devenir un tyran. C'est l'âge du « je » et du « non » : il veut tout faire seul, et c'est l'opposition systématique à tout, donc caprices, colères se répètent de façon inquiétante.

Si c'est le premier-né, la mère, qui était habituée à un petit enfant bien sage et relativement obéissant, ne comprend rien à ce qui arrive, si elle n'est pas prévenue. Et même si on est prévenu, on peut être un peu surpris devant la brusquerie et parfois l'intensité de la crise. Que de mères sont venues me voir en pleurs, me disant : « Lui qui était si mignon, je ne le reconnais plus, je ne peux absolument plus m'en sortir, il est odieux. »

Cette crise est d'intensité très variée, mais ne manque jamais totalement. Et c'est heureux puisqu'elle sert à la formation de la personnalité, à cette prise de conscience qu'il est un être humain à part entière. Mon rôle était de rassurer totalement ces mères : c'est une crise normale et bénéfique pour l'enfant, il n'est pas question qu'il reste toute sa vie d'une obéissance aveugle, servile. Il faudra bien qu'un jour il soit capable de donner son avis, de porter un jugement de valeur sur les choses, les êtres, sur ce qu'on lui demandera de faire. En fait, une seule chose pourrait inquiéter, ce serait l'absence de crise, ou à la rigueur sa trop grande intensité. Si on a pu rassurer la mère, et c'est relativement facile, tout est fait. Elle sera alors capable de reprendre les rênes en main, et tout ira bien, à condition de lui donner quelques petits conseils.

Comme toujours il y a deux excès à éviter :

Laisser tout faire, démissionner. Ce sera désastreux car l'enfant deviendra un tyran familial. Et d'autre part il ne pourra pas forger sa personnalité, ne trouvant plus aucun obstacle à essayer de vaincre.

Vouloir au contraire le vaincre à tout prix, ce qui est habituellement la tentation, sera très mauvais également. Le plus souvent l'enfant ne se laissera pas vaincre. Cela va exacerber l'opposition, les colères. Si par hasard une ou deux fois on réussit à le faire céder par la force, la prochaine fois (et elle sera vite venue ou vite provoquée par l'enfant) il tiendra le coup jusqu'au bout. Sachons bien en effet que, si on élève la voix, si on gronde ou punit, cela montre qu'on réagit et c'est ce que veut l'enfant et il recommencera sûrement pour nous avoir de nouveau. C'est quand même amusant de faire marcher papa et maman en usant de moyens si simples. Et en même temps quel plaisir de sentir toute cette puissance qui existe déjà dans sa petite personne, capable de résister aux adultes!.. (En fait, c'est peut-être une bonne chose! mais n'en abusons pas trop à cet âge, donc n'amenons pas l'enfant à cette exacerbation.)

Beaucoup plus rarement, cette méthode de force obtiendra peut-être une soumission, soumission servile, bien plus grave que l'opposition, car elle aboutirait à supprimer cette ébauche de prise de conscience de la personnalité.

Alors que faire? D'abord garder un calme absolu, qui montre qu'on n'est nullement impressionné. Parler normalement, avec un gentil sourire. C'est cela seulement qui peut désarmer l'enfant. Laisser un peu plus de liberté et ne demander que très peu de chose, fermer les yeux sur tout ce qui n'a pas grande importance. Mais pour ce qui est sérieux, montrer une autorité douce mais ferme, sans discussion, ni supplications ni tergiversations. Un « non » c'est non et il n'est pas besoin de le dire vingt fois.

Si l'enfant fait caprices, colères, on verra plus loin en parlant de ces colères que leur seul but est d'attirer l'attention sur lui et que le seul traitement est donc de ne rien voir, rien entendre, de vaquer à ses occupations, sans un regard, sans un mot, comme si l'enfant n'était pas là (même si cela dure une heure la première fois). Ainsi très rapidement ces colères deviendront courtes, puis cesseront, on ne se fatigue pas à faire des colères qui n'ont pas d'intérêt pour les parents.

Mais, en dehors des colères, que l'enfant sache bien qu'on l'aime beaucoup et qu'on le lui manifeste, sans jamais bien sûr faire la moindre allusion à la colère passée.

Si on agit ainsi, la crise sera d'ailleurs de courte durée.

4. Après cette crise de personnalité

L'enfant reprend sa vie d'enfant, tout juste un peu moins docile qu'avant. Il garde ses caractères enfantins.

a) Une vie d'enfant

Il vit dans un monde imaginaire, magique, où tout arrive de façon mystérieuse, d'où le rêve, la fabulation. Certains parents m'ont parlé de mensonge. Mais non! il raconte tout simplement son rêve et ne fait pas tout à fait la différence entre le rêve et la réalité. Il faudra donc entrer de temps en temps dans le rêve tout en le ramenant gentiment à la réalité.

Il reste très égocentrique : joue tout seul ou si c'est avec un autre enfant, chacun joue avec son jouet et ne va voir l'autre que pour lui prendre le sien; il rapporte tout à lui, transpose sur les objets et les êtres ce qu'il éprouve lui-même, ne voit que ce qui l'intéresse – il dira par exemple : « Ça, c'est l'image de l'auto » parce que dans un paysage, il y a dans un coin une toute petite auto bleue ou rouge, la seule chose qui l'a frappé, mais que nous n'avons même pas vue.

Mais le plus souvent, ce qui l'intéresse, c'est ce qui est important, il n'y a qu'à regarder ses dessins. Vers trois ans, il dessine surtout des bonshommes, et à cet âge, c'est un rond tout simple, c'est-à-dire une tête. La preuve en est que bientôt dans ce rond vont apparaître quatre ronds un peu plus petits : deux yeux, un nez, une bouche. Puis quelques mois plus tard, quatre longs traits partant de cette tête dont deux se terminent par d'énormes boules qui sont les mains avec une bonne dizaine de doigts chacune. Le corps n'apparaîtra que vers quatre ans (minuscule petit corps avec en général trois boutons). Il n'a donc vu dans l'homme que ce qui est important : la tête, puis les mains.

b) Sous l'influence des adultes

Mais ce qui est capital sur le plan éducatif, c'est que cet enfant qui a voulu très momentanément montrer son individualité reste sous l'*influence énorme des adultes*.

– Par sa crédulité

À trois-quatre ans, papa et maman savent tout. Lorsqu'un enfant de cet âge nous dit : « D'abord, c'est maman qu'a dit », il n'est pas question d'aller prétendre le contraire. Belle confiance qui peut être utile pour inculquer certaines vérités. Mais surtout ne pas en abuser et ne mentir sous aucun prétexte, si on veut conserver un peu sa confiance. Bientôt c'est la maîtresse qui sait tout; puis un beau jour, les parents ne savent plus grand-chose. Mais il est tout de même important de conserver une partie de la confiance de ses enfants et le seul moyen c'est de ne leur avoir jamais menti.

Et pourtant que de fois ai-je entendu des parents mentir aux enfants : leur faire peur de façon à avoir la paix ; parler sérieusement du Père Noël ; esquiver un « pourquoi ? » soi-disant embarrassant comme si on ne pouvait pas faire toujours une réponse exacte adaptée à l'âge de l'enfant ; dire en arrivant chez le médecin : « Il ne va pas te faire de piqûre » alors qu'il vient justement pour cela, ou : « Il va te donner un bonbon » alors qu'ils ne savent pas si le médecin en a (il y a quelques années j'avais toujours une boîte de bonbons dans un tiroir, bien que ce ne soit pas dans mes principes, pour pallier ce genre de mensonge absurde) ; ou bien dire : « Ce n'est pas un docteur. » Tout cela revient vraiment à prendre les enfants pour des imbéciles et à leur montrer que les parents mentent. En tout cas, je peux affirmer que lorsqu'un enfant m'était présenté de l'une de ces façons-là, j'étais sûr de ne pas pouvoir l'examiner. Par contre, lorsqu'on lui dit bien la vérité, on en fait ce que l'on veut : *un jour, étant appelé pour la première fois dans une famille, lorsque j'arrive, la mère descend rapidement pour me dire que je n'étais pas le médecin, car l'enfant avait très peur des médecins et était inexaminable. J'étais je ne sais plus quel corps de métier (épicier, boulanger ou plâtrier, que sais-je). Volontairement je monte l'escalier deux marches par deux marches pour prendre de l'avance, et, arrivé au second étage, je me trouve face à face avec une petite fille de quatre ans, qui m'adresse immédiatement la question que j'attendais : « Tu es docteur ? » Je ne mens jamais et j'ai répondu : « Oui, bien sûr, puisque tu es malade, ta maman m'a demandé de te soigner. » La mère interloquée arrivant par derrière, je lui ai demandé d'aller me chercher je ne sais plus quoi, n'importe quoi d'ailleurs, dans le seul but de rester quelques secondes seul avec l'enfant et de pouvoir commencer à l'examiner. Lorsque tout essoufflée elle est revenue, elle est restée stupéfaite sur le pas de la porte me disant : « Ça alors ! c'est la première fois que ma fille se laisse examiner par un médecin. » J'avais envie de lui répondre : « Ce n'est pas étonnant, d'habitude vous appelez le boulanger ! Elle a confiance en lui pour faire du pain, mais pas pour être soignée quand elle est malade. »*

– En se laissant très facilement suggestionner par l'adulte

Un mot suffit pour que l'enfant réalise l'acte, même si le mot est dit avec une négation : « Ne tombe pas », il tombe. « Attention de ne pas renverser cette assiette », il la laisse tomber. « N'aie pas peur », il est terrifié, etc.

Journellement dans mon cabinet d'examen, je voyais le fait suivant : un enfant de deux à trois ans qui paraissait un peu inquiet; avec un peu de diplomatie, je le mettais en confiance et tout semblait s'amorcer très bien, jusqu'au moment où la mère inquiète prononçait le mot fatidique, que je redoutais toujours : « N'aie pas peur », « Il ne va pas te faire mal », « Il ne va pas te faire de piqûre », « Ne pleure pas. » Quelle que soit la phrase, pourtant sous forme négative, le mot fatal était lâché – peur, pleure, mal, piqûre – et l'enfant se mettait à se débattre, pris de frayeur; il avait perçu le mot, pas la négation.

Je me souviens d'une anecdote qui est arrivée à Jean quand il avait quatre ou cinq ans. Il avait très peur du noir. Un soir, nous dînions dans notre salle à manger la porte ouverte sur le jardin et il faisait nuit, il est pris d'un petit besoin pressant; alors volontairement d'une façon très naturelle, je lui dis : « Va donc dans le jardin, c'est tout simple. » Il y est allé en hésitant un peu et l'opération s'est passée sur la première marche, je crois. Quelques jours plus tard dans les mêmes circonstances, il est parti en hésitant un peu moins et sans doute une ou deux marches plus bas. Une troisième fois il partait sans aucune hésitation faire son besoin dans le jardin. Mais une personne qui était présente et avait compris la raison pour laquelle je l'envoyais dans le jardin a cru utile, pour le « rassurer », d'ajouter : « Oui, Jean, n'aie pas peur. » Au mot « peur », il est resté cloué sur le pas de la porte sans vouloir aller plus loin. Je n'ai surtout pas insisté et ai dit immédiatement avec le maximum de naturel : « Si tu préfères aller au W.-C., c'est comme tu veux. » Quelques années plus tard, il n'avait plus la moindre frayeur.

Il y a donc des mots qu'il ne faut surtout jamais prononcer, et pourtant, qu'il est tentant de dire à un enfant : « N'aie pas peur »!

– Don d'imitation

Il a aussi ce don d'imitation des adultes, qui est si précieux en éducation et qui permet d'agir par l'exemple, bien plus que par les paroles, mais qui engage fort notre responsabilité!

– Enfin, il a besoin d'être aimé et de se sentir aimé.

*

* *

Dans ce petit exposé que je fais sur les enfants et leur éducation, j'ai envisagé essentiellement les quatre ou cinq premières années qui sont de beaucoup les plus importantes. Cependant sur le plan de la personnalité, je pense difficile de ne pas aller jusqu'à la crise pubertaire, si importante à bien comprendre et qui reste encore du domaine de la pédiatrie. Je résumerai les choses.

LA GRANDE ENFANCE
ET LA CRISE PUBERTAIRE

1. À partir de cinq-six ans et jusqu'à la puberté

Il n'y a pas de problèmes importants : la croissance est bien régulière, de cinq à six centimètres par an ; l'enfant a acquis un bon contrôle musculaire ; sur le plan affectif c'est une période stable ; donc avec les progrès de la raison, de l'intelligence logique et une possibilité d'attention plus soutenue, c'est l'âge scolaire et comme pédiatre c'est le plus souvent pour des difficultés scolaires que je voyais ces enfants (j'y reviendrai).

Sur le plan de la personnalité, là aussi peu de problèmes : l'enfant semble confortablement installé dans son corps et dans sa famille : il connaît ses limites et semble les admettre. Donc pas de conflit aigu, il sait être docile aux ordres raisonnables.

Mais attention, sous cette mer bien calme, se devine :
– un complexe d'infériorité devant les adultes qui ont toujours raison, les grands qui sont trop forts, le monde…, aggravé trop souvent par des verdicts comme « bon à rien » ;
– une certaine angoisse entretenue par les jugements et récits des parents, ses expériences personnelles, les journaux, la télévision ;
– et bien souvent en fait une rage impuissante qui va éclater brutalement à la période suivante, si nous avons abusé

93

de la faiblesse momentanée de l'enfant, pour assurer notre tranquillité.

2. La crise pubertaire

En effet va survenir la *puberté,* période d'environ trois ans qui se situe à un âge assez variable, deux ans plus tôt chez les filles que chez les garçons, en moyenne entre onze et quatorze ans chez la fille, treize et seize ans chez le garçon, avec des variations de deux à trois ans avant ou après ces délais.

Période de grand bouleversement, caractérisée par des transformations brutales sur tous les points : *physique,* avec une croissance de dix centimètres par an pendant les deux premières années (après quoi la taille définitive est pratiquement atteinte) ; *physiologique,* avec toute la transformation génitale et le grand bouleversement hormonal qui l'accompagne ; *affectif,* avec un besoin intense d'aimer et d'être aimé ; *intellectuel,* avec l'aptitude à la pensée abstraite, la recherche de lois générales et l'acquisition de l'indépendance intellectuelle : l'adolescent a son point de vue, son sens critique, il discute, rationalise (il dispose de toutes les facultés intellectuelles de l'adulte).

Mais tout cela ne peut pas se faire si rapidement sans craquements. Et c'est donc une période de crise parfois difficile à franchir pour trois raisons : la fatigue, la crise de personnalité, l'éveil de l'amour.

a) Fatigabilité physique et intellectuelle

Toutes les forces sont au service des profondes transformations physiologiques. Veillons à éviter le surmenage physique et intellectuel. Or, c'est l'âge où parents et maîtres exigent davantage et reprochent la paresse physique, le désintérêt scolaire qui en fait ne sont que des signes d'alarme de l'*asthénie des adolescents* :

Cette asthénie peut être *évidente,* devant un grand adolescent maigre, pâle, les traits tirés, les yeux cernés…

Mais elle est plus souvent *inapparente* : simple baisse en cours d'année d'un élève qui jusqu'ici travaillait bien, trop souvent mis sur le compte de la paresse, alors qu'il vient de prendre douze centimètres dans l'année ; très souvent ce sont de grosses irrégularités dans les résultats scolaires et l'on entend ce refrain : « Vous voyez bien qu'il peut bien faire quand il veut ! » Non ! quand il « peut ». On verra qu'une grande instabilité caractérise cette période.

Elle peut même être *camouflée par un aspect extérieur trompeur* : cet adolescent grand et fort, le plus grand de la classe… donc le plus costaud, qu'on retrouve le soir avachi dans un fauteuil, quel scandale ! Or c'est justement parce qu'il est le plus grand de la classe qu'il est épuisé.

Ou bien encore *camouflée par une activité physique non diminuée* : « Quand il s'agit de faire du sport, il n'est plus fatigué. » Eh oui, il y a bien des gens que le travail intellectuel fatigue beaucoup plus que le travail physique. Comme je comprends la chose, c'est mon cas. Laissons-le donc faire du sport, mais raisonnablement, d'accord.

Dans tous ces cas, les parents amènent l'enfant chez le pédiatre pour obtenir un stimulant de façon à améliorer les résultats scolaires. Il ne faut surtout pas donner ce stimulant qui risque de l'énerver davantage, mais prescrire tout simplement une heure de sommeil de plus (donc une heure de travail de moins) et les résultats scolaires remonteront.

b) La troisième crise de personnalité

Mais le problème le plus important est la troisième crise de personnalité qui survient en même temps et qui éclate brusquement.

C'est la révolte brutale : il *veut être « grand »*. Jusqu'ici il s'acceptait comme enfant pareil aux autres. « On était comme dans une moutonnière », me disait l'un d'eux *. Brusquement, sa taille augmente rapidement et il constate un début de maturité : « Des choses me paraissent importantes », « Je me sens quelque chose », « J'ai un souci de justice », « Je suis d'accord avec moi », « Je me trouve plus grand, plus homme, peut-être de trop »… Il ne peut plus accepter sa condition d'enfant. Il débouche dans le monde des adultes et il veut sa liberté.

Mais il est *vexé* car il ne se sent pas pris au sérieux par les adultes. Il n'a pas plus de droits qu'avant, il est ulcéré d'être traité en petit, sujet encore aux interdits et aux ordres qui ont pesé sur lui jusqu'ici : « Tu parleras quand tu auras l'âge », « On m'oblige car je suis trop jeune. »

Et lui-même sait bien qu'il n'est pas encore de taille : il est assez grand pour être ulcéré, mais trop petit pour se mesurer aux adultes. Il constate qu'il est immature : « Je n'ai pas mes idées vraiment à moi », « On se sent inférieur aux autres. » Son imagination lui rappelle qu'il conserve un reliquat de l'enfant : « Cela fait bébé. » Tout cela l'humilie.

En même temps il est *angoissé* devant le départ vers l'inconnu. Parfois inquiet des transformations qui s'opèrent en lui et qu'il guettait pourtant avec impatience, et inquiet de ce qui l'attend : « Je ne serai jamais capable. » Ces angoisses sont trop souvent aggravées par les adultes ; par leurs réflexions ironiques : « Tu en verras bien d'autres plus tard », alors qu'il se débat dans ses difficultés ; ou par leurs attitudes équivoques : il découvre la grande complexité des choses et des valeurs morales et cela le désarçonne, le décourage. Il

---

(*) Les citations viennent de questions écrites totalement anonymes que m'avaient posées des adolescents de classes de troisième pour des discussions sur ce sujet que j'avais eues avec eux.

entrevoit la relativité du jugement des adultes et cela l'irrite : « Les adultes veulent toujours avoir raison. »

En fait il sent qu'il abandonne sa sécurité d'enfant pour avancer vers un inconnu qui l'angoisse et parfois il aurait la tentation de revenir en arrière. Il est tiraillé entre le désir d'être grand et parfois la crainte de le devenir. Il veut être grand, en fait il ne sait pas très bien ce qu'il veut et il en est humilié et inquiet, tourmenté.

D'où confusion, incertitude, bouillonnement de l'adolescence qui expliquent sa *grande instabilité* qui déconcerte les parents, instabilité sur tous les plans : *physique* : irrégularité des performances ; *du caractère* : sautes d'humeur, exaltation ou cafard ; *de l'attention* : irrégularités scolaires, rêve… ; *des sentiments* : affectueux avec les parents, puis insolent, il se passionne pour un camarade puis le délaisse ; *des goûts ; du jugement moral* : il se juge sévèrement et le lendemain cherche des excuses faciles, se ronge d'incertitudes, hésite sur son degré de responsabilité.

Dans cette incohérence, sentant son immaturité qui l'humilie, il éprouve le *besoin de s'affirmer* devant lui-même et devant les autres ; ce sera par l'opposition et les extravagances.

C'est surtout par *l'opposition* violente pour s'émanciper à tout prix de sa situation de soumission aux adultes et de ses habitudes enfantines. Il ne sait pas très bien ce qu'il veut, mais il veut autre chose et il veut surtout ne plus être considéré comme un enfant. Il réagit contre ses attitudes de petit garçon ou petite fille : il renonce à la manière dont il a surestimé ses parents : la fille qui avait un attachement excessif à sa mère la critique, l'observe sans ménagement, cherche à l'ennuyer, à la déprécier. Le garçon qui bricolait avec son père s'oppose avec satisfaction, prend le contre-pied. « On aime à ne pas être d'accord avec les parents. » Il ne veut plus sortir en famille, critique la maison, surestime ce qui est ailleurs. À l'école, c'est l'alliance contre les professeurs qu'on s'amuse à tracasser.

Mais aussi ce sont *des extravagances* : turbulences, insolences, vêtements excentriques. Parfois c'est un vol qui d'ailleurs n'a nullement le but de s'approprier quelque chose mais tout simplement soit d'ennuyer la famille, soit surtout de se prouver à soi-même qu'on est capable d'une « action d'éclat » et de le prouver aux camarades. Ou encore c'est une fugue dont il n'a aucun remords, mais qui le calme souvent un peu (il a respiré pendant vingt-quatre heures l'air de l'indépendance).

Devant la brusquerie de cette crise, les *parents* habitués à un enfant bien élevé et obéissant *ne comprennent plus*. « On ne le reconnaît plus », « Il n'y a pas à essayer de le comprendre », « Il ne sait pas ce qu'il veut », « Impossible de compter sur lui. »

Et l'adolescent de son côté le confirme : « Les parents ne comprennent rien », mais en même temps combien m'ont demandé : « Mais pourquoi ai-je cette attitude ? »

Et pourtant ce conflit est normal, seule son absence pourrait inquiéter : on ne peut passer en deux ans de l'enfance à la maturité, sans faire craquer les vêtements, mais aussi les bonnes relations familiales ; et il est nécessaire au développement de la personnalité : il faut une rupture avec cet attachement excessif aux parents, et d'autre part le « moi » en luttant apprend à s'affirmer.

Donc comme pour la crise de trois ans, éviter les deux excès : apaisement à tout prix, qui irait à l'incohérence et enlèverait tout sens à la crise ; durcissement, qui exaspère la révolte, ou, s'il la brisait, briserait en même temps l'acquisition de la personnalité.

Que faut-il faire ?

Le plus important, comme toujours en médecine, est *le traitement préventif.* Le conflit est inévitable et c'est heureux ! Mais il sera d'intensité très variable suivant la façon dont se sont passées les étapes antérieures :

Si l'enfant s'est toujours senti aimé, écouté, respecté comme une personne, en dépit de son infériorité physique et intellectuelle, il aura suffisamment confiance en ses parents, et en lui-même. Il se sent accepté et cette prise de conscience de sa personnalité se passera sans heurts graves.

S'il a été maintenu dans une situation d'infériorité, de dépendance (un objet appartenant à ses parents et non un interlocuteur), le réveil de l'adolescence sera douloureux.

Lorsque *la crise est arrivée,* tâchons d'obtenir une *compréhension mutuelle.*

Les adolescents eux aussi *cherchent à comprendre* : et d'abord à se comprendre : « Qu'est-ce qui se passe en moi ? », « Quand est-ce que mon caractère changera ? », « Pourquoi n'en fais-je qu'à ma tête ? », « On aime s'opposer aux adultes… pourquoi ? » J'ai été très impressionné du nombre de « pourquoi ? » que j'ai eu de la part d'adolescents qui m'exposaient leurs problèmes !

Et ils voudraient aussi comprendre les adultes et leurs rapports avec eux : « Que faire pour leur obéir ? » « Comment faire pour les comprendre ? » Ils s'interrogent sur leur culpabilité. Mais de toute façon il y aura toujours cette constatation finale : « Les parents ne comprennent rien », et à cette affirmation je leur répondais : « Oui, pour deux raisons. » La première vient des parents qui ont de la difficulté à admettre qu'un enfant grandit si vite : on ne s'en aperçoit pas assez vite, et on a peur de le voir s'échapper, peur des dangers qu'il va courir. La deuxième vient de l'adolescent : il n'est pas facile de comprendre un adolescent qui lui-même a de la difficulté à s'analyser, qui par moments veut la liberté, à d'autres moments a besoin de notre aide et nous reproche de ne pas la donner, mais se garde bien de la demander.

Mais l'issue de la crise dépend surtout de *l'attitude des parents.* Ils doivent admettre que l'enfant grandit et veut se libérer : et c'est bien là le but que l'on doit rechercher dans l'éducation : en faire un individu libre, conscient de ses responsabilités et des limites de sa liberté, capable d'aimer, de donner. Il faut donc d'abord les rassurer : leur enfant est normal et sa crise est utile ! Mais ce n'est pas toujours facile et pourtant c'est indispensable, car il est grand temps *qu'ils ajustent leur attitude aux nouveaux besoins* normaux de l'adolescent :

— Besoin d'être pris au sérieux : ne pas le traiter en gamin, pas de conseils enfantins comme : « Cire tes souliers », « Montre-moi ton cahier de textes » ;

— Besoin de liberté plus grande ;

— Besoin d'être rassuré, de reprendre confiance en lui, de savoir qu'il est normal, physiquement et moralement, que les autres éprouvent les mêmes troubles, que les parents les ont éprouvés au même âge ;

— De sentir la confiance de ses parents, en compensation du manque de confiance qu'il a en lui ; à ce sujet, je pense à l'échec scolaire, si fréquent à cette période, si facilement expliqué par la crise pubertaire, mais qui vient aggraver fortement les choses : il augmente l'opposition contre parents et maîtres, accroît le dépit, le découragement, le dégoût de la vie. Qu'il est important de rendre confiance !

— Besoin d'être encouragé dans ses initiatives : l'idéal serait qu'à cause de la confiance de ses parents il ose accéder à l'indépendance, dont il a peur.

— Mais aussi besoin de sentir une autorité qui le protège contre ses extravagances et contre ses découragements (désir d'arrêter les études par exemple), autorité qui n'agit ni par parole ni par la force, mais par la confiance inspirée ;

— Besoin d'aimer et d'être aimé.

c) Le besoin d'amour

Ce besoin d'amour est le troisième point capital de la puberté.

Il a d'abord besoin d'être aimé : un désir intense d'amitié, d'un copain, d'un confident. Mais quel drame si, par suite d'instabilité bien souvent, de saute d'humeur, il ne trouve pas ce copain, ou si ce copain l'abandonne, au moment où il reste en lutte avec ses parents. Ceux-ci ignorent souvent son terrible isolement. Qu'il leur faut de clairvoyance pour laisser transparaître leur amour, avec le maximum de discrétion, pour lui faire comprendre qu'il n'est pas de trop, qu'il est aimé, estimé. Il en a besoin pour reprendre confiance en lui et forger dans un bon équilibre sa personnalité.

Cela l'aidera à sortir enrichi de cette crise, car il a aussi besoin d'aimer, et il est devenu capable de générosité, de donner, dans un amour authentique. Pour y arriver l'enfant doit avoir senti cet amour à chacune des étapes qu'il a déjà franchies. Mais à l'adolescence il est particulièrement important qu'il se sente aimé de ce véritable amour désintéressé auquel il a droit. Il ne peut donner que l'amour qu'il a reçu.

D'ailleurs il faut bien savoir que cet adolescent, en pleine crise d'opposition, qui dénigre ses parents, les observe sans ménagement pour les critiquer, bien sûr, mais plus encore pour les imiter… et tâcher de les surpasser.

VI.– LIBERTÉ ET AUTORITÉ

Liberté

Autorité

Dans la pratique

Quelques cas particuliers

Ce chapitre comportera forcément des redites, dont on voudra bien m'excuser. Mais je crois qu'il est utile de préciser les choses, car c'est là un point délicat dans l'éducation ; et le juste milieu n'est pas simple. Il n'est surtout pas simple de se faire bien comprendre, et j'ai souvent été stupéfait, dans mes cours ou dans les conseils donnés aux parents, sur les mêmes sujets, avec les mêmes idées directrices, mais suivant la façon dont j'avais présenté les choses, avec sans doute de très légères nuances (et même pas toujours, puisque c'était parfois au cours des mêmes exposés), de constater que les uns me reprochaient d'être un père bien trop libéral, « cédant à tout », d'autres un père indigne, bien trop sévère. Chacun n'entend que ce qu'il veut entendre.

Je crois donc utile d'essayer de bien préciser ma pensée. Liberté ? autorité ? En fait là encore, tout se résume à l'amour : – amour des parents pour les enfants – amour transmis aux enfants. Éduquer, c'est apprendre à aimer. C'est d'abord, soi-même, apprendre à aimer ses enfants. Liberté, autorité ne doivent pas être basées sur de grands principes, mais sur le bon sens, guidé par l'amour. On peut être libéral ou autoritaire par amour pour l'enfant. Mais ce qui est important, c'est de bien s'assurer qu'il s'agit d'un amour oblatif, et qu'on a un seul but, l'intérêt de l'enfant, son bonheur immédiat et son bonheur futur. L'un et l'autre ne peuvent se concevoir que dans le véritable amour. C'est également cet amour qu'il faut transmettre avant tout. Éduquer, ce n'est pas d'abord donner de bonnes manières à l'enfant, mais c'est l'« élever » comme on dit, c'est-à-dire l'aider à atteindre sa taille d'homme, à prendre conscience de sa condition humaine, et lui fournir tous les éléments de connaissance, de découverte, d'adaptation, les plus conformes à cette condition, et donc au développement de l'amour qui prime tout, conditionne tout et dans lequel il trouvera épanouissement et joie.

Pour cela liberté et autorité ne s'opposent nullement, mais se complètent, l'autorité n'ayant pour but que d'aider l'enfant à se libérer. Mais il faut prendre ces mots dans un sens vraiment humain et dans toute leur plénitude.

LIBERTÉ

Mais c'est le but même de l'éducation : faire de l'enfant un homme libre, ce qui signifie : maître de lui ; capable de choisir, et d'assumer ses responsabilités ; bien conscient des limites de sa liberté nécessaire pour son propre épanouissement et pour le respect de la liberté des autres ; capable d'accepter librement ces limites et les contraintes qu'elles nécessitent, seule façon de ne pas se sentir frustré par celles qui sont inévitables.

Mais qu'en est-il chez l'enfant ? Il est bon de voir quelle est l'attitude de l'enfant et celle des parents devant cette liberté.

1. L'enfant devant cette liberté

L'enfant aspire ardemment à cette liberté : dès le plus jeune âge toute entrave lui est pénible, il veut sortir de son lit, quitter son parc, vaquer librement. Il veut tout de suite la satisfaction de tous ses désirs. Mais il cherche forcément à en prendre trop et il faudra bien qu'il prenne conscience des excès de cette liberté, qui sont parfois dangereux pour lui et pour les autres. Parfois au contraire, il a peur d'aller de l'avant et il aura besoin d'être encouragé à une certaine audace.

2. L'attitude des parents

Elle peut osciller entre deux excès.

a) Manque de liberté

L'enfant doit obéir à tous les désirs des parents et il doit apprendre que s'il ne le fait pas il a toujours tort. Le résultat en est qu'il ne peut apprendre à exercer sa liberté, ni à en apprécier les justes limites ni à accepter ces limites librement.

De plus, il est constamment frustré dans ses besoins normaux (et le plus souvent légitimes). Il reste sur sa faim, son angoisse, ce qui ne pourra aboutir qu'à l'une des éventualités suivantes : ou bien ce besoin normal de liberté, constamment refoulé, emmagasine une énergie qui éclatera un jour en une révolte spectaculaire, désordonnée ; ou bien c'est la démission dans une soumission servile, une acceptation dans un sentiment d'échec qui nuira fortement à sa personnalité.

De toute façon l'enfant se replie sur lui-même et est inaccessible au don de soi, à l'amour.

b) Excès de liberté

L'enfant livré à lui-même, à toutes ses initiatives, sans aucun guide, veut réaliser tous ses désirs, satisfaire toutes ses pulsions, sans discernement. Lui non plus n'apprend pas à exercer sa liberté, ni à faire un choix utile pour lui-même. Il ne saura pas tenir compte du réel extérieur à lui, de la personne des autres et de leurs exigences légitimes, ni accepter volontairement les contraintes.

Mais en plus il ne se sentira pas heureux, il ne connaîtra jamais le vrai bonheur : il se sentira constamment frustré, car en fait il rencontrera fatalement l'opposition de ce monde réel, dans lequel il vit et qui limite forcément à tout moment sa liberté, et, comme il n'est pas préparé à faire l'expérience de ces frustrations et à les accepter, il en souffrira. L'enfant gâté n'est pas heureux puisqu'il lui manque forcément toujours quelque chose.

Il est également souvent angoissé car il ne se sent pas protégé contre les autres et contre lui-même. Et il ne se sent pas aidé aux moments où il a besoin d'être encouragé. Il se privera, là aussi, des joies que donne la réussite après un effort.

De toute façon lui aussi se replie sur lui-même et est inaccessible au véritable amour.

c) Un juste milieu

Entre ces deux excès il faut donc, comme toujours, un juste milieu. Beaucoup de liberté est nécessaire, afin de laisser s'épanouir l'enfant, pour qu'il développe toutes ses possibilités dans la joie et l'amour. Mais il doit aussi apprendre à exercer cette liberté, à faire un choix parmi ses nombreux désirs, à comprendre peu à peu les limites de sa liberté et progressivement à les accepter, d'abord dans son intérêt, puis pour les autres, par amour.

Une liberté totale dans le chaos est totalement insensée. L'enfant est dépendant de nous sur tous les points, sans nous il ne pourrait pas survivre. Il a également besoin de notre aide pour discerner le vrai sens de la liberté.

AUTORITÉ

Elle ne contredit donc pas la liberté, au contraire elle aide l'enfant dans l'acquisition d'une liberté vraie.

Mais l'autorité doit être prise dans un sens positif, enrichissant et non pas négatif. Elle ne consiste pas à imposer ce qu'on a décidé, parce qu'on est le plus fort, mais à être le guide, en qui l'enfant sait qu'il peut avoir confiance. C'est une atmosphère dans laquelle l'enfant vit depuis sa naissance et qui lui inspire confiance, respect, amour.

– *Confiance* qui vient du fait que l'enfant sent qu'on a plus d'expérience, mais qu'on sait bien ne pas être infaillible; qu'on a des passions, mais qu'on essaie de s'en libérer; qu'on tâche d'être juste et compréhensif, mais qu'on a parfaitement conscience de ne pas toujours réussir.

– *Respect* qu'on lui inspire parce qu'il sait qu'on le respecte.

On respecte son intelligence depuis sa naissance : on n'a pas abusé de sa crédulité, à l'âge où papa et maman « savent tout ». On ne lui ment jamais, sous aucun prétexte.

On respecte sa conscience : à l'âge où la notion du bien et du mal est pour l'enfant ce qui est permis ou défendu par les parents, on ne fausse pas son jugement pour avoir la paix ou pour se justifier à tort (il est bon qu'il sache que nous ne sommes pas des saints). Surtout on ne fait jamais nous-mêmes ce qu'on défend à l'enfant. Sinon quels déboires lorsqu'il remettra en cause les valeurs morales.

On respecte sa personnalité : on essaie de le comprendre, il sent qu'on le prend au sérieux, on ne le rabroue pas lorsqu'il émet une opinion, mais on en tient compte. On lui fait confiance : il n'a pas l'impression d'avoir toujours tort, de se sentir perpétuellement soupçonné, condamné. On lui confie des responsabilités.

Mais ce respect que l'enfant rend ne consiste nullement en formules de « politesse » imposées, donc vides de sens et qui peuvent fort bien cacher le plus grand mépris. C'est un sentiment profond et sincère qui fait qu'il tient compte de leur avis, ce qui n'empêche pas au besoin de leur dire gentiment quelques vérités, que certains trouveraient insolentes, mais qui prouvent en fait l'estime qu'il a pour des parents capables de les accepter.

– *Amour* parce qu'il se sent réellement aimé : il sait qu'il n'est pas de trop dans la famille, qu'on agit toujours dans son intérêt, qu'on l'aime tel qu'il est et non pas forcément tel qu'on voudrait qu'il soit.

L'autorité c'est tout cela, ce n'est pas quelque chose qu'on impose de force. Cela s'acquiert, se mérite.

Je lisais récemment un article sur l'éducation dans lequel il y avait de très beaux principes, mais qui manifestement reposaient sur une absence trop évidente de connaissance réelle de l'enfant. J'ai bondi finalement devant cette formule magistrale : « Les enfants ont à apprendre que ce sont les parents qui ont l'autorité. » Comme si ce n'était pas aux parents d'apprendre à acquérir cette autorité par leur valeur morale! Ce père était pourtant très fier des résultats de son éducation, mais ses deux ou trois enfants n'avaient manifestement pas encore passé la crise pubertaire; je souhaite que sa déconvenue ne soit pas trop forte à cette période, comme je l'ai vu trop souvent chez ces enfants trop obéissants, lorsqu'ils étaient encore trop petits pour se révolter. (Heureusement, en dépit d'une sévérité exagérée, ce père de famille faisait preuve d'un grand amour très sincère qui atténuera bien des choses.)

Si on a pu acquérir et conserver cette autorité faite de confiance et d'amour, on pourra très discrètement guider l'enfant quand il en aura besoin, pour l'aider à assumer sa liberté.

DANS LA PRATIQUE

1. Le maximum de liberté

Laisser à l'enfant le maximum de liberté adaptée à chaque âge ; laisser le tout-petit toucher à presque tout, le jeune bricoleur se servir de vrais instruments, l'écolier travailler seul, l'adolescent prendre ses responsabilités.

2. En le guidant discrètement

Mais on sera le guide discret dont il a quelquefois besoin pour l'aider à *faire un choix* lui permettant de s'épanouir dans les meilleures conditions : le tout-petit, pour prendre plutôt telle chose, non pas forcément parce que cela nous arrange, mais parce que c'est plus utile, mieux adapté à son âge, moins dangereux ; le bricoleur, pour lui conseiller au besoin un outil mieux adapté ou une meilleure façon de s'en servir. Conseil dont il ne tiendra pas compte, bien sûr, mais qu'il trouvera judicieux lorsque papa sera parti et qu'il aura constaté un échec ; l'écolier, lorsqu'il viendra demander un renseignement, en donnant ce renseignement (si on en est capable), mais sans faire le devoir à sa place ; l'adolescent, qui a besoin d'être renseigné sur tout ce qui lui arrive (mais ne vient pas le demander !).

3. Pour découvrir les limites à sa liberté

On l'amènera aussi à découvrir les limites utiles à sa liberté : ce qui est nocif pour lui-même, puis ce qui gêne la liberté des autres.

Le plus important me semble tout simplement ces légères limites aux excès de satisfaction, imposées gentiment mais fermement au tout-petit dès sa naissance pour son plus grand bien et donc pour son bonheur. Instinctivement il se rend bien compte peu à peu que cela lui apporte calme et bonheur, cela s'imprime en lui pour la vie, tout le reste en découlera.

Ce sont également ces toutes premières contraintes demandées au jeune enfant, uniquement pour son intérêt au début, et donc seulement à l'âge où il aura acquis une maturité suffisante pour le comprendre et l'accepter par amour (c'est-à-dire pour accaparer davantage l'amour de maman et c'est très bien ainsi à cet âge).

Plus tard les ordres seront d'autant plus rares qu'on aura su acquérir la véritable autorité, une simple demande aimable suffira alors le plus souvent. Cela ne veut pas dire qu'il ne faille jamais d'ordre; ce serait impossible. Mais il faut qu'ils soient réservés à des faits sérieux. Ils seront à la fois gentils et fermes, de façon que l'enfant sache qu'il doit réellement obéir et il le fera volontiers vu leur rareté.

4. En étant soutien qui rassure

On sera plus encore le soutien qui le rassure. L'enfant sent qu'on est là : pour le soutenir dans les moments de faiblesse, pour le protéger contre les dangers trop grands, et contre ses propres excès, et cela lui donne confiance.

C'est en lui donnant confiance qu'on l'aidera à franchir une étape difficile : depuis les premiers pas, par ce « viens » très confiant, puis tous les autres premiers pas de la vie, jusqu'aux angoisses de la puberté.

On l'aidera au besoin de la même façon à franchir ses crises d'indépendance lorsqu'il en a peur : à accepter sa maturité, à prendre des décisions, à acquérir plus de confiance pour se libérer réellement et apprendre à se diriger seul dans de bonnes conditions.

C'est surtout *lors d'un échec* qu'il faudra lui redonner confiance. Que de parents et de maîtres se figurent que pour encourager un enfant, pour « le stimuler », il faut lui montrer ses échecs, le gronder, le punir, ce qui aboutit le plus souvent à des catastrophes. Il faut tout simplement lui *redonner confiance* en lui : depuis le tout-petit qui tombe dans ses premiers pas et auquel on dira un joyeux « bravo », « ça y est » ; le maladroit qui casse une assiette et reçoit un sourire de remerciement pour le service qu'il a voulu rendre ; les difficultés scolaires pour lesquelles il ne faut remarquer que les progrès !

5. Être le modèle que l'enfant regarde

Mais surtout on sera le modèle que l'enfant regarde, beaucoup plus qu'il ne le laisse paraître, pour apprendre à assumer lui-même sa liberté. Oui, conseils, ordres, sanctions sont de bien pauvres arguments, seul l'exemple est un argument valable, le seul garant de l'autorité : depuis le tout-petit qui regarde papa comme un surhomme, qu'il cherche à imiter, mais aussi qui remarque tout et sait fort bien tout imiter, à commencer par les tics, non sans malice, mais aussi les défauts ! Jusqu'à l'adolescent qui prend le contre-pied systématique de ses parents, qui les observe, à l'affût de leurs faiblesses et de leurs erreurs, mais en même temps cherche à les égaler.

Mais attention, dans l'un et l'autre cas, l'exemple est celui de tous les jours, que l'on donne en vivant devant eux. Cela ne sert à rien d'essayer un jour, en se forçant, de donner le « bon exemple ». Les enfants ne sont ni aveugles ni idiots.

Il ne faut pas non plus chercher à hypertrophier le modèle. L'enfant admirera peut-être, mais ne cherchera pas à imiter un modèle inaccessible. Et à la puberté le modèle chutera d'autant plus qu'on l'aura mis sur un piédestal trop haut. Il est souhaitable que le modèle soit un peu au-dessus de l'enfant, mais une marche suffit.

Bref, l'autorité n'est pas quelque chose qu'on impose aux enfants. Son secret est de s'éduquer soi-même, de s'être libéré soi-même. C'est en méditant chaque jour le Sermon sur la montagne qu'on peut espérer être un bon éducateur. C'est difficile et personne n'y arrive vraiment. Nous faisons chaque jour des erreurs. Mais sachons les reconnaître et l'Amour compensera notre faiblesse.

QUELQUES CAS PARTICULIERS

1. *Sanctions*

Que penser des sanctions que certains considèrent comme indispensables ?

Je ne dis pas qu'elles ne peuvent pas être parfois utiles : la simple présence d'un agent de police à un passage dangereux est autrement efficace pour les automobilistes que tous les panneaux indicateurs signalant le danger ! Mais en fait les sanctions me semblent bien peu efficaces et souvent nuisibles.

Il y a deux sortes de sanctions : punitions ou récompenses.

a) *Les punitions*

Pour être efficaces, elles nécessitent bien des conditions.

Elles doivent être justes : ne sanctionner que ce qui est vraiment faute par rapport à la société ou à la morale. Qu'un enfant perdu dans un magasin reçoive une gifle lorsque la mère le retrouve (ce que j'ai vu plus d'une fois) me paraît assez curieux. De même pour un objet cassé par mégarde. Appeler « fautes » d'orthographe de simples erreurs me paraît assez discutable. Demander à l'enfant, dans un but de progrès, de recopier une ou deux fois le mot erroné, d'accord. Mais vouloir le punir en l'obligeant à le recopier cinquante fois, cela n'a aucun sens et risque d'aboutir à un résultat inverse, d'autant que, bien souvent, à la deuxième ou troisième ligne, le mot est écrit avec une orthographe fantaisiste qui lui apprend quoi?

Elles doivent être proportionnées à la gravité de la faute et positives : un élément de progrès pour aider l'enfant à comprendre le sens et les conséquences d'un acte. Et non pas un moyen pour obtenir la paix et la tranquillité des parents. Et que l'enfant ne se sente pas amoindri.

Enfin les punitions doivent être raisonnables : pour cela éviter toute sanction infligée brutalement sous l'effet de la colère, d'une émotion vive ou d'un simple agacement (et ce n'est pas le plus facile !).

Je me souviens d'une erreur que j'ai commise de cette façon lorsque Chantal avait environ trois ans. J'étais en consultation dans mon bureau qui se trouvait à cette époque juste à côté du salon de ma mère, lorsque j'entends dans ce salon un bruit de vaisselle cassée, puis de nouveau un bruit d'enfant qui touche encore à quelque chose. J'ai donc cru utile d'aller voir ce qui se passait et je vois Chantal debout sur une chaise essayant de redresser une statuette, qui était tombée en cassant une petite soucoupe, sans grande valeur, mais à laquelle ma mère tenait beaucoup comme souvenir de famille. Vexé et pressé, puisqu'une mère m'attendait avec son enfant, j'ai pris ma fille brusquement pour la mettre hors de cette pièce avec une petite tape. Et tandis que je reprenais ma consultation, elle montait furieuse en appelant maman. À la fin de mes consultations, celle-ci m'a dit que ce n'était pas elle qui avait cassé la soucoupe, le coupable était parti avant que j'arrive, elle essayait gentiment de réparer les dégâts. Mon intervention et ma réaction avaient donc été catastrophiques sur le plan éducatif, et elle, qui aimait beaucoup son père, lui a fait la tête pendant plusieurs jours, ce qui était mérité.

Que de conditions indispensables pour qu'une sanction soit efficace et non nuisible. Cela suppose une connaissance exacte de l'enfant, des motivations de son acte, et une grande maîtrise de soi.

Est-ce bien facile, voire possible? Je ne le pense pas, si bien que le plus souvent j'ai trouvé préférable de m'abstenir.

La seule sanction valable à mon avis est tout simplement de laisser (du moins en partie) l'enfant supporter les inconvénients de sa faute, ainsi il se punit en somme lui-même et comprend les conséquences d'un acte.

Ou bien encore s'il n'a pas voulu rendre un service, s'abstenir de notre côté de lui en rendre un, ou supprimer momentanément un jouet qui traîne depuis trop longtemps...

b) Les récompenses

Elles sont en principe plus positives. Mais en fait le sont-elles toujours? Là aussi j'ai rarement donné de récompenses à mes enfants, sans doute pas assez. Je préfère les bonnes actions gratuites. Je ne voulais pas leur donner l'habitude de toujours attendre un profit d'un effort ou d'un service rendu, ni développer un sentiment d'amour-propre ou d'orgueil.

Cela ne veut pas dire qu'il ne faut pas montrer sa satisfaction. Le tout-petit qui est encore au stade d'amour échange n'agit que par intérêt, ce qui est normal à cet âge, il veut accaparer l'amour de maman ou de papa. Il faut qu'il sente qu'on est sensible à ses ébauches d'amour, même si en fait cela nous dérange et si on a envie de le rabrouer, et même lorsque manifestement elles n'ont pas d'autre but que de nous accaparer à son profit : un regard, un sourire, un mot sera la récompense qu'il attend.

Mais plus tard, lorsque l'enfant devrait avoir franchi cette étape, qu'il sente bien notre amour, d'accord, mais il ne me paraît pas bon de trop le matérialiser par des récompenses, qui risquent de le maintenir à ce stade inférieur de l'amour. J'ai horreur de ces tarifications de toutes les activités de l'enfant ou des résultats scolaires. (Met-on l'enfant à l'école pour qu'il nous fasse honneur ou pour qu'il s'épanouisse dans les meilleures conditions?)

2. Colères et caprices

Ce chapitre sur la liberté et l'autorité m'amène à parler de cas particuliers où la liberté de l'enfant et l'autorité des parents sont apparemment opposées et risquent de se heurter : ce sont les caprices et les colères. Cela viendra en particulier émailler les périodes de crise qui sont inévitables. Ce sera pour les parents l'occasion d'avoir cette autorité douce et calme, mais ferme en même temps, faite d'une grande maîtrise de soi, de bon sens et d'amour.

Essayons d'abord de bien comprendre ce qui se passe dans la tête de l'enfant, quelles sont les causes de colères ou caprices et quel est le but recherché par l'enfant.

a) Il y a toujours une cause à ces crises

Il est capital de la deviner, car c'est sur elle d'abord qu'il faudra agir et elle peut très bien dépendre tout simplement de nous. Ces difficultés accompagnent toujours la crise normale de personnalité, ou la naissance d'un autre enfant, mais aussi tous les chocs affectifs qui sont parfois moins évidents. Ou bien c'est la réaction de défense à une éducation trop rigoureuse ou à de simples petites erreurs que nous n'avons pas perçues. Il faut donc essayer de comprendre quel est le besoin nouveau de l'enfant ou la frustration qu'il ressent… Il ne le formule pas, du moins pas directement, mais en fait de petites réflexions surprises par hasard sont souvent très précises dans leur signification si on sait les interpréter. De toute façon, on peut être sûr qu'il se passe quelque chose dans la tête de l'enfant et surtout dans son affectivité et il est capital de le comprendre de façon à satisfaire en temps utile un besoin légitime ou l'aider à accepter gentiment une frustration nécessaire.

b) Un mode de réaction à bien comprendre

Il faut également bien comprendre le mode de réaction de

l'enfant, le but qu'il recherche par sa colère, qui est tout simplement d'attirer l'attention sur lui (pour capter un amour qu'il voudrait plus grand, ou pour bien manifester son opposition à une trop forte contrainte). Si on oublie ce fait capital, on va tout naturellement réagir dans un sens qui aggrave le trouble : on va vouloir arrêter la colère, les caprices en durcissant sa position, en grondant, punissant ou en suppliant, ou encore céder au caprice pour avoir la paix. De toute façon l'enfant a ce qu'il désire : on s'occupe de lui, il est le point de mire, le sujet intéressant et finalement il prend goût à cette lutte dont il se sent en fait le vainqueur.

c) L'attitude à avoir

Si on a bien compris ces deux éléments, *le traitement* est très simple et réussit pratiquement toujours rapidement, à condition de garder une grande maîtrise de soi. Il consiste à agir sur chacun de ces deux éléments :

D'abord en dehors des colères, *satisfaire les besoins normaux* de l'enfant pour qu'il n'ait plus de raison légitime de s'opposer ou d'attirer l'attention sur lui par des moyens anormaux (j'ai déjà longuement insisté là-dessus).

Mais lors de la colère ou d'un caprice, *ne pas avoir la moindre réaction* (ni réprimande ni supplication), ne pas voir le caprice, ne pas entendre la colère de façon que cela n'ait aucun intérêt.

Et après la colère n'y faire aucune allusion, pas même pour féliciter l'enfant de ne plus en faire : il est bien évident qu'un seul mot pendant ou après la colère, un simple regard risque de tout relancer, l'enfant se rend bien compte alors qu'en fait on a réagi intérieurement et donc que cela redevient intéressant.

En somme, il faut tout simplement que l'enfant, qui veut attirer l'attention sur lui, se rende compte qu'il attire l'attention lorsqu'il est gentil, mais qu'il ne nous intéresse absolument pas, qu'on ne le remarque même pas, lorsqu'il fait des sottises.

On m'a reproché parfois de sembler céder aux colères. Il n'en est rien, bien au contraire. C'est en agissant ainsi qu'on ne cède pas, puisque ce que voudrait l'enfant, c'est qu'on réagisse. Et pour ne pas céder il faut garder une grande maîtrise de soi, n'avoir aucune réaction, pas un geste d'impatience, pas un regard, pas une parole, comme si on était aveugle et sourd et cela même si la colère dure une demi-heure ou plus. Mais tout d'un coup l'enfant s'arrêtera, se sentant tout sot de s'être fatigué inutilement pendant une demi-heure, et en quelques jours il n'en fera plus.

En même temps, il est bon pendant quelques jours d'agir avec diplomatie et d'éviter adroitement au maximum toutes les causes déclenchantes de colères. Mais cela ne suffit pas, car l'enfant à certaines périodes de crise va volontairement en déclencher sous n'importe quel prétexte.

Lorsque je donnais ces conseils, on m'a souvent répondu : « Oui, mais c'est bien simple dans votre famille, tous vos enfants sont très faciles ! Mais dans la nôtre, c'est un problème de génétique, il y a des gens très coléreux, ce n'est pas étonnant que nos enfants le soient ! »

Oui, dans toutes les familles il y a des gens très coléreux, et je peux dire que la mienne confirme largement cette règle ! Que mes enfants aient tous été faciles, ce serait peut-être à voir. Je me permets de prendre pour exemple Luc, qui depuis si longtemps est peut-être le plus calme, le plus posé, qui ne s'emporte jamais, accepte toujours tout, sans jamais élever la voix, avec le sourire. Oui, ce calme a été l'enfant le plus terrible, en particulier vers trois ou quatre ans, avec des colères dix fois par jour, qui duraient une demi-heure à trois quarts d'heure, colères pour la moindre cause et bien souvent sans aucune cause. Sa mère et moi avons d'abord tout essayé, tant nous étions énervés, la douceur et la force, et si une fois par exception, nous avions réussi à le vaincre, le lendemain si on voulait recommencer, croyant avoir trouvé la bonne méthode, il se serait laissé tuer plutôt que de céder.

Sa grand-mère, qui avait élevé dix enfants, a voulu le prendre à

Montaigu pendant une semaine, pour aider sa fille. Mais deux jours après, elle le ramenait, tant ces deux jours avaient été terribles pour elle. Au retour il avait fait une colère pour monter dans le train, une nouvelle pendant le trajet, puis de nouveau pour descendre du train, dans lequel il serait resté, si un militaire qui descendait en même temps ne l'avait pas déposé sur le quai de la gare. La grand-mère est arrivée à la maison en pleurs, épuisée, me disant : « Faites-en ce que vous voudrez, je ne veux plus jamais l'avoir chez moi. »

Quelques semaines plus tard, la même grand-mère me disait : « Mais qu'est-ce que vous avez fait pour qu'il soit si gentil! » Je lui ai répondu : « J'ai simplement arrêté de faire quoi que ce soit. »

Oui, sa mère et moi, nous avons pris la ferme résolution de ne jamais réagir à aucune colère, et nous avons tenu notre résolution. Les toutes premières fois, il était dur de tenir le coup jusqu'au bout, lorsqu'il hurlait, frappait les murs, se tapait par terre, pendant une demi-heure et plus, et que nous étions là, vaquant à nos occupations habituelles, ou faisant semblant de lire, comme s'il n'était pas là. Mais tout d'un coup, la colère s'arrêtait, et si on l'observait du coin de l'œil (sans qu'il s'en rende compte, sinon cela risquait de tout faire rater), il se relevait d'un air tout penaud, manifestement vexé de s'être fatigué pour rien.

Très rapidement les colères se sont écourtées, puisqu'elles s'avéraient pour lui totalement inefficaces. En quelques jours elles se sont raréfiées et quelques semaines plus tard, la brave grand-mère ne comprenait plus rien à sa gentillesse!

Ensuite nous pouvions faire de lui ce que nous voulions par la confiance, mais jamais rien par la force. Il est devenu cet adolescent, ce jeune homme, puis cet époux (je pense que Colette ne me contredira pas!) qui a fait l'admiration de tous par son calme.

Si on avait voulu le faire céder à tout prix, je sais fort bien ce qui en serait advenu et on aurait très facilement trouvé un facteur géné-tique pour expliquer le caractère exécrable qui en serait résulté!

D'ailleurs, bien sûr, son caractère a entraîné quelques problèmes à l'école les premières années. Si un professeur le heurtait maladroitement, ou le punissait à tort, sans rien dire il arrêtait totalement de travailler. Mais plus d'une fois il a suffi que j'aille voir le professeur et que je lui explique ce que je savais de lui, pour que celui-ci rectifie adroitement les choses et qu'immédiatement il soit dans les premiers de la classe. Une seule fois, je suis tombé sur un professeur qui n'a rien voulu entendre, et toute l'année il l'a agacé au sujet de l'orthographe. Ce n'était évidemment pas son fort, comme pour la majorité de ses frères et sœurs, mais jusque-là ses professeurs considéraient qu'il n'y avait rien de grave, et que (pour un Lemoine !) il était vraiment parmi les moins atteints. À la fin de cette année-là il était certainement devenu le plus mauvais et il ne s'en est jamais totalement remis. Mais n'en déplaise à ce professeur, n'est-il pas préférable d'être un homme équilibré et plein d'amour pour les autres, que d'être un as en orthographe !

Il y a bien sûr des cas difficiles : par exemple, la mère de famille qui rentre de son travail fatiguée, énervée, et aspire au calme, au repos alors que des travaux l'attendent à la maison. L'enfant choisira ce moment pour attirer l'attention d'une mère, qu'il sent avoir d'autres occupations que les siennes. Il est humain qu'elle réagisse en grondant, en punissant, espérant avoir la paix, mais cela donne le résultat inverse.

La seule solution est donc quand même qu'elle fasse l'effort de prendre d'abord les quelques minutes nécessaires pour s'occuper de l'enfant, s'intéresser à ce qu'il a fait, afin qu'il se rende bien compte qu'ils sont l'un et l'autre heureux de se retrouver, et, si la colère se déclenche, qu'elle essaie à tout prix de maîtriser son énervement.

Il y a aussi les colères ou caprices dangereux pour lesquels on sera bien obligé de montrer sa force, ou déclenchés en public avec des témoins qui donneront forcément leur avis… Il vaut mieux alors couper court sans explications.

3. Les disputes

Un problème à peu près identique est celui des disputes entre les enfants. Le plus souvent les parents se croient obligés d'aller voir pour y mettre de l'ordre et cela se termine en hurlements, accusations réciproques, etc.

Or là aussi le but premier (qui d'ailleurs se passe, je le pense, surtout dans le subconscient de l'enfant), c'est d'attirer l'attention des parents, pour qu'ils viennent prendre parti, chacun espérant que ce sera à son avantage.

Je ne dis pas qu'il ne faille jamais un œil de surveillance très discret. Mais là encore le plus souvent, si on n'a aucune réaction, tout cessera spontanément, et surtout, les disputes seront de plus en plus rares, la bonne camaraderie et l'amour les remplaceront.

Je vous donne deux exemples familiaux :

Il y a bien des années (nos aînés Jean et Marie avaient environ quinze et quatorze ans), nous venions de passer le mois d'août à Noirmoutier chez une grand-mère. Je devais rentrer à Nantes le 1er septembre, où la présence de ma femme était également nécessaire à cause de mes clients. Il y avait encore quelques jours de vacances et la villa restant libre au début septembre, nous avons proposé à nos enfants de rester une semaine de plus, mais tout seuls sous la garde des aînés (des amis étant là à proximité en cas d'accidents). Ils ont accepté avec enthousiasme. Et nous sommes partis, leur laissant cent ou deux cents francs et en emmenant seulement le dernier-né avec nous. Lorsque nous sommes revenus les chercher le dimanche suivant, nos amis nous ont dit avec émerveillement : « Nous avons donné vos enfants en exemple aux nôtres : il n'y a jamais eu un cri, ni une bagarre. » Ils n'en revenaient pas. Pourtant c'était bien facile à comprendre, puisque papa et maman ne pouvaient rien entendre à quatre-vingts kilomètres de là. Cela n'aurait eu aucun intérêt.

Autre fait : il y a quelques années, après le déjeuner, nous prenions une tasse de café avec les aînés pendant que Marc et Philippe étaient partis jouer ensemble. Il y a eu bagarre et l'un d'eux arriva en hurlant, appelant maman à son secours. Rapidement j'ai dit : « Pas un geste, pas un mot » et entrant dans une salle à manger sans aucune réaction, il est resté cloué sur le pas de la porte, tout décontenancé, et, après quelques secondes, est reparti jouer tranquillement avec son frère.

La difficulté est de savoir prendre sur soi, pour faire, bien des fois, l'inverse de ce qui nous vient spontanément à l'esprit : les enfants sont bien sages, on n'entend rien, la tendance est de se dire : « Ouf! je peux vaquer à mes occupations. » Il y a des cris, de la bagarre, on se fait un devoir d'aller rétablir l'ordre... en fait, accentuer le désordre le plus souvent et en tout cas certainement favoriser de nouveaux incidents dans l'avenir.

C'est le contraire qui est efficace : ne pas réagir lors des disputes, mais lorsque les enfants sont sages, penser qu'ils ont besoin de nous parfois, leur montrer notre amour, s'intéresser à ce qu'ils inventent, avant qu'ils ne soient obligés d'attirer l'attention sur eux par des moyens plus radicaux.

Bien sûr, cela ne veut pas dire que si un des enfants est un élément perturbateur, il ne faille pas y veiller et peut-être sévir. Mais notre action devra être très prudente, en étudiant bien les réactions de l'enfant, de façon à la modifier au besoin en conséquence. Mais je reste bien persuadé qu'au départ (et probablement aussi après) cet enfant agissait essentiellement dans le but d'attirer l'attention.

De toute façon il est capital de garder son calme. Lorsqu'un enfant est « très nerveux », comme on dit, il est bien évident que le plus souvent les parents le sont également. C'est peut-être un peu par hérédité, mais bien plus par contagion. Et de toute évidence l'agitation des uns retentit sur celle des autres et vice versa, dans un cercle vicieux parfois dramatique. J'ai bien souvent essayé d'expliquer aux parents, qui en étaient d'ailleurs bien conscients, que je pouvais me permettre de leur dire : « Soyez calmes, vos enfants le seront. » Mais qu'il m'était beaucoup plus difficile et délicat de faire comprendre la même chose à leurs enfants.

4. Le spasme du sanglot

Parler de colères m'amène à dire un mot du spasme du sanglot, syndrome fréquent, très impressionnant pour les parents, mais tout à fait bénin, et dont le traitement est extrêmement simple, exactement le même que celui des colères.

Il s'agit d'enfants qui, à l'occasion de colères, de douleurs, ou de n'importe quelles contrariétés, se « pâment », comme on dit. L'enfant veut pousser un grand cri, mais ce cri ne sort pas, il devient violacé, ou quelquefois pâle, il y a arrêt respiratoire et peut-être cardiaque. Cela s'accompagne en général de révulsion des yeux et d'une brève perte de connaissance. Assez souvent, il peut y avoir à cette occasion une crise convulsive, avec même parfois émission d'urines, comme dans la crise d'épilepsie (mais ce dernier incident n'est pas habituel et incite à une certaine méfiance sur le diagnostic).

Il est bien évident qu'en pareil cas, les parents non prévenus s'affolent, se précipitent et, exploitant leurs notions de secourisme, entreprennent diverses thérapeutiques : gifles, doigt dans la gorge, respiration artificielle, bouche à bouche..., toutes aussi inutiles et nuisibles. Non seulement ils peuvent provoquer de petits traumatismes mais surtout ils aggravent les choses, prolongent les crises et, les montant en épingle, ils favorisent beaucoup leur répétition. Elles sont d'abord éloignées, puis deviennent journalières. J'ai vu des enfants en faire dix par jour. Je pense qu'il n'est pas nécessaire de décrire ce que devient le climat familial.

Et pourtant le traitement est des plus simples. Il suffit d'avoir bien compris que cette crise est bénigne. Il s'agit, chez un enfant nerveux, d'un spasme de la glotte, qui peut, par manque d'oxygénation du cerveau, provoquer perte de connaissance et même convulsion. Mais tout cela est toujours bref et cesse dès que l'enfant reprend son calme. S'il y a affolement, l'enfant se rend fort bien compte de son succès, et, comme toujours, à l'affût de tout ce qui peut accaparer les parents, il multiplie les crises, inconsciemment sans doute, mais avec un succès assuré. Tant qu'il sentira ce succès les crises persisteront.

Donc, exactement comme pour les colères, le traitement se résume en un mot : du calme, pas la moindre réaction, pas un mot, pas un geste. Alors l'enfant se calme rapidement, reprend sa respiration et tout rentre dans l'ordre, les crises s'espaceront et disparaîtront rapidement. Là encore, ce que veut l'enfant c'est accaparer maman (non pas lors de la première crise, qui est fortuite, mais lors des suivantes).

La preuve en est que l'enfant ne fait pas de crises, ou, bien rarement, devant une autre personne et en particulier très rarement devant un médecin. Que de fois, examinant un de ces enfants, celui-ci se mettant à pleurer, la mère me disait : « Vous allez voir, il va faire sa crise. » Je lui répondais : « Vous allez voir, il ne va pas la faire. » Le plus souvent c'était moi qui avais raison. Il est arrivé quelquefois qu'il fasse sa crise devant moi, ce qui était très heureux. Car alors la mère inquiète me disait : « Il faut faire telle ou telle chose… » ; je l'écartais gentiment, gardant bien mon calme, et tout s'apaisait en quelques secondes, devant une mère stupéfaite du résultat. Cela contribuait à lui faire bien comprendre l'efficacité du traitement.

Vous me direz qu'il faut être sûr du diagnostic. Oui! Mais le diagnostic est facile. L'élément essentiel est que les crises sont toujours déclenchées par une contrariété, une colère. En cas de doute, il sera bon de faire confirmer le diagnostic par un médecin. Mais de toute façon, même dans une crise d'épilepsie véritable, la précipitation n'a aucun sens, la seule chose à faire au début est d'éviter les blessures et en particulier de mettre un linge entre les dents pour éviter les morsures de la langue (à ne pas faire dans un spasme du sanglot).

VII.– CARENCES AFFECTIVES

Les principales causes

Les résultats des carences graves

Les remèdes

Toutes les petites erreurs que j'ai relevées, tout le monde en a fait et en fera. C'est inévitable, même avec la meilleure volonté du monde, on ne peut pas tout prévoir. Elles se traduiront sans doute par quelques particularités du caractère ou du comportement. Mais elles n'auront pas de conséquences graves, du moins si l'on s'efforce de ne pas trop les multiplier.

Quand un pédiatre parle de carences affectives, il s'agit de la grande carence due à la séparation de l'enfant d'avec sa mère, ou à la déficience grave de celle-ci, durant la petite enfance.

Parler de ces carences graves peut paraître un peu superflu, mais je ne le pense pas, car ce sont des faits qu'il faut connaître, et puis entre ces cas graves et les carences bénignes il y a tous les intermédiaires. Je dis donc un mot des principales causes, des conséquences et des remèdes de ces carences graves.

LES PRINCIPALES CAUSES

1. D'abord l'hospitalisation des jeunes enfants

Comme ancien chef de service de pédiatrie, c'est bien sûr par là que je commence.

a) L'hospitalisation courte

Une hospitalisation courte est-elle nocive?
Cela dépend de l'âge.
Un enfant de moins de six mois n'en souffrira pas beaucoup, puisqu'il n'est pas encore attaché à sa mère. Il est satisfait par n'importe quelle personne qui le nourrit et s'en occupe avec amour (encore faut-il cet amour). Mais de toute façon il stationnera un peu dans son développement psychomoteur. (Pour une hospitalisation longue, ce sera au contraire à cet âge que les conséquences seront les plus graves.)
Passé six mois et surtout huit à neuf mois, les troubles seront plus grands (du moins si la mère n'est pas présente avec lui à l'hôpital). C'est l'âge où l'enfant connaît sa mère, lui est fortement attaché et a peur des étrangers.
Lors de l'arrivée à l'hôpital, si l'enfant passe brusquement des bras de la mère à ceux d'une infirmière (ce qu'il faut éviter), il y

131

a forcément un désarroi bien compréhensible de l'enfant, qui se traduit le plus souvent par une détresse intense avec cris, agitation, beaucoup plus rarement une inertie.

Pendant le séjour : le plus souvent ces réactions ne sont que momentanées. Lorsque les parents sont partis, l'agitation, les cris ne durent que quelques minutes, puis l'enfant se calme. En effet quand on entre dans un service de nourrissons on peut être étonné de ne pas entendre pleurer. L'enfant est là, bien sage, bien docile, se laissant facilement examiner le plus souvent. On a facilement tendance à s'en réjouir. On s'y laisse prendre : ils sont donc heureux, ils ont déjà oublié leur mère! Quand j'étais jeune pédiatre, j'avais tendance à le dire à des parents inquiets de l'hospitalisation d'un enfant d'un an, et qui me disaient avec bon sens : « Mais il ne peut pas se passer de nous. » Depuis bien longtemps, je n'osais jamais leur dire un tel mensonge. Ces enfants sont sages, très sages, mais c'est justement ça le drame : ils sont beaucoup trop sages. Et si on sait les observer, l'appétit n'est pas excellent, s'ils étaient propres, ils ne le sont plus, le langage régresse, l'enfant n'a nullement l'exubérance normale de son âge, ce qu'on prend pour sagesse n'est qu'apathie.

Comme chef de service, chaque fois que m'arrivait un nouveau groupe d'étudiants pour quelques mois de stage, mon premier souci était d'insister sur ces problèmes affectifs graves, pour qu'ils s'occupent des enfants avec douceur et amour. Quelques-uns d'entre eux ayant eux-mêmes des enfants, je leur demandais de comparer chez eux cet enfant de dix mois à un an qui les accueille avec des cris de joie, les bras tendus et qui pleure lorsqu'ils le quittent; et à l'hôpital ces enfants qui n'ont pas la moindre réaction lorsqu'on approche d'eux : visage figé, pas un sourire, quelquefois des pleurs (on comprend pourquoi!); mais même ces pleurs sont rares. Une indifférence totale, qui est exactement la même lorsqu'on les quitte. On a pu les examiner facilement, ah oui! mais que c'est poignant quand on les aime.

Au départ de l'hôpital les réactions peuvent être diverses. Le plus souvent, dès qu'il voit sa mère, l'enfant manifeste très nettement son bonheur de la revoir, par des cris de joie, plus souvent par des pleurs, les bras tendus qui veulent dire : « Emmène-moi vite. » Mais j'ai vu assez souvent, lorsque l'enfant n'a pas revu sa mère depuis quelques jours, une légère hostilité, il détourne la tête, se raccroche à la puéricultrice, comme s'il ne reconnaissait pas sa mère : s'est-il déjà adapté à l'hôpital et a-t-il l'impression de changer de nouveau de mère ? peut-être parfois. En fait j'ai bien l'impression qu'il s'agit tout simplement d'une petite rancune envers celle qui l'a momentanément abandonné. En effet, très rapidement cette fière attitude s'effondre et il se blottit contre sa mère en pleurant.

Rentré chez lui, il retrouve sa gaieté, son entrain : mais il gardera souvent une certaine anxiété, lorsqu'il sort de chez lui, au lieu de cette joie d'explorer le monde ; anxiété surtout marquée lorsqu'il pénètre dans un endroit qu'il ne connaît pas. Il est bien évident que cela lui rappelle des souvenirs. Et certaines mères m'ont dit que cette anxiété avait été durable.

Y aura-t-il des conséquences lointaines ? C'est difficile à dire. Je pense qu'il ne faut rien dramatiser, surtout si les parents viennent souvent voir l'enfant à l'hôpital. Mais il est bon d'éviter des hospitalisations abusives.

b) Les hospitalisations prolongées

Les hospitalisations prolongées sont beaucoup plus dangereuses et réalisent le tableau de l'hospitalisme décrit par René Spitz, il y a une quarantaine d'années : à cette époque les études faites en Amérique, comme en France, sur les enfants abandonnés, placés en collectivité durant les dix-huit premiers mois de la vie, montraient un retard psychomoteur d'environ 50 %, des troubles caractériels et une forte mortalité. Depuis lors, cela a été la hantise des pédiatres et de très gros progrès ont été faits, mais sans supprimer complètement le risque.

Les placements répétés sont encore plus dangereux, *par exemple*

*cet enfant d'un an que j'ai vu dans mon service et qui ne présen-
tait pas le moindre signe d'éveil intellectuel : il était toute la journée
couché sur le dos, sans un sourire, ni même un regard sur quoi que ce
soit, totalement inerte. Cet enfant, tout simplement, placé au départ
en pouponnière, puis en nourrice, avait eu de nombreuses hospitalisations et finalement n'avait jamais été plus d'un mois de suite avec
la même personne. Repris alors par sa mère, qui a enfin pu l'élever,
il a fait des progrès d'une rapidité surprenante, prouvant bien qu'au
départ il était normal.*

2. Placements en nourrice

Pour les enfants abandonnés, s'ils ne peuvent pas être adoptés,
c'est la meilleure solution, du moins tel que cela se passait autrefois : l'enfant était placé chez des parents nourriciers dès le plus
jeune âge, et y restait jusqu'à l'entrée en apprentissage à seize ans,
puis revenait y passer des week-ends. C'était sa famille. Malheureusement, c'est bien rare aujourd'hui. Les enfants changent bien
trop souvent de nourrice, ce qui est catastrophique.

Les placements en nourrice provisoires pour cause de travail de
la mère ne sont pas du tout sans inconvénients.

a) Stimulation psychique et ambiance affective médiocres

Le premier risque c'est que les enfants n'y trouvent pas toujours
la stimulation psychique et l'ambiance affective nécessaire. *Par
exemple, cet enfant de deux ans qu'une assistante sociale me montra
comme un grand encéphalopathe, pour me demander un certificat de
placement dans un établissement d'irrécupérables. De fait, il ne tenait
pas encore assis et n'avait pratiquement pas d'éveil. Sachant qu'il avait
eu très probablement des carences affectives, j'ai demandé qu'on le
mette d'abord chez une bonne nourrice pendant plusieurs mois.*

Un an plus tard je le revis pour la même raison, il tenait assis, mais c'était tout, et de plus en plus ressemblait à un encéphalopathe avec des membres raides, des mouvements spasmodiques. Je n'étais pas encore convaincu totalement, et devant la gravité de la décision à prendre, j'ai demandé un placement de quelques mois à la pouponnière de la Civelière, où l'ambiance affective est particulièrement bonne.

Au bout d'un mois il marchait avec appui, mais de façon très saccadée, puis il est resté stationnaire durant le deuxième mois, si bien que la directrice et moi en avons discuté longuement pour savoir s'il était opportun de le garder plus longtemps. Dans le doute, nous avons décidé d'attendre encore un peu. Heureusement, car il s'est mis à marcher seul, à perdre peu à peu ses contractures et ses mouvements spasmodiques.

Finalement il est resté dix-huit mois : il marchait normalement depuis longtemps, parlait presque bien, était heureux. Il n'avait bien sûr pas tout récupéré, chose impossible en commençant à trois ans, mais suffisamment pour que je sois sûr qu'il était tout à fait normal à la naissance. Il était tombé chez une mauvaise nourrice ? C'est probable, mais non certain.

Je peux vous raconter l'histoire d'un autre enfant que j'ai vu à un an, tout mou, ne tenant pas assis, très peu éveillé, mais par ailleurs en bon état de santé. Il était en nourrice et me méfiant de carences, je demande à la mère si c'était une bonne nourrice. Elle me répond : « Une excellente nourrice : il est toujours très propre, bien nourri. » Je lui ai répondu : « Cela, je le vois bien, mais ce n'est pas cela qui m'intéresse. Est-ce qu'elle joue avec l'enfant ? » Un peu étonnée, cette mère me répond : « Ah ! non, il est toujours dans son landau. » Je lui ai donc simplement recommandé de dire à la nourrice de jouer avec lui, comme si c'était son propre enfant.

J'ai eu la très grande joie, trois mois plus tard, de revoir, à ma consultation, l'enfant qui était bien ferme et marchait, avec sa mère et la nourrice. Cette dernière venait me remercier de lui avoir fait dire ce qu'elle devait faire et me demander quelques conseils supplémentaires. Cette brave nourrice, pleine de bonne volonté, n'avait pas compris d'elle-même que son rôle ne se bornait pas à nourrir un enfant et à le tenir propre.

Cas exceptionnels? Non, malheureusement.

b) L'attachement à la nourrice

De toute façon, il y a un deuxième risque, c'est que l'enfant se fixe sur la nourrice et non sur la mère (pour l'enfant, la mère est celle qui l'a nourri). Il y aura alors un choc affectif très intense au retour chez lui. (C'est un changement de mère!) J'en ai eu de très nombreux témoignages. Et si la nourrice est la grand-mère, cela peut revenir au même.

3. La crèche

Certains préfèrent la mise à la crèche pour éviter ces inconvénients.

Personnellement ce n'est pas mon avis car, si la nourrice joue bien son rôle, l'enfant se trouve dans une ambiance familiale. Et il vaut encore mieux qu'il se fixe sur une nourrice que sur personne, ce qui est le plus souvent le cas en crèche. Il passe dans une journée entre les mains de plusieurs personnes, et qui peuvent même varier selon les jours, ce qui risque d'être encore plus dangereux.

Mais bien sûr, il ne faut pas être systématique : il y a de bonnes crèches et de mauvaises nourrices, mais aussi de mauvaises crèches et de bonnes nourrices. Le tout est de faire un bon choix.

4. En famille

Même dans la famille l'enfant peut avoir de graves carences affectives. Mais c'est beaucoup plus rare.

a) Des cas lamentables

Ce peut être ces cas lamentables dus à l'alcool ou à la débilité mentale…

Mais même dans ces cas, il est rare que l'enfant ne soit pas mieux chez lui. Dans bien des foyers, où l'hygiène et la morale laissent plus qu'à désirer, les enfants sont le plus souvent aimés et donc s'épanouissent de façon satisfaisante. Que de fois on m'a demandé de faire des certificats constatant le mauvais état d'hygiène des enfants, voire quelques traces de coups, pour les faire retirer à la famille. Presque toujours mon certificat disait que l'enfant était en bonne santé, bien éveillé et qu'il fallait le laisser chez lui. Un jour, outrée, une assistante sociale insistait, me disant que la chemise était si sale qu'elle tenait raide empesée par la crasse. Je l'ai scandalisée en lui répondant que cela m'était égal, puisqu'il était heureux.

Qu'a-t-on en effet à proposer en échange à ces pauvres enfants, s'ils ne sont pas adoptables ? L'Assistance publique avec le cercle infernal des séjours répétés au foyer de l'enfance entre chacun des placements nourriciers trop souvent multiples. D'ailleurs, si on demande à ces enfants leur avis, ils veulent rentrer chez eux. Il est exceptionnel qu'un enfant, même battu, dise du mal de ses parents, car il désire rentrer chez lui. Mieux vaut un mauvais foyer que pas de foyer du tout !

b) Des familles trop nombreuses

Il y a aussi ces familles trop nombreuses dont je vous ai déjà parlé : ce peut être des familles vraiment très nombreuses dont la mère épuisée, découragée, n'a pas pu accepter les grossesses et ne peut plus donner l'amour ; mais ce sont surtout toutes celles dans lesquelles l'enfant n'est pas vraiment aimé.

Enfant qui n'a jamais été accepté (parce que non programmé ou pas du sexe qu'on désirait…). Alors il sera rejeté de façon parfois consciente, voire volontaire, ou plus souvent inconsciente; et alors pour se déculpabiliser, ces parents donnent beaucoup sur le plan matériel. (Est-ce pour faire croire qu'ils sont de bons parents, ou bien pour se le prouver à eux-mêmes?) Ils les placent « pour qu'ils soient bien soignés », leur apportent de magnifiques jouets dont ils n'ont nullement besoin… Que de fois j'ai remarqué que l'amour que reçoit l'enfant est en proportion inverse de la taille du nounours!

Enfant programmé par « devoir », malgré l'absence de sentiments maternels. Que de catastrophes j'ai vues en pareil cas. Ces parents auraient beaucoup mieux fait de ne pas avoir d'enfant. Ils peuvent être généreux par ailleurs et avoir d'autres dons qu'ils auraient pu faire fructifier, plutôt que de vouloir réaliser ce non-sens qui est d'élever un enfant sans véritable amour.

Enfant conçu uniquement pour satisfaire un besoin des parents. Ceux-ci l'aiment beaucoup, mais uniquement comme une chose précieuse qui leur appartient et dans la mesure où elle leur apporte des satisfactions.

c) Les préjugés

De graves carences affectives sont également dues à des préjugés : peur des maladies, des microbes; peur de manipuler un nourrisson; principes rigides d'éducation…

d) Les familles désunies

Enfin ce sont les familles désunies, catastrophe affective pour les enfants. Les troubles sont constants, malgré souvent les dires des parents. Que les gens mènent la vie qu'ils voudront lorsqu'ils n'ont pas d'enfants, cela les regarde. Mais quand ils ont des enfants, qu'ils pensent tout de même à eux… s'ils les aiment!

e) Des problèmes psychiatriques

Ou bien encore des problèmes psychiatriques, qui d'ailleurs peuvent fort bien être des séquelles d'une carence éducative de la génération précédente.

Un cas récent de graves traumatismes chez un tout jeune enfant : il s'agissait d'une mère qui avait eu elle-même de grosses carences affectives et avait souffert de ne pas être élevée par sa mère, alors que cette dernière, devenue grand-mère, s'occupait très bien et même beaucoup trop de sa petite-fille. Cette mère, bloquée à un stade infantile de l'amour, éprouvait un sentiment de jalousie envers sa fille et lui infligeait des traumatismes dans des moments où elle était incapable de se contrôler. En dehors de ces moments-là, cette femme semblait tout à fait normale, et personne dans son entourage ne pouvait se douter du drame vécu par elle et son enfant, dont les blessures étaient toujours imputées à des « accidents ».

Lorsque cette femme, sentant qu'on ne l'accusait pas, mais qu'on essayait de la comprendre, a tout avoué et a pris bien conscience de ses problèmes, tout est rentré dans l'ordre et l'enfant a pu lui être rendue (sous surveillance stricte bien sûr).

*

*　　*

Même sans parler de cas aussi franchement psychiatriques, le plus souvent, dans les carences affectives en milieu familial, les parents ne se sentent nullement coupables, et même se considèrent comme d'excellents parents, aimant beaucoup leur enfant. Et je pense que la plupart ne sont pas coupables en effet. Ils ont de « bons principes », et croient parfois en avoir en éducation. On les entendra dire devant un échec grave : « Pourtant j'ai bien élevé mon enfant. » Mais on ne leur a jamais appris combien un enfant avait besoin d'amour, et quelle sorte d'amour! La raison en est souvent qu'eux-mêmes n'ont pas reçu ce véritable amour étant enfant ; ils ne peuvent transmettre ce qu'ils n'ont pas reçu. Que d'exemples je pourrais citer. Oui ! comme je le disais au début de ce livre, éduquer un enfant c'est bien le grand métier dont dépend l'avenir de l'humanité : l'amour que nous donnons à nos enfants se répercute sur des générations, et c'est la répercussion inverse si nous ne le donnons pas.

*

*   *

Dans ces carences du milieu familial, il ne s'agit pas toujours de carences maternelles ; chez les enfants de quelques années en particulier, la démission des pères est souvent primordiale, comme me le signalait récemment un pédiatre particulièrement axé sur la délinquance juvénile.

LES RÉSULTATS
DES CARENCES GRAVES

1. Les conséquences immédiates

Elles sont évidentes sur tous les plans : retard intellectuel pratiquement constant ; troubles caractériels ; enfants tristes, difficiles, à l'affût de toutes les bêtises… Tout cela est bien connu, je n'y reviens pas. Par contre je signale un fait moins connu, c'est le retentissement physique important sur ces enfants. Ils ont souvent une fragilité beaucoup plus grande sans que je puisse vous en fournir l'explication.

Spitz, dans son premier travail sur ce sujet, signale une mortalité de 37 % chez ces nourrissons qu'il avait suivis pendant deux ans. Chiffre qui date de quarante ans, mais même pour l'époque c'était assez incroyable.

Je me suis occupé personnellement d'une maison maternelle dont l'installation sanitaire était déplorable, mais les enfants rarement malades, à côté d'établissements beaucoup plus modernes où les enfants séparés de leurs mères étaient continuellement malades.

Dans mon service de prématurés, une de mes puéricultrices m'affirmait que, lorsqu'elles avaient le temps de bien pouponner les enfants avant les repas, les tétées et même les gavages, chez les tout-petits de mille deux cents à mille cinq cents grammes, se passaient fort bien. Si au contraire elles étaient surchargées de travail et n'avaient pas le temps de faire ce maternage, biberons et gavages se passaient mal.

On note parfois aussi un retard de croissance très curieux. Depuis bien longtemps, j'ai remarqué que certaines hypotrophies, souvent très importantes, existaient chez des enfants ayant des carences affectives manifestes. Quand j'interrogeais les mères, très souvent elles prétendaient que l'enfant avait un régime normal et même parfois très au-dessus de la normale. Et pourtant ces enfants mis dans une bonne ambiance affective se mettaient à grandir et à prendre du poids normalement, et avec un régime beaucoup moindre que celui indiqué par la mère. Pendant des années j'en ai conclu que ces mères mentaient et qu'en fait elles sous-alimentaient leurs enfants, pour lesquels elles avaient une réaction de rejet. Je pense que dans certains cas, c'était exact.

Mais peu à peu, j'ai fini par avoir la certitude que dans bien des cas, l'enfant avait réellement cette ration forte. Plusieurs fois des enfants ont été hospitalisés dans mon service pour boulimie (confirmée par le médecin, l'assistante sociale, la maîtresse d'école, la première journée d'hospitalisation) et pourtant ils ne grandissaient pas. Or, mis à la pouponnière de la Civelière, ils prenaient un kilo par mois et la taille remontait, avec un régime deux fois moindre, mais beaucoup d'amour. Ces faits sont d'ailleurs connus maintenant sous le nom de nanisme psychosocial, dont le mécanisme reste encore obscur, mais manifestement en rapport avec des carences affectives.

Des troubles digestifs sont également fréquents chez ces enfants. Le manque d'appétit est habituel, ou de temps en temps cette boulimie dont je viens de parler. Ou encore ce sont des vomissements, en somme tout ce qui a pour but d'accaparer maman. Parfois de la diarrhée, par mauvaise absorption intestinale, sans doute, mais on connaît bien aussi ces diarrhées d'origine émotive chez tout individu.

Ce sont aussi des douleurs abdominales dans la région gastrique évoquant volontiers des douleurs ulcéreuses (et dans certains cas la radio confirme l'ulcère). Cela peut faire errer le diagnostic, et pourtant chez l'enfant de telles douleurs sont le plus souvent (sinon toujours) liées à de graves perturbations affectives : carences ou émotions fortes, frayeurs, et le seul traitement sera de remédier à ces causes. On sait d'ailleurs que chez l'adulte aussi, les ulcères d'estomac sont le plus souvent d'origine psychique ou émotionnelle, et les psychiatres qui connaissent bien la médecine psychosomatique sont même capables de faire le diagnostic non seulement d'ulcère, mais de sa localisation gastrique ou duodénale, simplement en regardant le visage de l'individu.

J'ai vu plusieurs cas typiques de ce syndrome chez l'enfant.

En particulier un enfant de deux ans qui m'a été montré pour des douleurs extrêmement violentes avec vomissements. Mon examen était strictement négatif (ce qui est toujours le cas dans ce syndrome). Mais devant l'intensité des douleurs décrites par les parents, je l'ai fait hospitaliser le soir même pour faire des examens et en particulier des radios. En fait le lendemain, j'appris qu'il n'avait pas eu la moindre douleur, ni troubles digestifs depuis l'heure de son arrivée, je l'ai donc rendu aux parents. Mais dès le retour chez lui, il recommençait à souffrir atrocement !

Quelques jours plus tard, il est donc hospitalisé de nouveau pour la même raison mais cette fois il avait un peu de fièvre et une petite maladie infectieuse qui pouvait expliquer des douleurs abdominales, ce qui a fait errer le diagnostic pendant deux ou trois jours. Cependant à l'hôpital ce n'étaient plus du tout les douleurs intenses que l'enfant avait chez lui, et dès la maladie guérie, elles ont complètement cessé. Mais rentré chez lui, elles sont réapparues le soir même. J'ai perdu cet enfant de vue pendant quelques semaines, après une lettre d'insultes du père, qui n'était pas content de mes soins (et je ne lui en veux guère !) et encore moins de mon diagnostic puisque j'avais évoqué des douleurs de cause affective, très discrètement d'ailleurs car je n'en voyais pas très bien l'origine. Mais cela me paraissait fort probable.

La radio venait de montrer un ulcère d'estomac, qui pour ce père éliminait totalement ce diagnostic, alors que pour moi il le confirmait de façon presque formelle.

Quelques semaines plus tard, le pédiatre qui avait pris ma suite et était entièrement d'accord avec mon diagnostic m'a demandé de prendre l'enfant à la pouponnière de la Civelière. En effet après divers traitements, des perfusions intraveineuses, etc., il souffrait et vomissait de plus en plus et sa perte de poids devenait inquiétante! Je l'ai donc pris en demandant que les parents ne viennent pas pendant une semaine (car il y avait là une obligation de force majeure, pour sauver l'enfant). Je me suis contenté d'arrêter tout traitement, mais de recommander une ambiance affective toute particulière. En trois ou quatre jours il ne vomissait plus du tout et les douleurs se sont atténuées progressivement, pour disparaître totalement; en une semaine il avait repris cinq cents grammes malgré l'arrêt des perfusions. Mais les parents sont alors venus le rechercher contre avis médical. Dégoûté, j'ai dit à la directrice : il sera mort dans un an. Lorsque j'ai vu son faire-part de décès dans le journal juste un an plus tard, j'ai eu un serrement de cœur. Mais que pouvais-je faire?

Je n'ai donc jamais pu éclaircir le mystère de cet ulcère, manifestement toujours lié au retour chez ses parents : lequel des deux était responsable? Au départ il me paraissait évident que c'était le père, très autoritaire et manifestement égoïste. J'en ai eu plusieurs preuves : une fois étant appelé chez eux pour revoir l'enfant, deux autres enfants plus âgés (environ quatre à cinq ans) étaient à jouer bien sagement par terre dans la salle de séjour. Lorsque le père est arrivé, durant mon examen, il s'est contenté de donner une bonne gifle à chacun, sans aucune raison valable. D'autre part pendant le deuxième séjour au CHU, la cour de l'hôpital n'était pas autorisée aux autos par suite de travaux importants. Il y avait seulement à l'entrée du service deux places de stationnement pour les ambulances. Personne n'a jamais à ma connaissance stationné dans cette cour d'hôpital, sauf ce père qui prenait régulièrement une des deux places réservées aux ambulances.

En fait j'ai peu à peu eu la conviction que la responsable devait *pourtant être la mère car je ne l'ai pratiquement pas vue à l'hôpital pendant les séjours que l'enfant y a faits, ce qui est un peu curieux, mais explique aussi, peut-être, que les douleurs y aient cessé immédiatement (malgré la présence fréquente du père); d'autre part c'est elle qui manifestement a retiré l'enfant de la Civelière! C'est d'ailleurs également l'avis du deuxième pédiatre qui a suivi l'enfant.*

Cette histoire pitoyable est extrêmement intéressante à bien des points de vue. Elle montre jusqu'où peut aller un syndrome psychosomatique, jusqu'à un ulcère confirmé et qui aurait très bien pu se perforer, et aussi à sa guérison spontanée rapide, suivant la présence ou non des parents. Elle montre aussi la réaction des parents qui n'ont pas voulu, ou pas pu, admettre l'évidence. Je pense pourtant qu'ils étaient de bonne foi et que l'action néfaste que l'un d'eux (ou les deux?) exerçait sur l'enfant venait d'un sentiment involontaire et tout à fait inconscient et qu'en conséquence ils étaient incapables d'établir la moindre relation entre ce sentiment et la maladie de leur enfant, même lorsque les symptômes se sont de nouveau reproduits au troisième retour chez eux. Je n'ai malheureusement pas pu savoir la cause exacte, ce qui n'aurait sans doute rien changé, car ces parents ne l'auraient jamais admise! Mais dans des cas semblables, on trouve souvent un sentiment de refus inconscient qui peut tout simplement être dû au fait que l'enfant est de trop et n'a jamais été vraiment accepté, ou bien qu'on est déçu du sexe... Dans bien des cas, si le parent responsable peut arriver à prendre conscience de ce refus et de sa cause, tout peut s'arranger rapidement.

2. Les conséquences plus lointaines

Les conséquences lointaines de ces carences affectives sont plus difficiles à juger par les pédiatres car ils perdent les enfants de vue.

On les retrouve cependant dans les inadaptations scolaires et tous autres troubles caractériels chez ces enfants « difficiles » comme on dit. Elles sont la principale cause et de beaucoup de la délinquance juvénile – toutes les statistiques françaises ou étrangères le prouvent.

LES REMÈDES

1. Le principal : éviter les séparations mère-enfant

a) Des hospitalisations abusives

Que d'hospitalisations abusives j'ai vues dans ma carrière, contre lesquelles j'ai essayé de lutter : de tout jeunes enfants placés pendant dix-huit mois en préventorium pour des primo-infections tuberculeuses qui très souvent auraient pu être traitées à domicile si l'agent contaminateur était éloigné. Des rachitiques gardés pendant deux ans en établissements héliomarins, jusqu'à ce que leurs jambes soient bien droites alors qu'il suffisait de leur donner de la vitamine D. Que de fois j'ai essayé de convaincre des orthopédistes que je préférais des enfants ayant des jambes légèrement courbées mais des têtes normales, plutôt que des jambes bien droites et des cerveaux tordus !

Aujourd'hui presque tous les pédiatres s'efforcent de réduire les hospitalisations dans leur fréquence et leur durée. Malheureusement il reste toutes ces hospitalisations de cause sociale, pas toujours faciles à régler. Et parfois, peut-être encore, un trop grand acharnement médical !

b) Pour les placements en nourrice ou en crèche

Le principal problème est le travail de la mère si nocif à l'enfant.

Beaucoup de femmes travaillent tout simplement pour gagner leur vie : cela peut être en effet indispensable, si elles sont seules, si le mari est au chômage, ou s'il a un salaire très bas. Mais il y a parfois un calcul à faire : mettre en balance d'une part le salaire de la femme, d'autre part les frais ou pertes supplémentaires que cela lui impose (perte d'allocation de salaire unique, mois de nourrice, repas et tous ces frais supplémentaires dus au fait que la mère n'est pas là pour faire certaines menues besognes...).

Un médecin d'usine m'a dit un jour que deux femmes de son usine, ayant chacune deux enfants, venaient de cesser le travail parce qu'à leur grande stupéfaction, il leur avait montré de façon évidente qu'elles travaillaient à perte!

Ce fait serait rare aujourd'hui, je pense, mais peut-être faut-il voir si un bénéfice parfois minime vaut de risquer l'éducation d'un enfant.

Ce que je voudrais depuis longtemps, c'est le travail à mi-temps pour les mères, car l'enfant peut tout de même se passer un peu de sa mère. Jusqu'ici ce n'était malheureusement guère rentable ni pour l'employeur ni pour la femme, mais on y arrive peu à peu.

Mais pour beaucoup de femmes, ce n'est pas l'argent qui les fait travailler. C'est le besoin d'émancipation, de liberté, de promotion de la femme, l'humiliation d'être obligée de demander de l'argent à leur mari...

Mais qu'est-ce que la promotion de la femme? Si bien des femmes ont un travail intéressant, pour d'autres (et n'est-ce pas le plus grand nombre?), je me demande ce qui les valorise le mieux : faire pendant huit heures par jour les mêmes gestes monotones pour fabriquer parfois des objets qui ne seront vendus que grâce à une publicité absurde, ou bien faire de ce nourrisson qui vient de naître un homme ou une femme bien équilibré, en se cultivant elle-même pour mieux cultiver l'autre. Quel métier magnifique et épanouissant qui se répercutera sur des générations!

Cependant tout est question de cas particuliers et je sais fort bien que certaines femmes ont besoin de travailler pour leur épanouissement; moi-même il m'est arrivé de conseiller à des mères de travailler, justement pour éviter certaines carences ou traumatismes affectifs dans le milieu familial. Toutes les mères n'ont pas la même patience. Pour certaines, le fait d'être toute une journée avec un jeune enfant peut les énerver au lieu de les enrichir. Dans ce cas elles énervent aussi leur enfant et l'on risque d'aboutir à ce cercle vicieux bien dangereux. Quelques heures de travail peuvent être alors une détente bénéfique pour tout le monde, mais alors l'idéal serait bien sûr le travail à mi-temps.

En tout cas, que la femme se souvienne toujours que ce sont les trois premières années de la vie d'un enfant qui sont de beaucoup les plus importantes pour tout son avenir, et celles où sa présence est le plus indispensable.

2. Si la séparation est inévitable

Il faut à tout prix dans ce cas tâcher d'en atténuer les effets nocifs.

a) Pour les placements en nourrice

On aura soin de bien choisir celles qui s'occuperont avant tout de l'éveil psychique et affectif de l'enfant, et surtout d'éviter les changements de nourrices. Choisir une nourrice proche du domicile ou du lieu de travail permet de reprendre l'enfant le plus tôt possible et d'aller le voir au besoin dans la journée. Et ce qui est capital, surtout dans les six premiers mois, et que j'ai toujours recommandé aux mères : faire l'effort nécessaire pour donner elles-mêmes le plus de repas possible (l'enfant s'attache à la personne qui le nourrit).

b) Pour ce qui est des hospitalisations

Lors de l'admission il faut éviter cet arrachement brusque : que la mère mette l'enfant dans son lit elle-même et reste un peu avec lui, et lorsqu'elle partira que ce soit un « au revoir » en laissant un jouet familier. Mais sans non plus s'attarder à ce moment-là, si l'enfant pleure, et surtout ne pas rester alors derrière la vitre, cela ne ferait qu'aggraver les choses.

Pour nous, médecins, infirmières, il faudrait surtout ne pas se précipiter sur l'enfant pour lui faire des piqûres ou autres misères qui bien souvent n'ont pas l'utilité qu'on se croit obligé de leur accorder !

Pendant le séjour, d'abord que la famille garde le plus possible le contact avec l'enfant. L'admission de la mère avec son enfant est l'idéal, malheureusement pas toujours possible. Mais la présence d'un des parents dans la journée est très souhaitable et mon grand souci a été de la favoriser le plus possible : à la Civelière, dès la création de la maison ; à l'hôpital dans mon service de grands enfants (c'est-à-dire enfants de plus d'un an), dès ma nomination comme chef de service. Pour les nourrissons, j'ai hésité plus longtemps à cause du risque très important et grave, parfois mortel, des contaminations intra-hospitalières qui était alors mon second grand souci. J'ai fini par en prendre la décision il y a une douzaine d'années. Et il a fallu que je lutte pendant des années contre les internes et parfois les infirmières qui trouvaient nuisible cette présence pendant la visite ou les soins. On s'arrangeait donc souvent pour faire sortir les parents juste avant que j'arrive dans la salle pour la visite. Mais j'ai fini par avoir gain de cause. Il est bien certain que cette présence est parfois un peu gênante. L'examen de l'enfant, les soins sont beaucoup plus faciles (du moins le plus souvent) lorsque les parents ne sont pas là, et exceptionnellement il m'est arrivé de leur demander de ne venir qu'après la visite, si cela me paraissait bénéfique pour l'enfant. Les ennuis que j'ai pu avoir avec certains parents venaient presque toujours de leur présence quasi constante dans le service : un sourire, une plaisanterie, une hésitation sur un diagnostic peuvent être très mal perçus par ceux qui sont dans l'angoisse, une erreur commise, vraie ou fausse d'ailleurs, sera volontiers montée en épingle... Mais tout cela est très secondaire si dans l'ensemble l'intérêt des enfants y trouve son compte.

Dans le service des prématurés, ce n'est que les toutes dernières années que j'ai fait entrer les parents, du moins d'une façon régulière (car depuis longtemps les mères venaient allaiter). J'attendais de ne plus être dans de très vieux bâtiments. J'y tenais pourtant, mais pour ce service, c'était moins peut-être pour les problèmes psychiques et affectifs des enfants que pour ceux des parents : il est extrêmement nocif pour eux d'être séparés de leur enfant dès la naissance, sans l'avoir seulement touché, parfois même sans l'avoir vu. Il est catastrophique d'entendre la réflexion suivante d'une mère : « Je suis allée chercher mon enfant dans le service des prématurés, j'avais l'impression de venir acheter un enfant dans un magasin. » Si peu de mères expriment aussi clairement leur sentiment, combien le ressentent intérieurement! Cela peut sûrement être le point de départ de bien des réactions de rejet de la part des parents, souvent inconscientes. Je tenais donc à ce que les parents, même pour ces enfants d'un kilo, si fragiles, et surtout pour eux puisque le séjour va être long, viennent voir et toucher cette chair qui est la leur et qu'ils ne l'oublient pas. Cette présence des parents permet aussi de leur donner des conseils, de leur apprendre les soins qu'ils auront à faire chez eux.

Cela doit se faire évidemment avec énormément de prudence, de précautions d'asepsie... étant donné la catastrophe de la moindre infection chez ces enfants, et, fait paradoxal, alors qu'il m'a fallu tant lutter il y a vingt-cinq ans pour enseigner l'importance de ces carences affectives et pour qu'on laisse les parents près de leurs enfants de plus d'un an, c'est moi qui ai été obligé de freiner l'ardeur de mes internes qui d'emblée auraient voulu ouvrir toutes grandes les portes du service des prématurés. Il faut quand même être raisonnable.

Bien sûr, cette présence des parents à l'hôpital suppose que ceux-ci n'oublient pas non plus ceux qui sont à la maison, tous ont besoin de leur mère et ce juste partage n'est pas toujours si simple!

Mais un second point important pendant le séjour de l'enfant est que tout le personnel hospitalier fasse tous ses efforts pour rendre l'enfant heureux et l'éveiller.

Que nous, médecins, l'examinions avec douceur et amour, et en faisant attention à ce que nous disons devant lui. Il comprend toujours mieux qu'on le croit et bien souvent montre son angoisse à la suite d'une réflexion qu'il a comprise ou cru comprendre, même si elle s'adressait à son voisin.

Que les infirmières, auxiliaires de puériculture profitent de tous les soins pour leur parler, chanter, jouer avec lui. Ce qu'il faudrait c'est que ce soit toujours la même personne qui s'occupe de tel enfant. C'est réalisé depuis toujours à la pouponnière de la Civelière, ce qui explique les bons résultats que l'on a dans les carences affectives et un médecin, m'envoyant un malade d'une ville voisine, m'écrivait un jour : « J'ai remarqué que les enfants sortant de votre établissement étaient particulièrement éveillés… » Cela fait quand même plaisir à lire! Mais cela oblige le personnel à travailler en deux fois : le matin et l'après-midi (la nuit et pendant la sieste ce sont d'autres personnes, mais l'enfant dort). À l'hôpital, j'en ai bien des fois discuté avec mes surveillantes, mais le problème est bien plus complexe et impossible à réaliser vraiment (ne serait-ce qu'à cause du travail continu pendant huit heures).

La présence d'une éducatrice de jeunes enfants est également capitale, elle transforme l'atmosphère d'un service. On ne m'a pas pris au sérieux il y a vingt-cinq ans lorsque j'en ai demandé une pour des enfants d'un an à la pouponnière de la Civelière. J'ai réussi à la trouver et elle a fait merveille et maintenant la chose ne paraît plus du tout ridicule!

Enfin conseil capital, que j'ai toujours donné dans mon service et lors de mes cours aux élèves infirmières, donner le maximum d'amour, en priorité aux enfants les plus jeunes et aux plus sages, à ces enfants beaucoup trop sages qui semblent ne rien réclamer, indifférents, mais qui dans le fond d'eux-mêmes souffrent intensément.

La sortie de l'enfant doit elle aussi être préparée si le séjour a été long, en particulier en pouponnière. Il faut parfois une réadaptation avec le milieu familial.

3. Les difficultés familiales

Il y a aussi toutes ces difficultés que j'ai évoquées en milieu familial.

Parfois, lorsque l'état de l'enfant est grave, un séjour de quelques semaines (ou moins) dans un établissement où l'ambiance affective est excellente peut faire passer un cap dangereux. C'est paradoxal après ce que je viens de dire sur l'hospitalisme et cela nécessite un personnel particulièrement ouvert à tous ces problèmes affectifs des jeunes enfants. Mais j'ai vu bien des fois à la pouponnière de la Civelière des cas spectaculaires, qui peuvent alors ouvrir les yeux à des parents de bonne foi, dont le sentiment de rejet était pratiquement inconscient. Mais il faut beaucoup de diplomatie pour les amener à faire un rétablissement heureux dans leur relation avec l'enfant, de façon qu'ils puissent prendre peu à peu la relève de l'infirmière.

Attention en effet! Les parents vont passer une période très traumatisante, durant laquelle la mère en particulier aura besoin d'un grand soutien.

Parfois elle en veut à l'établissement, qui a été capable de faire mieux qu'elle, et montre une jalousie évidente envers la personne qui s'occupe de l'enfant, jalousie d'une mère blessée, bien compréhensible. Ce peut même être une hostilité franche avec tentation de reprendre l'enfant, et je ne pense pas que cette réaction soit toujours vraiment consciente, elle non plus.

Souvent elle n'exprime pas cette hostilité, mais ne risque pas moins d'être profondément blessée en elle-même, ou culpabilisée. Il est facile de comprendre sa réaction de mère, qui jusque-là croyait bien faire, sincèrement, et qui a de la peine à admettre ce qui nous paraît évident, ou bien qui perçoit brusquement la réalité de cette réaction de rejet dont elle devient consciente. Qu'il est important alors de la déculpabiliser pour l'amener à faire cet acte, humiliant, de remise en question, mais acte d'amour qui pourra tout sauver.

Que de fois on apprend alors le drame intérieur qu'elle a vécu jusque-là, sans s'en rendre compte vraiment, ou de façon très confuse. Bien souvent tout remonte à sa propre enfance. Elle ne pouvait pas donner ce qu'elle n'avait pas reçu. Elle aimait son enfant d'un amour captatif, et ce n'était pas de sa faute. Et bien sûr, il lui était impossible d'admettre les réactions de cet enfant, qui pourtant ne pouvait pas non plus donner ce qu'il ne recevait pas réellement, et qui ne cherchait qu'à attirer l'attention sur lui par n'importe quel moyen.

Que les médecins qui rencontrent des carences affectives comprennent bien qu'ils ont alors devant eux, non pas un enfant à soigner, mais souvent deux personnes à prendre en charge, car la mère n'est peut-être, elle aussi, qu'au stade infantile de l'amour et il faudra bien qu'elle en gravisse par paliers les différents stades, en même temps que son enfant; elle sera alors capable d'accepter ce dernier et de l'aider à son tour, dans un amour réciproque.

Je viens de parler de cas très particuliers d'enfants hospitalisés dans un établissement spécialisé. Il est alors relativement facile d'étudier de tels cas dans toute une équipe bien axée sur les problèmes affectifs, aidée de fréquentes conversations avec la mère, qui de son côté est parfois bientôt éclairée par des résultats tangibles. Mais il n'est pas question de se précipiter sur l'hospitalisation pour traiter la grande majorité des cas, bien au contraire. Alors au cours d'une consultation de pédiatrie, il est infiniment plus difficile de deviner ces drames que nous côtoyons journellement. Devant tout ce qui peut évoquer une carence affective : retard inexpliqué physique ou psychique, trouble caractériel, anorexie, accidents un peu trop fréquents…, n'oublions pas la mère (ou le père) qui peut mériter notre attention plus encore que l'enfant, et qui a toujours grand besoin de notre écoute.

Que les mères qui se sentiraient traumatisées par ce que j'écris ne se laissent surtout pas abattre dans un sentiment de culpabilité qui est le plus souvent faux et serait négatif donc nuisible. Personne n'est parfait et nous avons tous fait des erreurs. Mais cherchons tous à cheminer vers cet amour, garant de la vraie joie pour toute la famille.

*
* *

Certains trouveront que ce chapitre s'adresse à des pédiatres spécialisés et relate des cas trop franchement pathologiques. Il n'est peut-être pas inutile cependant, s'il amène à quelques réflexions, sur l'intensité des besoins d'amour chez l'enfant, sur la complexité de ses réactions, la difficulté de les interpréter, et sur nos motivations. Il permettra peut-être à des parents d'éviter des erreurs, que certains font souvent de parfaite bonne foi ou pour camoufler un petit reste d'égoïsme inconscient et très humain, erreurs très anodines à première vue :

– Faut-il se réjouir lorsqu'un enfant de neuf mois ne pleure pas lorsque sa mère le confie à quelqu'un, parce qu'elle l'a habitué de bonne heure à se passer d'elle régulièrement ? Ou bien cette absence de pleurs est-elle dramatique ?

155

– Faut-il le placer, pour qu'il « soit bien soigné » ?

– Qu'appelle-t-on une « bonne nourrice » ?

– Un gros nounours remplace-t-il l'amour ?

– Vaut-il mieux que la femme travaille les premières années, pour assurer le bien-être du foyer, ou qu'elle arrête de travailler, justement à cette période-là, pour assurer le bonheur de l'enfant et son équilibre ultérieur, donc le bonheur du foyer tout le reste de son existence ?

– Défend-on vraiment ce qui nuit à l'enfant, ou ce qui aliène notre tranquillité ?

– Devant l'échec accuse-t-on l'enfant, ou nos méthodes éducatives ? etc.

Je n'ai pas à donner de réponses, qui peuvent varier selon les foyers et les circonstances, mais elles méritent réflexion. C'est à notre capacité de nous remettre en question, que nous mesurerons la force de notre amour.

VIII.– LE NOURRISSON QUI PLEURE

Dans les premiers mois

L'enfant plus âgé, vers un ou dix-huit mois

Je n'envisagerai que quelques problèmes simples, particuliers au nourrisson, et non tous les troubles du sommeil de l'enfant plus grand, beaucoup plus complexes.

Pour beaucoup de gens, un enfant qui pleure c'est normal. On dirait parfois qu'un jeune nourrisson c'est fait pour pleurer et que le seul remède c'est de le mettre dans une pièce éloignée pour qu'il ne gêne pas les parents. Il y a des cas où momentanément il faut ne pas réagir aux pleurs, j'en ai déjà parlé. Ces enfants qui pleurent dès qu'on les couche et, voyant que cela réussit, pleurent à chaque instant pour être pris. Il faudra savoir établir un juste dosage et si on ne l'a pas fait dès la naissance, ce sera beaucoup plus difficile ensuite.

Mais dans la majorité des cas un enfant qui pleure est un enfant qui souffre et le traitement n'est nullement de se boucher les oreilles, à moins de méconnaître complètement le retentissement énorme des problèmes affectifs de la première enfance sur tout le reste de la vie! Il faut voir ce qui ne va pas et y remédier. Oh, bien sûr, il n'est pas question de se précipiter dès qu'il émet le moindre bruit. Il se rendrait vite compte de son succès et saurait bien en abuser! S'il se rendort après quelques petits cris c'est évidemment qu'il n'y a rien. Mais quand il pleure vraiment et semble bien souffrir, ce n'est pas la même chose.

DANS LES PREMIERS MOIS

1. Quelques cas simples

Quand un nourrisson, habituellement bien sage, pleure un jour, ou une nuit, il est presque certain qu'il y a un trouble quelconque.

Il peut avoir trop chaud l'été (ou même l'hiver dans les appartements trop chauffés), ou parce qu'il est trop enfoncé dans ses couvertures. Il est alors utile de le découvrir et de lui donner un peu à boire (et même beaucoup d'eau s'il a de la fièvre) : il y a des enfants qui peuvent avoir 40° pour un simple coup de chaleur dû au fait qu'ils sont trop couverts et n'ont pas assez bu, il est alors urgent de faire tomber cette fièvre.

Il peut avoir tout simplement les fesses irritées et il suffit de le changer.

Il peut aussi être malade. Il n'y aura sans doute pas à se précipiter, à moins qu'il ne paraisse très fatigué ; mais quelques petites cajoleries, un peu d'eau et une petite dose d'aspirine peuvent être bien utiles, en attendant le matin. C'est une poussée dentaire parfois et ce sera le même traitement.

Il peut se trouver en mauvaise position et il sera particulièrement utile de le redresser.

2. Les erreurs alimentaires

Mais le principal besoin du nourrisson est l'alimentation et quand il pleure c'est d'abord à cela qu'on pense, avec raison :

Chez le nouveau-né, c'est le plus souvent qu'il a faim, il faut donc lui donner son repas, et comme le rythme et les quantités varient beaucoup avec chaque enfant, le mieux est de lui donner le sein à la demande, avec les réserves que j'ai faites au sujet des besoins affectifs de cet âge et des petites contraintes à imposer, en particulier respecter un intervalle d'au moins trois heures entre les repas, et même plus de préférence.

Mais quand un enfant se met à pleurer régulièrement, souvent aux mêmes heures du jour ou de la nuit, il est probable qu'il y a un problème digestif anormal à rectifier. Son instinct le guide habituellement de façon assez sûre, mais il a pu parfois se tromper et il faut l'aider, et puis la mère ou le médecin peuvent aussi s'être trompés sur ses besoins réels, c'est bien facile à faire.

Il y a trois points à vérifier avec un peu de bon sens : la quantité, la durée et le rythme des repas.

a) La quantité

Vérifions d'abord la quantité : il peut pleurer parce qu'il n'a pas assez ou parce qu'il a trop.

Bien sûr le plus souvent c'est qu'il a faim. S'il est au sein, c'est que la mère n'a plus assez de lait; dans ce cas souvent il devient constipé et surtout la courbe de poids s'infléchit. Il suffit de compléter un peu quelques tétées (les dernières de la journée) pour que tout rentre dans l'ordre. Il est inutile de peser les tétées car les besoins de l'enfant sont très variables. Donnons-lui un biberon de quarante à cinquante grammes après qu'il a pris les deux seins et il se réglera lui-même, quitte à augmenter les doses de complément si l'on constate que cela ne lui suffit pas.

S'il est à l'alimentation artificielle, il faut d'abord vérifier si sa ration correspond aux normes habituelles, mais ne pas hésiter à l'augmenter de toute façon s'il a faim et si la courbe de poids est insuffisante (il doit prendre en moyenne deux cents grammes par semaine durant les cinq premiers mois, avec bien sûr des variations individuelles importantes).

Mais à l'inverse, il peut pleurer également parce qu'il a trop et qu'on veut l'obliger à finir un biberon dont il n'a pas besoin. Il pleure alors surtout après les repas et la courbe de poids est trop forte.

b) La durée des repas

Cela peut également être une question de durée des repas.

Surtout si les repas sont trop courts. Comme je l'ai déjà dit, ce qui calme l'enfant au cours d'un repas, c'est d'une part d'avoir l'estomac plein, mais au moins autant la satisfaction de ce plaisir buccal de la tétée, qui doit durer un certain temps (au moins dix minutes). Que d'enfants hurlent après les repas uniquement parce que ceux-ci ont été trop rapides, ce qui est pratiquement toujours dû à des tétines trop percées.

Bien des parents compensent ce fait en donnant une tétine à l'enfant après le repas. Cela calme les pleurs de l'enfant en effet, et surtout les parents ; mais cela ne remplace pas l'ambiance affective d'une bonne tétée. C'est pendant le repas que l'enfant doit être satisfait. Et puis cette tétine aboutira à un excès qui n'est pas tellement meilleur. Je sais bien que la plupart des enfants trouveront leur pouce à la place… laissez-le faire ! En fait le traitement est uniquement de trouver des tétines plus fermes et moins percées, pour le repas.

Il ne faut surtout pas non plus, comme le font certaines mères, interrompre à plusieurs reprises le biberon pour ralentir le repas (ou pour que l'enfant ne s'engoue pas, ou pour qu'il fasse son rot, ou pour qu'il se repose, etc.). C'est très mauvais, car cela énerve l'enfant, qui souvent pleure à ces moments-là, ou en tout cas cherche avec impatience. Non, il faut que le repas se passe dans le plus grand calme, que l'enfant tète avec plaisir, qu'il savoure sans être dérangé.

Je me souviens d'un enfant que la mère m'amenait parce qu'il pleurait après les repas, était agité et vomissait. L'interrogatoire n'était pas net et la cause non évidente. J'ai donc voulu me rendre compte de ce qui se passait, en donnant moi-même le biberon. L'enfant blotti contre moi je le lui ai donné normalement en essayant simplement de rassurer la mère affolée de me voir ne jamais retirer la tétine de la bouche pendant les dix minutes qu'a duré le repas (« Il allait s'étouffer », « Il ne pouvait pas faire son rot », etc.). Je lui expliquai qu'il respirait très bien par son nez et qu'il s'arrêterait de lui-même s'il désirait faire un rot, mais en fait il a tété bien tranquillement sans jamais s'arrêter. Au grand étonnement de sa mère, le biberon terminé, l'enfant s'est endormi calmement dans mes bras, sans la moindre agitation, ni vomissement. La cause de tout était simplement cette vaine agitation de la mère et ces interruptions fréquentes durant le repas.

Certains enfants ont au contraire des repas beaucoup trop longs. Les seuls inconvénients sont de fatiguer l'enfant et d'écourter la période digestive. Mais d'ailleurs cela veut souvent dire tout simplement que l'enfant n'a pas faim parce qu'il a des repas trop rapprochés. Il est bien préférable d'y remédier avant qu'il n'en souffre.

c) Le rythme des repas

Le rythme des repas est bien trop souvent négligé.

Une cause de pleurs, très souvent méconnue, est tout simplement *les repas trop rapprochés.* L'enfant pleure parce qu'il digère mal et a mal à l'estomac. Je me permets d'insister sur ce problème si fréquent et qui peut être également la cause de beaucoup d'autres troubles (manque d'appétit, vomissements…).

Pour le comprendre il est indispensable de bien connaître le fonc-

tionnement de l'estomac, qui d'ailleurs conditionne en partie le reste de la digestion. L'estomac est un organe qui a besoin d'un rythme précis : un repas d'une dizaine de minutes, qui déclenche immédiatement la mise en route de deux fonctions gastriques. L'une chimique : les glandes digestives déversent dans l'estomac de l'acide chlorhydrique et des sucs gastriques. L'acide chlorhydrique donne un pH très acide qui stérilise les aliments, contribue avec le lab-ferment à la coagulation du lait et favorise l'action de la pepsine qui commence la digestion des protides ; l'autre est mécanique : les muscles gastriques commencent à se contracter et des séries d'ondulations péristaltiques poussent vers le pylore les aliments, qui s'évacuent ainsi lentement et progressivement. Cet ensemble dure trois à quatre heures, ou plus.

Puis quand l'estomac est complètement évacué, il lui faut un repos physiologique de vingt à trente minutes, à vide, pour que le muscle gastrique se repose et que les glandes digestives se rechargent en acide chlorhydrique et ferments digestifs, prêts à se déverser de nouveau dans l'estomac lors du repas suivant. Alors seulement il y aura sensation de faim et tout peut recommencer.

Sans ce repos, l'estomac fonctionne mal, il se fatigue, et la présence continue de résidus gastriques, qui se mélangent au nouveau repas, entraîne une acidité insuffisante, une digestion perturbée avec des fermentations. Au bout de quelques jours, il y aura des douleurs gastriques et souvent des vomissements, dus à ce fonctionnement anarchique.

Or le temps nécessaire à cette digestion gastrique est très variable suivant les individus. C'est pourquoi certains enfants ont besoin de cinq ou six repas par jour, d'autres quatre (voire exceptionnellement trois), dès les premiers mois de leur vie, lorsqu'il est nécessaire d'espacer les repas de cinq ou six heures ou plus. Si on leur en donne plus, donc avec un espace insuffisant entre les repas, ils souffrent et pleurent et souvent vomissent.

Mais comment savoir si un enfant pleure parce qu'il a mal à l'estomac et donc s'il faut espacer davantage les repas ?

D'abord il ne faut pratiquement jamais qu'il y ait moins de trois heures entre deux repas. Je dirais même pas moins de quatre heures si l'enfant est à l'allaitement artificiel. Sinon l'estomac n'a sûrement pas son repos normal d'une demi-heure avant le repas.

Lorsque les repas sont trop rapprochés et qu'il digère mal, l'enfant pleure une heure ou deux après les repas et plusieurs fois pendant la digestion. Lors d'un repas, l'enfant peut fort bien se précipiter sur le biberon, car il cherche un remède à sa douleur, et d'ailleurs ce repas l'apaise momentanément, soit qu'il calme réellement la douleur (comme il calme celle d'un ulcéreux), soit que le plaisir de téter la compense. Mais souvent, ce repas présente des difficultés : l'enfant est agité, il s'arrête pour avoir des rots, il fait des restes. La courbe de poids est irrégulière.

Surtout, un fait très important permet en général d'affirmer de façon formelle le diagnostic : les choses vont en s'aggravant au cours de la journée, le premier repas se passe bien après le repos de la nuit, le deuxième à peu près bien, puis cela se gâte l'après-midi, l'enfant pleure après son repas et parfois pendant toute la période digestive. Il a beaucoup de rots et souvent des vomissements. Il n'est pas rare en particulier qu'il vomisse au moment où on le prend pour le repas suivant ou encore immédiatement après ce repas, mais avec un mélange de lait frais qu'il vient d'absorber et de gros caillots de lait qui viennent forcément des repas précédents (preuve formelle que l'estomac n'était pas vide). Il est curieux de voir que beaucoup de gens n'ont pas le bon sens d'admettre que cela veut dire : « laissez-moi donc digérer une heure de plus. »

La nuit, quelquefois l'enfant s'endort de fatigue après le dernier repas et dans ce cas ne vomit pas et, après un bon repos, le lendemain le premier repas sera de nouveau bon. Mais bien souvent, peu à peu, la nuit est mauvaise, l'enfant pleure longtemps avant de s'endormir puis se réveille plusieurs fois en pleurant et finalement cette évolution dans la journée que je viens de décrire n'est plus aussi nette.

Le seul traitement est d'espacer les repas d'une heure de plus et donc de répartir la ration sur quatre repas espacés de cinq heures (ce qui d'ailleurs pour la majorité des enfants est la meilleure méthode dès l'âge de deux ou trois mois, voire avant), et au besoin trois repas espacés de six à sept heures. Si on a un doute, il ne peut jamais y avoir le moindre inconvénient à le faire pendant deux à trois jours. Le résultat est à tout coup spectaculaire, si l'indication est bien posée : en quelques jours l'enfant ne pleure plus, ne vomit plus, est calme avec une magnifique courbe de poids et sans aucun médicament.

Que de fois j'ai reçu le lendemain un coup de téléphone du père tout heureux, parce qu'il avait enfin pu dormir la nuit. Que le père soit satisfait, j'en étais bien heureux, mais je l'étais surtout pour l'enfant qui ne souffrait plus.

Je me permets d'affirmer ces faits, basés sur quarante ans de pédiatrie, sur des données élémentaires du fonctionnement gastrique et sur le simple bon sens. D'autre part il s'agit de faits d'une grande fréquence et tellement simples à guérir. Mais je vous préviens très honnêtement qu'en dehors de la ville de Nantes, où la plupart des pédiatres ont été mes élèves, qui presque tous mettent facilement les enfants à quatre repas (peut-être pas très souvent à trois!), je ne suis pas sûr que vous en trouviez beaucoup d'autres en France.

François est sans doute le premier petit Français qui ait été mis à trois repas à l'âge de trois ou quatre mois. Et cela a été spectaculaire. Il ne souffrait pas, mais vomissait tous les jours et souvent juste avant les repas, malgré la mise à quatre repas dès les premiers jours de sa vie, ce qui avait cependant amélioré les choses et donné une bonne courbe de poids. Du jour au lendemain tout est rentré dans l'ordre avec trois repas espacés de six heures.

Mais il fallait une certaine audace il y a trente ans pour bouleverser ainsi un de ces dogmes si répandus, disant qu'un nouveau-né doit avoir six ou sept repas par jour! J'en ai toujours prévenu les parents.

Je me souviens d'un enfant de trois mois que j'avais mis à trois repas avec un succès total, mais qui partait pour quatre mois à Marseille. J'ai prévenu la mère que là-bas, le premier pédiatre qui apprendrait la chose sauterait en l'air jusqu'à Notre-Dame de la Garde! Et c'est bien ce qui est arrivé.

Mais ce médecin a été assez astucieux pour remettre l'enfant à six repas, ce qui a simplifié bien des choses. La mère allait le voir pour qu'il suive l'enfant et lui donne un régime, et comme il n'avait pas donné d'horaire précis pour les repas, elle en donnait deux à la fois toutes les six heures.

Le pédiatre a été très satisfait du résultat de son régime, et la mère aussi.

En médecine, il y a souvent des principes ne reposant sur rien et lorsqu'ils heurtent trop le bon sens, je me refuse à les suivre. J'ai eu, bien sûr, quelques objections.

On m'a dit qu'un estomac de nourrisson est petit et qu'il lui faut de petites quantités! Ces gens n'ont sans doute jamais vu un de ces estomacs à la radio aussitôt après un repas : avant le rot il remplit à peu près tout le ventre car il contient deux fois plus d'air que de lait. Puis après le rot il reprend une taille raisonnable.

On m'a dit aussi que j'allais dilater l'estomac des enfants! Il faudrait qu'on m'explique par quel mystère deux cent cinquante grammes de lait dans un estomac vide vont le dilater, alors que cent quatre-vingts grammes dans un estomac qui en contient déjà autant ne le dilaterait pas. (Or c'est le plus souvent le cas en fin de journée chez ces enfants-là, par suite de l'accumulation de tous les résidus de repas en repas.) C'est exactement le contraire qui se produit : deux cent cinquante ou trois cents grammes dans un estomac bien vide et donc tonique ne donnent jamais aucun trouble. L'estomac se contracte bien et se vide en un temps normal. Par contre cent quatre-vingts grammes dans un estomac jamais reposé, mal vidé donc fatigué, atone, donnent réellement une dilatation gastrique et une digestion presque impossible, si l'enfant n'en vomit pas la moitié. (Mais alors à quoi bon avoir ajouté cette moitié?)

Mais les bons mathématiciens me diront sans doute que, s'il faut plus de quatre heures pour évacuer deux cents grammes, il faudra plus de six heures pour évacuer trois cents grammes et que cela reviendra au même. Calcul bien logique apparemment. Mais ce n'est pas ce qui se passe en pratique. Quand on met une petite quantité dans l'estomac il se contracte moins bien et s'évacue dans les mêmes délais. Et à l'inverse l'estomac s'évacue à peu près aussi vite avec une quantité plus grande. Et même, très rapidement, c'est l'inverse qui se produit, comme je l'ai remarqué, il s'évacue nettement plus vite, ce qui se comprend fort bien, car l'estomac, bien reposé et dont l'acidité est redevenue normale, fonctionne beaucoup mieux.

Et il y a un autre fait que j'ai toujours remarqué chez l'enfant à quatre repas (ou à trois), l'enfant a besoin d'une quantité journalière nettement moindre qu'avec cinq ou six repas, avec une courbe de poids pourtant meilleure, ce qui prouve indiscutablement qu'on a nettement amélioré la digestion gastrique et aussi l'assimilation intestinale.

Mais je me lance dans des discussions trop médicales qui ne vous intéressent peut-être pas. Par contre j'en profite pour ouvrir une petite parenthèse qui, bien que sans rapport avec les pleurs de l'enfant, a sans doute de l'intérêt et découle de ce que je viens d'écrire. S'il faut respecter ce repos physiologique de l'estomac entre deux repas et espacer ceux-ci volontiers, plutôt que de les rapprocher, *il est bien évident également qu'il ne faut rien donner entre les repas.*

Tout ce qu'on donne à l'enfant doit faire partie d'un repas. Par exemple, les jus de fruits chez le nourrisson que beaucoup prescrivent dans la matinée doivent de toute évidence être donnés lors d'un repas. Chez les enfants plus grands, que de bonbons, de gâteaux sont malheureusement pris entre les repas et perturbent ainsi la digestion, puisque, à chaque fois, on remet en route inutilement toute la mécanique gastrique (c'est comme si on faisait marcher le démarreur d'une auto dont le moteur tourne encore). L'habitude de plus en plus répandue de donner une collation aux enfants dans la matinée est une absurdité pour la plupart d'entre eux. Cette collation leur coupera forcément l'appétit pour le repas de midi et aboutira nécessairement à un régime déséquilibré puisqu'elle est faite le plus souvent de féculents (choco, casse-croûte…). La collation de l'après-midi doit être prise suffisamment tôt pour ne pas perturber le repas du soir. Donc, non pas en rentrant de l'école vers 17 h 30 ou 18 heures, mais pendant une récréation à l'école. Et dans bien des cas, en particulier si l'enfant n'a pas grand appétit, il n'y a que des avantages à la supprimer, nous le verrons.

On me dira que beaucoup d'enfants subissent ces erreurs et ne s'en portent pas plus mal. Oui! j'ai toute ma vie admiré la faculté d'adaptation inimaginable des enfants, qui sont capables le plus souvent de résister aux régimes les plus extravagants. Mais attention, il y en a tout de même beaucoup qui ne s'adaptent pas du tout ou pas bien, et pour les autres l'adaptation est parfois plus apparente que réelle, mais les dégâts peuvent bien ne se faire sentir que longtemps après. Par exemple ces caries dentaires dues le plus souvent à des régimes déséquilibrés, mais des années avant, au moment où se formaient les germes dentaires.

L'ENFANT PLUS ÂGÉ, VERS UN AN OU DIX-HUIT MOIS

C'est la nuit que se pose le problème des pleurs.

Beaucoup d'enfants se remettent à appeler la nuit. Souvent on a l'impression de *cauchemars*. Ils se réveillent quelquefois en sursaut et hurlent. Il s'agit peut-être en effet de cauchemar, et je pense qu'il est bon d'aller voir du moins les premières fois. J'ai vu bien des fois dans ma clientèle de ces terreurs nocturnes qui suivaient certaines séquences de télévision, chez des enfants un peu plus âgés.

Mais attention, quel que soit le départ de ces réveils nocturnes, souvent l'enfant y prend goût et, en fait, bientôt (si ce n'est dès le début, mais alors il est difficile de le savoir) l'enfant appelle uniquement pour *accaparer la mère*. C'est quelquefois d'ailleurs parce que dans la journée il a un besoin légitime insuffisamment satisfait !

Le traitement est alors, comme toujours, double : d'abord s'assurer que dans la journée les besoins affectifs sont bien satisfaits. C'est ça le principal ; ensuite seulement, la nuit, ne pas bouger, faire semblant de dormir, pour que les enfants comprennent que maman, qui est bien disponible le jour, dort la nuit, et le plus souvent en une nuit, ou au maximum en deux ou trois, l'enfant ne se réveille plus.

Cela a été le cas de Philippe entre un an et dix-huit mois. Il avait l'habitude de se réveiller toutes les nuits à 2 heures et maman avait eu la faiblesse, croyant qu'il avait faim, de lui donner un biberon, qu'il avalait, puis il se rendormait sans difficulté. Ce n'était pas très grave. Si on attendait une demi-heure, trois quarts d'heure, il hurlait jusqu'à ce qu'il ait ce biberon. Au bout de six mois de cette petite plaisanterie, j'ai demandé à sa mère de supprimer ce biberon dont, de toute évidence, il n'avait pas besoin. Nous nous sommes bien mis d'accord pour n'avoir aucune réaction, non seulement de ne pas aller le voir, mais ne pas dire un mot, ne pas bouger du tout, pour qu'il ait bien l'impression que tout le monde dormait. Il s'est réveillé comme d'habitude à 2 heures, et il a hurlé jusqu'à 6 heures du matin. Je me suis alors levé et avec un sourire tout naturel, je suis allé le lever comme si c'était tout à fait normal. Il était alors en pleine forme et très heureux puisqu'on s'occupait de lui et il est descendu avec moi prendre son petit-déjeuner. Après quoi je l'ai mis à jouer dans mon bureau où j'avais du travail à faire. Tout cela s'est passé de façon tout à fait normale, comme si nous avions tous passé une très bonne nuit. L'après-midi il a fait sa sieste comme d'habitude et sa mère et moi attendions avec un peu d'inquiétude la nuit suivante. Il ne s'est rien passé d'anormal; il a dormi de 20 heures à 8 heures sans se réveiller et toutes les nuits suivantes de la même façon, alors que depuis six mois il hurlait toutes les nuits sans aucune exception jusqu'à ce qu'il ait son biberon; c'est-à-dire en fait jusqu'à ce qu'il ait réussi à accaparer maman!

Il est extraordinaire de constater ce qui se passe dans le subconscient d'un enfant. S'il s'endort en sachant que maman va entendre ses cris et se lever, il se réveille; s'il s'endort en sachant que maman dort et n'entend plus ses cris, il ne se réveille pas, et que d'exemples semblables j'ai vus!

J'ai prescrit bien des fois à des mères d'agir de la même façon et bien souvent il a effectivement suffi d'une seule nuit, souvent aussi deux ou trois nuits, mais si la première nuit l'enfant a appelé pendant des heures, la deuxième cela a duré une demi-heure et la troisième quelques minutes.

Mais pour cela il faut évidemment être capable de n'avoir pas la moindre manifestation, un seul mot suffit à faire tout rater, une seule allusion le lendemain, car alors l'enfant sait qu'en fait maman ne dort pas.

Autre exemple : j'ai vu des familles dont la mère s'est levée plusieurs fois par nuit pendant des années parce que les enfants appelaient régulièrement. Mais si ces mêmes enfants allaient dormir chez des amis, personne ne les entendait, parce qu'ils savaient que maman n'était pas dans la maison. Il s'agissait toujours de mères très anxieuses, à l'affût des moindres bruits de leurs enfants aussi bien le jour que la nuit.

Mais, bien sûr, dans tout cela il n'est pas question de négliger un appel la nuit chez un enfant qui habituellement dort bien. Il faut essentiellement du bon sens.

*
* *

Ne pas réagir à des pleurs nocturnes, cela peut être difficile à cause de la réaction des voisins. Il faudra savoir profiter d'absences momentanées.

IX.– ÉDUCATION SPHINCTÉRIENNE

Il me paraît important de traiter ce sujet, car d'une part c'est l'exemple type de la première contrainte que va accepter l'enfant pour faire plaisir à sa mère. Et si cette acceptation se passe dans un bon équilibre affectif, elle conditionne en grande partie les relations mère-enfant et l'acceptation des petites contraintes ultérieures, dans l'amour.

D'autre part, de nombreuses erreurs, bien faciles à commettre, risquent de perturber fortement cette acquisition de la propreté, entre les deux excès opposés : la négligence de laisser l'enfant trop longtemps dans les couches mouillées ou au contraire la hantise d'un « dressage » trop précoce.

LA PREMIÈRE CONDITION :
UNE MATURITÉ SUFFISANTE

Pour qu'une contrainte ait une valeur éducative, l'enfant doit être capable de l'accepter, donc avoir *une maturité suffisante.*

En matière de propreté, c'est trop souvent un point d'honneur pour la mère d'avoir un enfant propre de bonne heure. Or les retards dans l'acquisition de cette propreté sont bien souvent imputables aux essais trop précoces de « dressage » et à l'inquiétude de la mère devant les premiers échecs pourtant bien normaux.

Pour qu'il s'agisse, non pas de « dressage » inutile, mais d'une éducation valable, il faut d'abord attendre cette maturité et il est facile de comprendre qu'elle doit être acquise sur les trois points : physique, intellectuel et affectif.

1. *Maturité physique*

Elle s'impose à l'évidence : l'enfant doit se sentir confortablement assis sur un pot, sans risque de perdre l'équilibre, donc pas avant dix à douze mois.

Il doit surtout avoir acquis la maturité des structures nerveuses et musculaires qui lui donne la possibilité de contracter volontairement et surtout de relâcher un muscle strié (c'est-à-dire muscle sous contrôle de la volonté). Par exemple pour la main, l'enfant

175

peut d'abord prendre à peu près correctement et garder un objet dans la main (vers neuf à dix mois), puis secondairement le lâcher volontairement pour poser l'objet (vers dix à douze mois).

De même pour les sphincters, qui comportent un muscle lisse et un muscle strié, cette même maturité est nécessaire : au début miction et défécation sont uniquement des actes réflexes, déclenchés par la réplétion des réservoirs; puis le cerveau va intervenir d'abord pour inhiber volontairement ce réflexe, ce qui permet à l'enfant de se retenir et donc d'avoir un certain contrôle (vers un an); puis il va être capable de vider volontairement vessie et rectum (vers quinze à dix-huit mois). Enfin cette maîtrise des sphincters diurne, consciente et volontaire, va peu à peu devenir automatique par le jeu d'autres mécanismes neurologiques, permettant alors la propreté nocturne.

L'enfant a donc la possibilité anatomique d'être propre le jour vers quinze à dix-huit mois, la nuit entre dix-huit mois et deux ans, mais pour cette dernière on ne peut pas parler d'anomalie avant quatre ans pour les urines. Pour les selles il est souvent propre plus vite entre douze et dix-huit mois, aussi bien le jour que la nuit. Mais tout cela n'exclut pas, bien sûr, quelques accidents.

2. Maturité intellectuelle

Elle est encore plus importante.

L'enfant doit être capable d'avertir (ce qui, bien sûr, se fera d'abord par geste et non par la parole et au début toujours après avoir fait, il ne faut surtout pas s'en inquiéter).

Il doit aussi comprendre ce qu'un autre veut de lui. Tout cela n'est pas possible avant douze à quinze mois.

3. Maturité affective

C'est l'élément essentiel.

Lorsqu'il a la possibilité de contrôler ses muscles et qu'il a compris ce qu'on lui demande, il faut encore qu'il ait le désir de se soumettre à cette première contrainte sociale. En effet ce n'est pas pour son plaisir qu'il sera propre. Cela lui est bien égal d'avoir des couches humides, il y est habitué depuis sa naissance. Cette satisfaction d'être propre viendra un peu plus tard. Au début c'est exclusivement la joie de faire plaisir à maman. Il faut donc qu'il ait acquis les premiers rudiments de l'oblativité : faire plaisir à maman pour en obtenir plus d'amour en échange.

Là encore, ce n'est pas avant douze à quinze mois.

*

* *

Donc première condition, attendre cette triple maturité et surtout cette maturité affective, ce qui exige un âge de douze à quinze mois, et parfois plus.

Pourtant bien des mères obtiennent une propreté au moins partielle beaucoup plus précocement. Combien m'ont annoncé fièrement que leur enfant de six mois était propre (quelquefois même à trois ou quatre mois) et c'est souvent vrai pour les selles, parfois presque vrai pour les urines : elles obtiennent en tout cas qu'il urine automatiquement dans un pot. À ces mères je répondais en général : « Ah! quel dommage! » C'était peut-être un peu méchant, mais je leur donnais ensuite les explications. Cette propreté précoce est inutile et dangereuse.

C'est inutile car cela n'a aucune valeur éducative puisque c'est inconscient. C'est du « dressage », et d'ailleurs relativement facile à réaliser. Il s'agit tout simplement d'obtenir un réflexe conditionné : au début, les réflexes de miction et défécation sont très souvent déclenchés pendant les repas. Il suffit donc de mettre l'enfant sur

177

le pot pendant la tétée ou le biberon, et l'enfant va faire dedans. Assez rapidement il va suffire de mettre l'enfant sur le pot, même en dehors de la tétée, pour déclencher ces mêmes réflexes d'évacuation. C'est ce qu'on appelle un réflexe conditionné. C'est un résultat du point de vue blanchissage, mais cela n'a aucune signification éducative, c'est donc tout à fait inutile.

Mais pourquoi dissuader les mères de s'imposer cette petite astreinte, si elles préfèrent cela, à quelques changes supplémentaires ? C'est que ce n'est pas sans inconvénient.

C'est dangereux. D'une part, toute contrainte imposée à l'enfant avant qu'il n'ait la maturité suffisante pour l'accepter volontairement risque de déclencher une réaction d'opposition inverse et qui peut fort bien persister même après l'acquisition de cette maturité.

Et d'autre part, on contrarie la nature qui est d'être, les premiers mois de la vie, dans cette humidité tiède, qui donne peut-être une certaine satisfaction à cet âge (à moins que l'enfant n'ait les fesses irritées et qu'il n'ait mal). Cela lui rappelle sans doute un peu le temps où il nageait confortablement dans son liquide amniotique.

En tout cas il y a un fait certain, quand on interroge les parents d'un enfant énurétique et surtout d'un encoprésique (c'est-à-dire incontinence des matières dans la journée chez un enfant par ailleurs normal, qui apparaît vers quatre-cinq ans et peut durer jusqu'à dix ans) ; très souvent ces parents disent : « Pourtant je l'avais rendu propre dès l'âge de six mois. » Oui, il était propre à six mois et refait tout dans sa culotte à dix ans. Cela prouve qu'il y a eu à six mois une perturbation importante.

*

* *

Tout cela ne veut pas dire qu'il faille aller à l'excès inverse. Aujourd'hui, de plus en plus, bien des mères trop occupées trouvent plus simple de laisser des couches à l'enfant de façon trop pro-longée, ce qui a, je le pense, autant d'inconvénients.

Je sais bien que j'ai lu récemment des articles de psychiatres disant même qu'il ne fallait pas commencer l'éducation sphincté-rienne avant deux ans. C'est manifestement une exagération. Un enfant de dix-huit mois peut fort bien être propre totalement, jour et nuit, sans la moindre contrainte (ce qui est la seule chose impor-tante). Cela a été le cas de mes onze enfants, le jour, et presque tous la nuit, peu de temps après.

On peut donc commencer l'éducation vers quinze mois ou un peu plus tôt suivant la précocité de l'enfant et en se basant avant tout sur ses réactions, sans rien imposer de force.

QUAND LA MATURITÉ EST ACQUISE

Lorsque cette maturité est acquise, il y a deux choses à faire.

1. L'enfant et le pot

Mettons l'enfant sur le pot de temps en temps en repérant de préférence le moment où il semble avoir envie (soit qu'il se tortille, met la main entre les jambes, ou simplement parce que la couche est sèche depuis un certain temps), et bien montrer sa satisfaction s'il y fait ses besoins.

Mais il est inutile d'insister et de laisser longtemps l'enfant sur le pot en faisant moult gestes, onomatopées... car les choses ne se passent pas aussi simplement. Au début l'enfant ne comprend rien. Il cherche spontanément d'autres utilisations à cet engin bizarre sur lequel on l'a assis : chapeau, seau pour mettre ses jouets, etc. Si on veut à tout prix le maintenir dessus, cela lui coupe tous ses moyens et il se retient tant qu'il est dessus. Il sait tout de même bien que c'est dans sa couche qu'on fait ses besoins ou par terre! La preuve en est d'ailleurs que, dès qu'il a sa couche ou tout simplement dès qu'il s'est relevé, il peut enfin se soulager.

Patientons un peu et très progressivement il finira par comprendre. Sans quoi on risque de le bloquer d'une façon durable.

Bien sûr, si un jour il s'est, par mégarde, oublié à faire dans le pot, on l'en félicite gentiment, pour qu'il voie que cela nous fait plaisir. Cela l'étonne bien un peu… mais les adultes ont des idées si bizarres ! D'ailleurs ce n'est pas là le point essentiel à mon avis.

2. Comprendre pour être compris

Le plus important est de lui faire comprendre que maman aime bien qu'il ait le derrière sec. Peu à peu il y trouvera une certaine satisfaction, mais plus tard.

Le seul moyen est donc de le changer dès qu'il est mouillé et l'idéal (que ma femme a toujours réalisé) est de mettre simplement un slip dans la journée vers l'âge de quinze mois, ce qui oblige dès qu'il y a une mare, à changer le slip et essuyer la mare, sans la moindre réprimande bien sûr, ni réflexion autre que : « On va mettre une culotte sèche. » L'enfant comprend très rapidement que maman aime bien qu'il ait un slip sec, et qu'elle essuie le plancher quand il est mouillé.

Si bien qu'un beau jour on va voir cette petite scène charmante, à laquelle j'ai assisté plus d'une fois : l'enfant de quinze à dix-huit mois qui vient trouver maman tout heureux avec une culotte mouillée dans une main et une serpillière dans l'autre, geste charmant plein de significations, mais qu'il faut bien interpréter dans le sens que lui donne l'enfant : pour faire plaisir à maman il a déjà fait le travail, enlevé la culotte et barbouillé la mare par terre comme fait maman et il vient tout heureux recevoir sa récompense. Ça y est, l'essentiel est fait, l'enfant a compris… à la condition que maman elle aussi ait bien compris cette première ébauche d'oblativité.

Or j'ai interrogé bien des mères et plus de la moitié, en ce moment pourtant privilégié, lorsque l'enfant vient annoncer si gentiment qu'il a fait, font une erreur monumentale : elles donnent une petite tape, grondent, disent que c'est sale pour… « dresser » l'enfant ! Tout est raté, l'enfant, qui avait compris, ne comprend plus rien (décidément les adultes sont des gens bien compliqués!) et bien sûr il ne viendra plus s'y frotter, puisque cela n'a pas l'air de plaire à maman, on ne viendra plus lui faire ce cadeau, on gardera bien tranquillement cette culotte mouillée qui n'est d'ailleurs pas bien gênante. Il faudra bien des mois pour réparer cette erreur.

Si au contraire, maman, bien gentiment, met la culotte au linge sale et en met une propre à la place, puis avec la serpillière apportée va achever d'essuyer la mare, tout est gagné. Pendant quelques jours l'enfant va venir annoncer après (bien sûr, cela ne peut être autrement au début). Mais bientôt il va arriver juste avant en se trémoussant, en mettant la main où il faut pour faire comprendre.

C'est ainsi que très facilement un enfant est propre à dix-huit mois ou même un peu avant. Mais à la condition de s'en donner un peu la peine pendant quelques jours. Cela demande en fait beaucoup moins de peine que d'avoir un enfant qui ne soit propre qu'à deux ans et demi ou plus! Et c'est très important pour son éveil affectif.

Il y a évidemment un petit problème de sol. Chez nous il n'y avait que carrelage ou parquets dont l'entretien est simple. Actuellement il y a souvent des moquettes, ce qui est plus ennuyeux. Dans ce cas, je dis aux mères de mettre une couche mais de la changer dès qu'elle est mouillée. En effet, habituellement on voit très bien lorsque l'enfant fait dans sa couche. Mais le plus souvent la mère ne se dérangera pas tout de suite et c'est bien humain, elle a forcément d'autres occupations plus pressées.

Je me souviens très bien, un dimanche midi, finissant de déjeuner avec quelques enfants, un de mes petits-enfants, âgé d'environ dix-huit mois, jouait tranquillement dans la salle à manger. Il s'est arrêté tout d'un coup, le visage un peu congestionné par l'effort et tout le monde a ri, comprenant ce qui se passait dans la couche. Mais personne ne s'est dérangé. Il était bien tentant d'attendre la fin du repas. C'est alors que la mère l'a changé. Mais cela n'avait plus aucun intérêt éducatif: l'enfant savait bien qu'on change la couche de temps en temps et que cette couche est faite pour recevoir ce genre de chose.

DANS TOUTE CETTE ÉDUCATION TENONS GRAND COMPTE DES PROBLÈMES AFFECTIFS

L'enfant en échange de sa propreté doit gagner l'amour et l'estime de sa mère, et aussi sa propre estime, un sentiment de fierté. Donc il est très important de faire attention à certains petits détails, apparemment insignifiants, mais aux conséquences énormes et d'éviter de petites erreurs si faciles à commettre.

Il veut gagner l'amour de l'entourage. La selle, le pipi doivent être associés dans l'esprit de l'enfant à quelque chose d'agréable, un but louable à atteindre, qui fasse plaisir à maman, pour gagner en échange son amour. Donc qu'il sente bien l'amour, et le plaisir de maman! Pour cela il est nécessaire d'extérioriser sa joie, sa satisfaction.

Ne pas avoir l'air dégoûté; ne pas parler des selles comme de quelque chose de sale. Cela risque fort d'embrouiller l'enfant dans son désir de plaire à maman : va-t-il offrir à sa mère quelque chose qui la dégoûte! Non, la selle doit être désirable : c'est « un beau caca ».

Ne pas laisser deviner sa déception devant les échecs pour que l'enfant n'ait pas l'impression que les échecs accaparent maman plus que les ébauches de réussite. Car si c'est l'échec qui attire l'attention sur lui, c'est tout de même un moyen bien simple d'accaparer maman et il n'y a pas à s'en priver!

Mais aussi l'enfant doit être fier de sa nouvelle performance, donc lui prodiguer les félicitations, et ne pas l'accabler en cas de retard à la propreté, pas de comparaisons désobligeantes, il y a des variations individuelles importantes. Et si l'enfant est devenu l'avant-dernier, ne pas faire la moindre comparaison avec le petit bébé : ni lui dire : « Tu fais dans ta couche comme un bébé » (alors que c'est justement ce qu'il voudrait être), il est évident que la réaction de l'enfant ne peut être que : « Tant mieux, il faut donc continuer » ; ni lui dire : « Toi qui es grand » (alors que c'est ce qu'il regrette d'être) et en particulier lorsqu'il devient propre ne pas lui dire davantage : « C'est bien, tu es grand ! »

Chantal n'a été propre la nuit que vers trois ans, manifestement à cause de Philippe qui avait treize mois de moins qu'elle. À cet âge, alors que depuis deux à trois semaines elle n'avait pas mouillé son lit, j'ai entendu ma femme lui dire un soir, lorsqu'elle venait de se coucher : « C'est bien, tu es une grande fille, tu ne fais plus pipi au lit » (tout le monde fait des erreurs !). Lorsque j'ai été seul avec elle, je lui ai dit : « Chantal va faire au lit cette nuit » (à son grand étonnement) et c'est effectivement ce qui est arrivé. Dire : « Tu es grande », pour cette raison-là, et juste avant son sommeil, le résultat me paraissait évident. Elle aurait pu dire : « Tu es mignonne » à la rigueur, mais il aurait beaucoup mieux valu ne rien dire du tout. Et pourtant qu'il est tentant de faire une telle réflexion !

RETARD À L'ACQUISITION DE CE BON CONTRÔLE DANS LA JOURNÉE

Il ne faut pas s'inquiéter des régressions momentanées bien fréquentes, dues à de multiples causes :

– Un changement de condition (tel qu'un déménagement). Les premiers temps l'enfant a souvent besoin d'un conditionnement spécial : il lui faut son pot dans telle pièce… (il reste un peu du réflexe conditionné).

Lorsque Anne avait deux ans, elle était propre depuis quelques mois. Nous sommes allés passer toute une journée au bord de la mer, en emportant bien sûr son pot. Mais même dans ce pot, elle n'a rien pu faire de toute la journée et contrairement à ce qu'on prévoyait, il n'y a pas eu d'accident, elle s'est retenue. Arrivée à Nantes, le même pot étant remis à sa place habituelle, elle a enfin pu se soulager copieusement! On comprend ce que peut parfois donner un déménagement.

– La naissance du suivant. Quel est l'enfant de deux ou trois ans qui ne refait pas dans sa culotte pendant quelques jours? Si on n'y attache aucun intérêt, cela passera rapidement. Mais cela peut aller jusqu'à une énurésie durable.

– Une maladie de la mère :

Marguerite avait été propre à quinze mois et à dix-huit mois elle n'avait déjà plus de couches ni jour ni nuit. Mais quand elle a eu deux ans, ma femme s'est cassé la jambe et une tante l'a prise chez elle pendant deux jours. Elle est partie très joyeuse et pendant ce court séjour, elle a été très heureuse, menant tout le monde à sa guise! Mais elle est revenue avec des couches jour et nuit. Tout est rentré dans l'ordre en vingt-quatre heures, en enlevant les couches et ne faisant aucune remarque. Mais la nuit cela a duré six mois (et je suis bien sûr que si on avait fait des remarques, cela aurait duré des années).

– Tout sujet d'énervement momentané. J'ai vu très souvent des enfants, lorsqu'ils commençaient à être propres, se remouiller pendant deux ou trois jours à chaque grande marée! La lune ou les perturbations météorologiques de la grande marée (j'ignore lequel des deux agit) ont manifestement une influence sur le système nerveux des enfants… et des adultes aussi, c'est bien connu.

Les retards plus importants sont très facilement expliqués par quelques petites erreurs que j'ai signalées, en particulier l'anxiété de la mère, et encore plus par la méthode de facilité qui consiste à laisser les couches trop longtemps. Cela n'a apparemment pas d'autre inconvénient que d'avoir un enfant protégé par des couches pendant un an de plus! En fait les conséquences sont certainement plus importantes, en perturbant forcément ce stade si important de l'évolution affective.

L'enfant va devenir propre un an plus tard, pour son intérêt à lui et non plus pour faire plaisir à maman. Quel dommage d'avoir laissé passer cette première occasion d'ébauche de don de soi, ce qui peut se répercuter sur l'avenir!

C'est bien là un des moments dans l'éducation où il est bon de faire le point de temps en temps : cherche-t-on sa tranquillité ou l'intérêt de l'enfant?

L'ÉNURÉSIE

C'est le problème de l'enfant qui se mouille régulièrement la nuit au-delà de quatre ans.

Avant quatre ans, on ne peut pas parler d'énurésie pathologique. On se contentera de quelques petits examens très simples pour éliminer une malformation urinaire. Mais surtout la seule chose à faire est de rassurer les parents pour qu'ils ne manifestent aucune réaction devant ce symptôme un peu ennuyeux pour eux, tout en maintenant une bonne ambiance affective. C'est le meilleur moyen pour que cela passe rapidement.

Après quatre ans, il faut s'en occuper.

La première précaution est de s'assurer qu'il n'y a pas une cause organique : malformation de l'appareil urinaire pouvant entraver la miction, infection urinaire entraînant une irritation vésicale et des envies pressantes d'uriner, maladies neurologiques, diabète dont il faut toujours se méfier en particulier devant une reprise de l'énurésie (cette maladie, donnant des urines très abondantes, rend l'enfant incapable de se retenir la nuit s'il dort profondément).

Mais le plus souvent la cause est psychoaffective.

Il y a deux sortes d'énurésies : primitive, qui dure depuis la naissance (80 % des cas) et secondaire, qui réapparaît après une période plus ou moins longue de bon contrôle (20 %).

1. Les énurésies primitives

Les énurésies primitives ont trois causes principales : l'immaturité, l'opposition, l'anxiété.

a) L'immaturité

L'immaturité est sans doute la plus importante, immaturité sur tous les plans :

— Immaturité motrice : ces enfants sont souvent hypotoniques avec mauvaise coordination motrice.

— Immaturité fonctionnelle (élément très important à bien connaître) : ces enfants sont propres le jour et cette propreté a été acquise à un âge un peu tardif mais souvent sensiblement normal. C'est du moins ce que disent les parents. Mais en fait, lorsqu'on les examine, on constate très fréquemment que le slip est humide et il est humide toute la journée, car beaucoup de ces enfants n'ont pas encore vraiment acquis leur contrôle sphinctérien, ils semblent ne pas bien sentir l'envie d'uriner. Si on les observe lorsqu'ils jouent, ils sont à se dandiner, ayant manifestement besoin d'uriner, mais ils continuent à jouer comme s'il n'en était rien. Puis tout d'un coup ils se précipitent aux W.-C. parce que cela a commencé à partir dans la culotte. Là ils achèvent de vider leur vessie, mais sans effort, passivement. Ils en sont presque restés au stade infantile où la vessie se vide spontanément, involontairement lorsqu'elle est trop pleine.

Je sais bien que beaucoup de médecins et psychiatres voient également dans ce fait un problème auto-érotique, avec en fait le désir plus ou moins conscient de retenir les urines pour entretenir un plaisir urétral, ce qui est sans doute exact, dans certains cas.

— Immaturité intellectuelle : « On est obligé de tout lui dire », « Il oublie tout en classe. »

— Immaturité affective surtout : il reste à un stade infantile, fixé à un stade de trop grande dépendance vis-à-vis de la mère.

188

De cette immaturité résulte un caractère de passivité : en consultation, ils sont penauds, ennuyés, résignés ; à la maison, ils n'aident à rien ; à l'école, ils manquent d'audace, ne savent pas se défendre, souffrent des moqueries des camarades.

Les causes de cette immaturité sont soit des carences affectives : enfants demi-abandonnés par des mères surmenées, habitués à rester dans les couches mouillées toute la journée ; soit au contraire les excès : enfants trop couvés par des mères anxieuses, ce qui entraîne la peur, le manque de confiance et au besoin des déficiences musculaires par manque de sport ; soit très volontiers un petit mélange des deux, ce qui est nullement contradictoire.

b) Réaction d'opposition

Une réaction d'opposition à la contrainte est la deuxième cause : essais de dressage trop précoces ; trop grande sévérité du père : l'enfant se réfugie vers la mère pour avoir une compensation, il essaie de l'accaparer, joue au bébé…

c) L'anxiété

L'anxiété est également une cause très importante, venant souvent aggraver une des deux autres causes :

Anxiété des parents surtout, qui retentit terriblement sur l'enfant. J'ai vu des parents qui avaient gardé très mauvais souvenir de leur propre énurésie et avaient tellement peur que leur enfant le devienne qu'ils contribuaient de toute évidence à déclencher l'énurésie et surtout à l'entretenir.

Anxiété de l'enfant également catastrophique ; l'enfant qui s'endort avec la crainte d'uriner urinera certainement !

2. Les énurésies secondaires

Les énurésies acquises ont à peu près les mêmes causes, mais qui réapparaissent un jour :

Régression affective due en général à un choc affectif : naissance d'un petit frère, maladie de la mère, déménagement, mise à l'école... donnent souvent de petits accidents momentanés, mais peuvent également être le point de départ d'une énurésie durable.

Opposition à une trop grande sévérité d'un des parents, à une préférence pour un autre dont l'enfant s'aperçoit, à une mise en pension qu'il juge injustifiée...

Enfin tout sentiment d'insécurité, d'infériorité.

*
* *

Avant d'envisager le traitement, deux points sont à noter.

Il est important de connaître le *retentissement sur l'enfant* de son énurésie.

Certains s'en accommodent fort bien, et quand on les interroge, ou bien ils avouent très franchement et avec un sourire que cela leur est égal, ou bien ils se disent ennuyés mais d'un ton qui en dit long !

Ils s'en accommodent parfois tout simplement par la paresse de se lever la nuit : « Maman lavera les draps ! » (il est très important en fait qu'ils participent à ce lavage).

Certains médecins, axés sur le sexe, y voient une certaine volupté : plaisir urétral, volupté épidermique d'être vautré dans cette tiédeur humide. C'est possible !

Je pense surtout que c'est la satisfaction du désir d'infantilisme qui est souvent bien évidente, et les petits bénéfices secondaires qu'ils tirent de leur énurésie (rester avec papa et maman, avoir des couches, etc.) viennent souvent l'entretenir. Tout cela ne veut pas dire que l'énurésie soit volontaire (sauf peut-être le cas de paresse). Non, l'énurésie est parfaitement inconsciente et survient dans le sommeil. Tout se passe dans le subconscient.

D'autres en souffrent énormément, soit du fait de moqueries des frères et sœurs ou des camarades, soit surtout par la peur que ceux-ci s'en aperçoivent, d'où un grave sentiment d'infériorité qui ne fait qu'entretenir le symptôme.

J'en ai vu qui étaient de vrais enfants martyrs, hantés par la crainte de sortir de chez eux, redoutant d'avoir à aller coucher chez un oncle, chez des amis. Certains qui désiraient beaucoup faire du scoutisme ou des activités de groupe s'y refusaient absolument dans la crainte d'avoir à coucher sous la tente avec d'autres. C'est une véritable hantise. Le plus important sera alors de les libérer de cette anxiété.

Un autre point qui a son importance est *le sommeil de ces enfants,* dont peuvent découler certaines déductions thérapeutiques : les uns ont un sommeil très profond et donc ne se réveillent pas pour uriner ; beaucoup au contraire ont un sommeil trop léger, agité, et c'est souvent dans un demi-sommeil, au moment du réveil que se passe la miction.

LE TRAITEMENT DE L'ÉNURÉSIE

Les traitements de l'énurésie qui ont été proposés sont extrêmement nombreux. On peut les résumer en quatre groupes.

1) *Les prescriptions médicinales*

Pour la plupart elles sont inefficaces et parfois dangereuses. Je me contenterai d'en citer trois.

a) *Après 16 heures plus de liquide?*

La restriction liquidienne le soir consiste à supprimer complètement toute absorption de liquides après 16 heures (non seulement les boissons, mais la soupe et tout aliment un peu liquide) donc à donner exclusivement des aliments les plus secs possible. Et même la plupart des médecins préconisent le soir un repas bien salé (gâteaux salés, jambon fumé... de façon à obtenir une rétention d'eau dans les tissus de l'organisme). Le but est évidemment de diminuer énormément le volume des urines durant la nuit pour que l'enfant n'ait pas besoin d'uriner.

Prescription bien séduisante, prescrite par la majorité des médecins, y compris les neuropsychiatres (ce qui est assez stupéfiant) au point que j'ai entendu un médecin, il y a quelques années, dire que c'était le seul traitement sur lequel tout le monde était d'accord! Je n'avais pas voulu lui faire de la peine en lui disant qu'il y en avait au moins un qui n'était pas d'accord (aujourd'hui je pense qu'il y en aurait un peu plus).

En effet je suis tout à fait contre ce traitement. D'abord il est inefficace le plus souvent et la raison en est sans doute que des urines concentrées sont plus irritantes pour la vessie. Mais surtout il me paraît extrêmement nocif, car très pénible pour l'enfant. Ce « traitement » lui rappelle lourdement tous les soirs qu'il est un énurétique, et hypertrophie une petite infirmité bien bénigne en soi. Cela augmente certainement son sentiment d'infériorité et son anxiété, dont personnellement je veux à tout prix le libérer.

Je laisse donc l'enfant boire normalement, lui demandant simplement de ne pas aller à l'excès inverse. En effet certains pédopsychiatres qui préconisaient autrefois un tel régime sec et salé ont enfin compris que c'était absurde, mais vont maintenant jusqu'à conseiller au contraire de mettre sur la table de nuit de l'enfant une bouteille d'eau et un verre. De grâce, un peu de bon sens!

b) Un sommeil trop profond?

Un second traitement très classique, et apparemment logique lorsque l'enfant a un sommeil très profond, consiste à donner à l'enfant un médicament excitant le soir, de façon à ce que le sommeil soit moins profond et que l'enfant se réveille pour uriner. Peut-on concevoir pire folie : empêcher un enfant de bien dormir! Peut-il y avoir une commune mesure entre cette petite anomalie bien bénigne qu'est l'énurésie (du moins si on ne la dramatise pas) et l'inconvénient majeur qu'est pour tout le monde, mais surtout pour un enfant, un trouble du sommeil!

Et pourtant que de neuropsychiatres, et non des moindres, prescrivent ce genre de traitement : il y a quelques années c'était carrément les amphétamines : le Maxiton il y a vingt-cinq ou trente ans (dont la fabrication a été interdite depuis) puis le Corydrane, autre amphétamine (également interdit depuis), et je voyais des ordonnances prescrivant chez un enfant de sept-huit ans un comprimé tous les soirs!

Aujourd'hui le grand médicament est l'Anafranyl, son utilisation est peut-être moins délirante que les précédents, puisqu'il agit en principe sur la vessie et même sur sa capacité qu'il augmenterait. Mais tout de même, c'est essentiellement un antidépresseur et ses inconvénients sont assez nombreux. Ceux qui l'utilisent le font surtout dans le même sens que pour les amphétamines, car il agit sur le sommeil et aussi sur l'humeur des enfants! Je pense donc que ce médicament aussi, bien que réellement efficace semble-t-il, a plus d'inconvénients que d'avantages! De grâce, laissons les enfants dormir tranquillement!

c) Un sommeil trop léger?

Il reste un troisième groupe de médicaments, utilisé chez les enfants qui ont le sommeil trop léger, ce sont les calmants. Je serai beaucoup moins sévère pour de tels médicaments, car ils peuvent également être utiles pour apaiser l'anxiété. Mais c'est à la condition de n'utiliser que des médicaments totalement inoffensifs et de les donner de préférence aux parents!

Donc moins on donne de médicaments, mieux cela vaut. Cependant comme médecin, je pense qu'il faut en donner un, ne serait-ce qu'à titre de placebo. Il est bon que l'enfant parte avec son ordonnance. Cela contribue à le rassurer, à lui donner confiance. Mais c'est vraiment le cas où la façon de donner vaut mieux que ce qu'on donne.

2. Des procédés agressifs

Certains *procédés que j'appelle « agressifs »* peuvent être efficaces. Ils consistent à faire mal ou faire peur à l'enfant pour le dissuader de « faire au lit », et chacun a inventé son procédé, plus ou moins méchant selon son degré de sadisme. Punitions, menaces, faire honte à l'enfant, piqûres ou menace de piqûre, pinces urétrales, systèmes électriques dont le contact est établi dès le début de l'émission d'urine et qui peut déclencher soit une petite décharge électrique, soit une violente sonnerie (tels que pipi-stop)... Tout cela peut être très efficace et quelquefois faire cesser l'énurésie du jour au lendemain.

Mais j'y vois un gros inconvénient qui est de supprimer un symptôme (peut-être ennuyeux il est vrai), sans supprimer la perturbation affective qui en est la cause. On peut donc être sûr que cette perturbation se traduira par un autre trouble névrotique, peut-être moins ennuyeux pour les parents, mais souvent plus grave pour l'enfant.

*

*   *

Un décollement d'adhérences du prépuce chez le garçon guérit très souvent l'énurésie, car d'une part, pendant vingt-quatre ou quarante-huit heures, l'enfant a mal pour uriner, ce qui le réveille, mais surtout il a peur qu'on recommence.

J'en ai eu la preuve formelle il y a quelques années. J'avais décollé des adhérences à un garçon de quatre à cinq ans qui était par ailleurs énurétique et quand je l'ai revu six mois plus tard, les parents enchantés me disent qu'il ne s'était jamais mouillé depuis ma petite intervention. Mais cette fois-là l'enfant était inexaminable (certainement dans la peur que je recommence !), j'ai demandé aux parents de me laisser seul avec lui et très rapidement il s'est calmé et nous nous sommes quittés très bons amis. Mais les parents ont été beaucoup moins heureux de ma deuxième consultation, car le soir même il reprenait son énurésie (puisque le médecin n'était pas si méchant que cela !).

Si ces deux premiers groupes de traitement sont discutables, par contre les deux derniers points du traitement sont très importants.

3. La rééducation

La rééducation, en particulier chez ces enfants qui urinent encore d'une façon presque réflexe, peut être très utile, du moins si l'enfant veut réellement coopérer.

a) La rééducation la nuit

La plupart des médecins prescrivent la rééducation la nuit. Elle consiste à réveiller l'enfant, un peu avant l'heure où il urine habituellement, pour le faire uriner. Et les jours suivants on décale très progressivement l'heure pour finalement aboutir à passer toute la nuit sans uriner.

Personnellement là encore je suis contre : d'une part je n'ai guère vu de résultats et c'est une méthode bien astreignante que peu de parents mèneront jusqu'au bout ; d'autre part je pense que cela a plus d'inconvénients que d'avantages, en effet cela risque d'agacer l'enfant et de trop lui rappeler son énurésie ! Et surtout, d'après tous les témoignages que j'ai eus, les parents sont réveillés, mais pas l'enfant, il urine dans un demi-sommeil soutenu par les parents et il n'en a pas toujours le souvenir le lendemain matin. Cela me paraît donc anti-éducatif puisque c'est en somme l'inciter à uriner en dormant. C'est absolument l'inverse de ce que je veux personnellement obtenir, qui est d'apprendre à l'enfant à uriner bien consciemment.

Je fais cependant exception pour l'enfant relativement âgé, qui veut bien prendre lui-même son traitement en main, avec son réveil.

b) La rééducation le jour

Dans la grande majorité des cas, je n'utilise que la rééducation de jour, qui consiste à bien apprendre à l'enfant à contrôler ses sphincters.

Lui apprendre surtout à uriner consciemment et volontairement (et non plus de façon presque réflexe, parce que la vessie est trop pleine et en laissant couler sans effort ses urines). Pour cela deux choses à demander à l'enfant : uriner avant d'avoir envie, à des heures régulières pour que ce soit un acte vraiment volontaire, en espaçant ensuite peu à peu l'intervalle; uriner énergiquement, avec force, « comme pour éteindre un incendie » (ce qui est fort parlant pour l'enfant), il faut absolument que, de passif, cet acte devienne actif.

Lui apprendre aussi à se retenir de temps en temps, non pas en attendant le plus longtemps possible, mais en lui demandant d'interrompre de temps en temps au milieu de la miction (très souvent il n'y parvient pas au début, mais avec un peu de patience il y arrivera et cela peut l'aider beaucoup dans l'acquisition d'un bon contrôle).

4. Un seul traitement positif : trouver la cause

Mais le plus important est encore d'essayer de *trouver la cause du trouble affectif* et d'y remédier, c'est évidemment plus difficile, mais le seul traitement positif.

a) Face à l'opposition

S'il y a une réaction d'opposition, cela peut parfois être relativement simple, si les parents sont coopérants : calmer leur anxiété, détendre une éducation trop sévère, apporter au contraire l'affection nécessaire, une atmosphère joyeuse et confiante.

b) Aider l'enfant à mûrir

S'il s'agit d'immaturité, aidons l'enfant à acquérir cette maturité, mais cela ne se fait pas du jour au lendemain.

Sur le plan physique les exercices musculaires, le sport, la vie au grand air seront utiles pour lutter parfois contre une certaine nonchalance et donner plus d'audace, de confiance en soi.

Mais on doit favoriser surtout la maturité intellectuelle et affective.

Supprimons tout ce qui maintient l'enfant dans un sentiment d'infantilisme, d'infériorité ou de dépendance : les couches, les comparaisons avec un petit frère, les excès de protection.

Et en même temps réduisons peu à peu à néant tous les petits bénéfices secondaires qu'il tire de son énurésie et dans lesquels il se complaît : rester dans sa famille, être traité en bébé, être plaint ; que d'enfants sont très heureux d'avoir ces couches mises le soir par maman.

Au contraire, essayons de lui donner le goût de l'indépendance, favorisons ses initiatives, laissons-le prendre de petits risques raisonnables, demandons-lui quelques services et en particulier de participer au lavage des draps (surtout pas par punition, mais pour rendre service).

Mais aussi en compensation de ces petits bénéfices qu'il tirait de son énurésie et qu'il abandonne, il faut qu'il découvre d'autres avantages qu'il acquiert : il est traité avec plus d'égard, davantage mêlé à la vie familiale, on lui demande son avis... Évitons surtout de lui dire qu'il est grand, mais que de lui-même il se rende compte que cette maturité, qu'il acquiert, le valorise et lui donne des avantages.

c) Supprimer l'anxiété

De toute façon, supprimons l'anxiété en le rassurant, en lui expliquant que cette énurésie est très fréquente, que plus d'un de ses camarades est comme lui, que de toute façon cela passera bientôt. Si par hasard un des parents a été énurétique, il est bon qu'il le sache, du moins s'il est très anxieux. Cela le rassurera beaucoup à l'âge où papa est encore un surhomme.

Minimisons au maximum cette énurésie : n'en parlons pas, ou alors de façon très naturelle, comme quelque chose de très passager et sans importance (sauf si l'enfant s'y complaît trop). C'est pourquoi je ne veux pas de traitements agressifs, ni la restriction hydrique le soir ni cette habitude fréquente qui consiste à marquer sur un calendrier les jours avec ou sans urine la nuit.

Pour la même raison, les sanctions me paraissent peu souhaitables : Les punitions seraient totalement anti-éducatives chez un enfant qui se mouille « en dormant »! Les récompenses sont peut-être parfois utiles, mais à la condition qu'elles soient valorisantes.

*
*   *

En résumé, surtout dédramatiser. Dans tout cela, parler le moins possible. Le seul mot de « pipi au lit » rappelle à l'un cette autosatisfaction d'être le petit qui accapare maman, ravive chez l'autre son désir d'opposition et à tout coup refait surgir l'angoisse.

Tout cela est totalement inconscient le plus souvent, mais marque l'enfant dans son subconscient, ce qui est d'autant plus grave, puisqu'il urine en dormant.

X.– LE MANQUE D'APPÉTIT

L'enfant n'a pas faim

Un conflit d'opposition

Les causes

Le pronostic

Le traitement

Le manque d'appétit (ou anorexie) est certainement le syndrome pour lequel un pédiatre est le plus souvent consulté. C'est dire que les causes en sont multiples, et il faut distinguer deux choses :

– les anorexies secondaires à une maladie ou un trouble organique quelconque ;

– les anorexies primitives, pour lesquelles on ne trouve aucune cause organique et qui sont en fait d'origine psychoaffective.

Les anorexies secondaires sont celles qu'un médecin doit rechercher en premier par un interrogatoire minutieux et un examen complet. Mais je n'insisterai pas sur ce sujet qui serait fastidieux, obligeant à passer en revue toute la pathologie de l'enfant : erreurs de régime, troubles digestifs aigus ou chroniques, états infectieux des plus graves au simple rhume, anomalie d'un organe important... Dans tous ces cas l'anorexie est le plus souvent d'apparition récente et n'est que momentanée (sauf maladie grave et prolongée, mais qui ne risque guère de passer inaperçue). Le traitement consiste uniquement à traiter la maladie en cause, en donnant momentanément un peu moins à manger.

Je ne parlerai donc que des anorexies primitives. Ce sont elles qui inquiètent le plus souvent les parents, car elles durent depuis des mois ou des années. Elles n'ont pratiquement aucun retentissement sur l'état de santé de l'enfant, mais retentissent lourdement sur son psychisme, celui de sa mère et sur l'atmosphère familiale. Il est donc important d'insister sur ce syndrome si fréquent.

C'est ce qu'on appelait autrefois l'anorexie mentale des jeunes enfants. Mais certains psychiatres ne veulent pas de ce terme, qu'ils réservent à l'anorexie mentale des jeunes filles, dont le mécanisme est différent et que je n'envisagerai pas ici. Pour leur faire plaisir,

je parlerai donc d'anorexie d'opposition des jeunes enfants et personne ne pourra me contredire sur ce point.

L'ENFANT N'A PAS FAIM

Le tableau est toujours le même, à des degrés d'intensité près. Vous connaissez tous ces petits enfants, en fait bien portants, parfois un peu maigres, mais vifs, éveillés, qui depuis des mois ou des années refusent de manger, au grand désespoir des parents. Et ceux-ci viennent demander au pédiatre le médicament miracle, après avoir malheureusement déjà essayé en vain de multiples traitements.

Cela commence le plus souvent vers l'âge de six mois.

1. Les repas deviennent difficiles

Les repas, qui jusque-là ne posaient pas de problèmes, vont se passer de moins en moins bien.

Il y a d'abord une *phase d'inertie :* au début l'enfant voudrait simplement faire des restes, mais les parents veulent qu'il finisse son biberon. Bientôt après quelques gorgées, il ne tire plus, mordille la tétine, ou la renvoie avec la langue. La mère l'excite un peu, il tire deux ou trois fois, puis s'arrête. Elle lui verse quelques gouttes de lait dans la bouche, il n'avale pas, le laisse couler hors de la bouche. Et bien souvent pendant ce temps il rit, joue sans faire le moindre effort.

Puis, du fait de l'insistance des parents, va apparaître nettement *l'opposition* : l'enfant se met en colère, se débat, rejette la tête en arrière. Si l'enfant mange à la cuillère, il met la langue devant. La mère lui met de force une cuillerée dans la bouche, il la crache immédiatement, et on peut la lui remettre dix fois dans la bouche, ce sera chaque fois le même résultat. Ou bien il souffle dans la cuillère, éclabousse maman avec joie, ce que celle-ci ne trouve pas drôle du tout, et cela se terminera de toute façon en pleurs. Le repas dure une demi-heure, puis une heure (j'ai vu jusqu'à une heure et demie et deux heures) avec des alternatives de supplications et de menaces, de violences et de distractions (chants, histoires, jeux…). On attire l'attention ailleurs pour mettre par surprise une bouchée. Tout varie à l'infini suivant l'imagination de l'entourage, qui est bien persuadé que c'est grâce à cela que l'enfant mange quelques bouchées.

Enfin très souvent apparaissent rapidement des *vomissements* : lorsque après une heure d'efforts et de ruses, la mère commence à savourer son triomphe devant une assiette ou un biberon presque vide, l'enfant rejette dans un vomissement le résultat de tant de peines, sans aucun effort et avec la plus vive satisfaction. J'ai même vu bien des cas où le vomissement était le seul symptôme pour lequel la mère m'amenait son enfant. Elle ne me signalait même pas le manque d'appétit qu'elle arrivait facilement à vaincre. L'enfant ne luttait pas, il avait trouvé un moyen de défense plus simple.

2. Entre les repas

Entre les repas, l'enfant est parfaitement gai, aimable, plein de vie. Mais c'est le cauchemar pour toute la famille.

La mère anxieuse, énervée, n'en peut plus et c'est elle qui maigrit. Toute la journée elle pense au prochain repas et aux petits plats qu'elle va préparer, aux ruses qu'il va falloir inventer. Si une amie vient la voir, elle parle avant tout de l'appétit de son enfant (et devant celui-ci qui en est très heureux).

Le père réclame la paix, mais son premier mot en rentrant du travail est pour s'informer des péripéties du dernier repas. La grand-mère donne des conseils. Le grand-père s'ingénie à trouver des distractions nouvelles.

Bref, est réalisé ce drame familial si fréquent qui dans certains cas peut aboutir à des catastrophes familiales ou conjugales. Mais si toute la famille est à bout de force, l'enfant lui se porte bien, à peine un peu plus maigre que la moyenne, mais aussi résistant qu'un autre, car en fait il ne se laissera jamais mourir de faim.

Pour comprendre le traitement de cette anorexie, traitement si simple, mais si difficile à obtenir des parents, il faut en avoir bien saisi le mécanisme et les causes.

UN CONFLIT D'OPPOSITION

Le mécanisme se résume à un conflit d'opposition, entre les parents, qui veulent à tout prix que l'enfant mange la quantité ou la qualité prescrites, et l'enfant, qui refuse systématiquement, parce qu'on le force.

LES CAUSES

Les causes sont plus complexes. Un tel mécanisme suppose un terrain particulier et des causes déclenchantes, qui varieront suivant les cas. Et, d'emblée il me paraît nécessaire de classer ces anorexies en deux groupes selon leur gravité : d'une part les anorexies bénignes, de beaucoup les plus habituelles, que mon maître Lelong appelait l'anorexie des « gros » (puisqu'ils ont un poids sensiblement normal) et dont le traitement est relativement facile. D'autre part, les anorexies graves, des enfants « maigres », qui refusent de manger au point de maigrir et qui posent des problèmes psychologiques beaucoup plus complexes, mais elles restent exceptionnelles.

1. L'anorexie commune, bénigne

a) Tout est normal

Elle évolue sur un terrain normal.

L'enfant est normal en tout point : sur le plan psychique, il est un peu « nerveux », il aime bien qu'on s'occupe de lui et prend rapidement goût aux supplications de la famille, qu'il saura très bien exploiter, donc un enfant bien normal. Sur le plan physique : il est en parfaite santé, d'un poids normal ou à peine inférieur à la moyenne, donc en fait il mange assez, mais les parents ne veulent pas l'admettre.

Alors ces parents sont-ils normaux? Eh bien oui! Ils désirent foncièrement le bien de leur enfant, ils sont anxieux et ont peur pour sa santé, ils sont donc bien normaux. Mais aussi ils ont des principes d'éducation et refusent d'admettre la légitimité des premiers refus et ce sont eux qui créent de toutes pièces l'anorexie, qui durera des années s'ils ne veulent pas admettre leur erreur. Je comprends ces parents et j'aurais probablement fait comme eux si je n'avais pas été pédiatre. Ce que j'admets moins facilement c'est qu'ils s'entêtent si souvent dans leur erreur. Mais là encore peut-on le leur reprocher? Ils n'ont pas eu la chance d'observer quelques milliers d'enfants.

b) Pourtant des causes d'anorexie

Sur ce terrain un peu prédisposé, bien *des causes* peuvent déclencher l'anorexie, dont deux principales :

Le plus souvent il s'agit d'une *simple tentative de suralimentation.* L'enfant se porte très bien, mais les parents voudraient qu'il mange davantage. Souvent c'est parce qu'ils *trouvent que la ration alimentaire n'est pas suffisante,* ce qui s'explique malgré tout fort bien.

Les uns se *basent sur la ration idéale* qu'ils ont trouvée dans le livre de puériculture ou que le médecin a prescrite. Ration qui a peut-être été fort bien calculée, mais qui n'est qu'une ration moyenne, un ordre de grandeur dont on est obligé de se rapprocher au début si on ne connaît pas bien les besoins d'un enfant. En fait, ces besoins varient énormément d'un enfant à l'autre, parfois du simple au double, et même plus. Il ne faut donc pas hésiter à modifier cette ration dans des proportions qui peuvent être très importantes, pour l'adapter aux besoins réels, en se basant essentiellement sur l'appétit de chaque enfant et sa courbe de poids.

Et justement beaucoup de parents au contraire se basent tout simplement *sur la ration d'un autre enfant* et, chose curieuse, ils envient presque toujours celui qui mange le plus! Mais cela aussi est compréhensible, car en France la majorité des gens se figurent que plus un enfant mange, mieux il se porte, ce qui est totalement faux.

Mais il faut tout de même avouer qu'il y a des cas bien surprenants, par exemple Anne et Luc, qui se suivaient à dix-huit mois d'écart. Combien de parents auraient été affolés de voir Anne avec ses rations dérisoires, en comparaison de Luc auquel il fallait presque le double d'une ration normale. Et pourtant, au même âge, c'était Anne la plus grosse. Mais il fallait vraiment prendre sur soi pour ne pas réagir, pour ne pas envier l'appétit de Luc, ce qui aurait infailliblement transformé en anorexie d'opposition ce qui était tout simplement « la chance d'avoir une fille économique », comme je le disais.

Enfin je pense que beaucoup de parents se basent tout simplement *sur leur propre ration*, lorsqu'il s'agit d'un enfant de deux ou trois ans qui mange à table avec eux. Oui, comme père de famille, on a mauvaise conscience à mettre dans l'assiette de son enfant de trois ans, le quart à peine de sa propre ration et on a toujours tendance à en mettre plus. C'est bien normal! Mais ce qui l'est moins, c'est de forcer l'enfant à tout manger. Dans mes consultations, lorsqu'une mère venait de m'énumérer ce que mangeait son enfant à chaque repas, je multipliais ces rations par 3 ou 4 et je lui demandais si vraiment elle-même mangeait cette quantité. Elle se récriait bien sûr et cela me permettait quelquefois de lui faire comprendre son erreur.

Voilà quelques exemples qui montrent avec quelle facilité les parents remplissent trop l'assiette de leur enfant. Mais il y a aussi un fait très important à savoir, c'est qu'il suffit d'un tout petit peu trop pour bloquer un enfant et l'empêcher totalement de manger. Je l'ai constaté bien des fois avec chacun de mes enfants.

Même Luc, à l'appétit légendaire! Je l'ai vu un jour bloqué devant une assiette de purée trop pleine, vers l'âge de trois ou quatre ans. C'est moi qui l'avais servi et, connaissant son appétit, je lui avais mis autant que dans ma propre assiette. Alors que presque tout le monde avait terminé ce plat, je me suis aperçu qu'il était devant son assiette pleine, les yeux fixés sur cette purée, silencieux, mais à sa mine on le sentait dire en lui-même : « Je ne peux pas » et il était là bloqué, sans même penser qu'il avait la possibilité d'en manger une partie seulement. Je n'ai pas pu m'empêcher de rire et j'ai immédiatement remis dans le plat la moitié de ce monceau de purée. Mais il s'est alors dépêché de manger la moitié qui restait et à me tendre son assiette vide pour en avoir d'autre, car j'en avais tout de même enlevé trop.

Cette anecdote est très instructive, montrant qu'un enfant, même de gros appétit, peut être bloqué par une trop grosse quantité sans qu'il y ait réaction d'opposition, mais simplement parce qu'il voit qu'il ne pourra pas y arriver et alors il ne commence pas. Et cela est vrai également pour bien d'autres choses que l'alimentation ! Il faudra souvent y penser !

Que de fois j'ai vu pareille réaction avec chacun des autres : ayant un peu trop, ils étaient là sans manger, faisant tourner la cuillère au milieu de l'assiette en éparpillant les aliments. Il suffisait que je mette simplement la moitié de la ration sur le bord de cette assiette en disant : « Je t'en ai mis bien trop » pour qu'aussitôt l'autre moitié soit avalée. Plus d'une fois il est même arrivé que toute l'assiette se vide, tant la portion laissée sur le bord paraissait alors dérisoire et cependant c'était bien ce petit surplus qui au départ avait coupé l'appétit. (Mais je ne leur avais, bien sûr, pas demandé de finir ce petit reste, sinon ils ne l'auraient sûrement pas mangé… ils étaient normaux !)

Parmi ces anorexies dues à la suralimentation, je signale un fait extrêmement fréquent, qu'on peut appeler *anorexie de compensation* : beaucoup d'enfants mangent trop les premiers mois de leur vie. On leur donne des rations trop fortes, et comme ils ont ce réflexe normal de succion, ils vident leur biberon. Tout se passe bien, mais ils ont une courbe de poids un peu trop forte. Puis vers six mois, le plus souvent, ces enfants gavés, refusent et font des restes, et la courbe de poids se ralentit, ou même reste stationnaire quelque temps. C'est heureux, et si parents et médecins agissent avec sagesse, en respectant la bonne nature, tout rentre dans l'ordre, appétit et courbe de poids reprennent bientôt, mais normaux cette fois-ci. Dans le cas contraire on déclenchera facilement l'anorexie d'opposition. C'est une des raisons pour lesquelles celle-ci commence souvent vers six mois.

Que de fois j'ai vu le même phénomène à dix ou quinze jours, quelques jours après la rentrée de clinique (plus souvent autrefois qu'aujourd'hui). Des mères affolées m'amenaient ces enfants car, à la clinique, ils prenaient cinquante grammes par jour, et chez elles ils ne prenaient plus rien et ne vidaient plus leurs biberons. Il est bien évident qu'ils avaient été suralimentés en clinique, du temps où les sages-femmes mettaient un point d'honneur à voir les enfants reprendre leur poids de naissance le dixième jour. Là aussi il suffit de réduire les rations, pour qu'en quelques jours tout rentre dans la normale.

Dans d'autres cas, ce n'est plus la ration qui inquiète les parents, mais *l'état de nutrition de l'enfant leur paraît insuffisant*.

Le plus souvent c'est bien à tort, car l'enfant est en bon état. Mais les parents se souviennent du petit bébé d'un an, tout potelé, et à deux ou trois ans ils le trouvent maigre parce que ces bourrelets qui faisaient leur orgueil commencent à disparaître, on voit les côtes, les omoplates, la colonne vertébrale, les formes s'allongent, les membres semblent plus grêles. En fait, tout cela est normal. Souvent d'ailleurs pour rassurer les parents il suffit de leur montrer quel est le poids moyen d'un enfant de cet âge et de la même taille.

D'autres fois il est vrai, à l'appui de leur inquiétude, les parents ont un argument irréfutable : « Le poids est insuffisant. » Cet enfant est en bonne santé, jamais malade, plein de vie et ils l'admettent, mais il manque un kilo, c'est un déshonneur. Bien sûr, une courbe de poids bien régulière est le meilleur indice de la santé d'un enfant. Mais il ne faut pas être obsédé par les chiffres, qui varient beaucoup suivant les tempéraments : un enfant d'un an qui pèse huit kilos peut très bien être aussi normal qu'un enfant de dix kilos et il est certainement mieux portant qu'un autre de douze kilos. Mais il est bien probable que la mère du premier sera au désespoir devant cet enfant de huit kilos plein de santé et frétillant de vie… et celle de l'enfant de douze kilos sera pleine d'admiration devant son petit paquet de graisse, bien sage dans un coin. Qu'il est difficile de convaincre une mère qu'on n'élève pas un enfant pour le vendre au poids.

Et puis là encore les parents ont trop souvent tendance à comparer avec un autre enfant plus gros qu'ils envient. Que de fois il m'est arrivé de voir deux enfants d'une même famille, l'un parce qu'il était maigre, sans appétit (en fait strictement normal) et l'autre pour lequel on me disait d'emblée : « Il est bien portant comme vous voyez et nous n'avons pas pris de rendez-vous pour lui, mais jetez donc un petit coup d'œil », et j'étais obligé de leur dire : le premier est tout à fait en bonne santé, mais celui-ci ne l'est pas du tout, il est obèse, ce qui est une des plus graves maladies, il est grand temps de s'en occuper. Je ne crois pas avoir souvent été cru et pourtant c'était vrai.

Enfin il y a beaucoup de parents, et ce sont les plus difficiles à convaincre, qui admettent très bien que leur enfant est normal et donc qu'il mange assez, mais qui sont persuadés que c'est parce qu'ils le forcent à manger. Réussir à leur faire comprendre que ce sont au contraire tous ces efforts qui lui coupent l'appétit, ce n'est pas facile.

Il y a aussi ces enfants qui ne mangent rien aux repas, mais mangent entre les repas. Et les parents les laissent faire, trop contents de les voir enfin manger, et les enfants sont eux aussi bien contents de se gaver de gâteaux et de bonbons. Leur poids est satisfaisant, mais le résultat final est catastrophique, tant sur le plan éducatif que sur le plan digestif (l'estomac ne peut pas fonctionner normalement, et l'enfant n'aura forcément pas faim aux repas), et sur le plan nutritionnel (car cette alimentation est forcément déséquilibrée, faite surtout de féculents et sucreries).

Cela me rappelle quatre ou cinq enfants d'un épicier qui pesaient chacun deux ou trois kilos de plus que la normale, et que la mère m'amenait pour manque d'appétit. Un peu étonné, je lui ai demandé de m'énumérer ce qu'ils mangeaient à chaque repas et l'énumération était assez simple, puisqu'ils ne mangeaient rigoureusement rien ni le matin, ni le midi, ni le soir.

Heureusement je savais qu'ils vivaient dans leur épicerie et j'ai donc posé la question : « Mais dans votre épicerie qu'est-ce qu'ils mangent ? » et alors la mère s'est écriée : « Heureusement, là ils mangent. » Oui, on pouvait s'en douter, car ils avaient bon poids. Ils étaient même bouffis à cause de ce régime parfaitement déséquilibré et il était grand temps d'y remédier.

Sans aller jusqu'à ce cas caricatural et pourtant vrai, que de parents regardent avec plaisir un enfant anorexique se servir de gâteaux ou de morceaux de pain dans la journée, en pensant : « C'est toujours cela de pris. » Quelle erreur !

Une deuxième cause importante d'anorexie d'opposition réside dans les *erreurs de diplomatie faites lors du sevrage* ou de l'introduction de l'alimentation variée. Sevrage trop tardif ou biberon maintenu trop longtemps : plus l'enfant a pris conscience du plaisir que cela lui procure, plus il refuse un autre aliment. Bien sûr, il ne faut rien brusquer, mais tout de même rester dans des limites raisonnables.

C'est surtout l'introduction trop brutale d'un aliment nouveau et en particulier des légumes. Et il est bien facile de comprendre ce qui se passe. L'enfant était habitué jusque-là à téter, au sein ou au biberon, une alimentation bien homogène, liquide et souvent sucrée. Du jour au lendemain, on veut lui donner à la cuillère quelque chose de plus solide, moins bien lié, salé, et à l'âge où il met tout dans sa bouche pour goûter si c'est bon. Certains enfants sont enchantés de cette variété nouvelle de plaisir. Mais il n'est pas étonnant que d'autres ne comprennent pas ce dont il s'agit. Ils ont l'impression d'un corps étranger dans la bouche et le recrachent.

Si la mère affolée veut forcer l'enfant à manger les légumes que le médecin a prescrits et, sitôt la première cuillerée crachée, la remet dans la bouche, elle sera de nouveau recrachée et indéfiniment. On déclenche l'opposition. Celle-ci peut rester élective à la cuillère ou aux légumes. Mais aussi, l'enfant prenant goût à la lutte, elle se transformera vite en anorexie d'opposition typique et durable pour l'ensemble de l'alimentation.

Il faut donc agir avec diplomatie : commencer tôt, habituer l'enfant à la cuillère, et surtout, les premières fois qu'on donne des légumes, bien faire goûter gentiment à l'enfant une toute petite quantité et sans s'inquiéter d'un premier refus qui est normal : attendons, on recommencera quelques jours plus tard.

Il m'est arrivé plus d'une fois de donner moi-même les premiers légumes à des enfants qui depuis des mois refusaient de les prendre avec leur mère.

Je me souviens fort bien d'un soir où j'étais dans une cuisine à rédiger une ordonnance pour un enfant malade. La mère me dit alors que son autre petite fille de dix à douze mois, à laquelle j'avais prescrit des légumes vers l'âge de trois mois, ne les avait encore jamais acceptés, malgré une lutte journalière, toujours aussi infructueuse. C'était l'heure du repas et j'ai aperçu une casserole de légumes sur la gazinière. J'ai donc demandé à la mère une assiette et un peu de légumes que j'ai bien écrasés avec une fourchette. Après quelques travaux d'approche, j'ai pris l'enfant sur les genoux et l'ai fait jouer avec une cuillère qu'elle a mise à la bouche pour la sucer. J'ai alors mis dedans à peu près la valeur d'un grain de blé de légumes et j'ai remis la cuillère à la bouche. L'enfant a, bien sûr, senti ce petit corps étranger et a manifesté une hésitation, on voyait très bien qu'elle goûtait. Mais il y en avait si peu qu'elle n'a pas essayé de cracher. J'étais alors sûr du résultat. J'ai recommencé la même chose, déclenchant la même petite hésitation mais nettement moindre, et à la troisième fois l'enfant a ouvert une grande bouche lorsque j'ai approché la cuillère et a avalé sans hésitation : elle avait trouvé cela bon. J'ai alors pu donner un peu plus, puis finalement une cuillère complète de légumes. La mère était stupéfaite de voir son enfant manger avec délice des légumes, que jusqu'ici elle avait toujours refusés, parce que donnés sans lui demander son avis.

En dehors de ces deux causes importantes d'anorexie, il peut aussi s'agir tout simplement d'une anorexie secondaire à une petite infection, une poussée dentaire, un trouble digestif passager, que les parents n'ont pas voulu respecter. La lutte va commencer et pourra fort bien persister même après guérison de la maladie.

Il peut également y avoir des causes purement affectives dès le départ : naissance du suivant ; mise en crèche ou en nourrice (oh ! bien sûr, l'enfant mange en général très bien à la crèche ou chez la nourrice, mais trouve facilement ce moyen d'accaparer sa mère le soir ; cela réussit tellement bien !) ; moindre disponibilité de la mère pour laquelle le repas devient simplement une des multiples corvées de la journée : l'enfant le sent très bien et cherche à la ramener à la réalité.

De toute façon, quelle que soit la cause déclenchante, le premier refus n'était qu'un réflexe de légitime défense. Mais si les parents ne comprennent pas cette légitimité, il va se transformer en anorexie d'opposition dans laquelle se mêleront trois éléments : une absence réelle de faim, puisqu'en fait l'enfant mange assez ou presque ; une réaction d'opposition à la contrainte ; et surtout, chez ces enfants qui ont besoin d'affection, la satisfaction d'être intéressant, d'accaparer l'attention et l'activité de sa mère.

Tenons toujours grand compte de ce besoin fondamental d'amour ! Il doit être satisfait dans un juste équilibre pour que l'enfant n'ait pas besoin de chercher par de mauvais moyens (et l'anorexie en est un si simple) à récupérer ce qu'il n'obtient pas normalement.

2. *Les anorexies graves*

Les anorexies graves sont beaucoup plus rares mais aussi plus complexes. Je n'en dirai que quelques mots, mais qui sont peut-être utiles car il y a tous les intermédiaires entre celles-ci et les précédentes.

Le terrain est cette fois franchement névrosé : l'enfant, lui, est normal au début, vif, plein de vie, d'une intelligence précoce, il participe avec intensité à la vie de la famille, sursaute au moindre bruit, tout est pour lui sujet à distractions… surtout au moment des repas. Il a des besoins affectifs intenses et cherche par tous les moyens à attirer l'attention. Il deviendra rapidement capricieux, égoïste. Il est rapidement à l'aise dans un cabinet médical qu'il exploite comme terrain de jeux, mais en même temps ne perd pas une miette de la conversation dont il est l'objet.

L'entourage surtout est névrosé. Pour la mère (ou parfois le père), ce n'est plus la simple anxiété normale de tout parent. Cette anxiété est franchement pathologique et s'est souvent d'ailleurs traduite dès la grossesse par divers incidents. Puis dès la naissance, c'est la phobie des microbes, du bruit, elle est à l'affût du moindre cri de l'enfant…

Ou bien c'est l'obsession de « bien élever » l'enfant selon un modèle bien préparé qu'elle a imaginé et qu'elle s'efforce de suivre avec minutie : mise sur le pot précoce, horaire bien minuté, apport des divers aliments bien programmé. Elle ne pourra bien sûr pas supporter les rébellions légitimes de l'enfant.

Ou encore ces mères oppressives qui entravent les moindres vel-léités d'indépendance et d'épanouissement de l'enfant. Ou celles qui ne peuvent supporter des cris, la turbulence normale, les jouets cassés et qui par prudence les ramassent dans un placard. Ou encore la trop grande sévérité du père que l'enfant compensera en accaparant davantage maman.

Bien souvent aussi l'entourage est trop nombreux car en plus des parents, il y a les grands-parents, oncles… qui gravitent autour de cet enfant amusant et très attachant. Béats d'admiration devant ses réparties, cédant au moindre caprice pour obtenir ses grâces, multipliant les fautes éducatives. Et l'enfant, qui comprend fort bien, veut rapidement tout soumettre à sa volonté, ne supporte aucune contrariété.

Sur un terrain si prédisposé, il est évident que la moindre cause déclenchante, légère suralimentation, erreur de diplomatie, petite maladie, choc affectif, erreur éducative... va rapidement avoir des conséquences disproportionnées.

Mais bien souvent aussi il n'y en a pas besoin. L'enfant saisit fort bien toutes les faiblesses des parents, ou au contraire refuse de se plier à des excès d'exigences, et il comprend très facilement que le moyen le plus radical pour arriver à ses fins réside dans l'alimentation. Là il est le seul maître et peut tout régler à sa guise. Et d'ailleurs il en a immédiatement la confirmation! Le drame est le cercle vicieux immédiatement déclenché : l'anorexie de l'enfant aggrave la nervosité de la mère, et celle-ci aggrave l'anorexie de l'enfant, par une hypernervosité qui lui coupe davantage l'appétit, par son obsession et le fait de parler continuellement de cet appétit, qui suggestionne davantage l'enfant, surtout par tous les bénéfices que lui apporte cette anorexie et qu'il exploite : distractions pendant les repas, inquiétudes de maman à son sujet...

LE PRONOSTIC DE CES ANOREXIES EST DONC VARIABLE

1. Dans les cas graves

L'évolution peut être sérieuse. Non pas tant du point de vue physique, car dans la majorité des cas, avec des alternatives d'amaigrissement et d'amélioration, l'enfant, bien que très maigre, arrive à pousser et n'est pas malade. Seuls les parents sont épuisés (un enfant normal ne se laisse jamais mourir de faim...).

Cependant on peut voir dans certains cas des états de carences ou de déséquilibres alimentaires qui ne sont pas sans inconvénients. Très exceptionnellement, peut-être quatre ou cinq fois dans ma carrière pédiatrique, j'ai vu des enfants qui, je crois, auraient été jusqu'à se laisser mourir de faim, plutôt que de céder à la contrainte des parents. Mais il s'agissait toujours de cas extrêmement pathologiques. Et pour les guérir il a fallu d'abord faire cesser cette contrainte.

Toute la gravité est d'ordre psychique, ces enfants deviennent facilement des caractériels et le resteront trop souvent.

L'anorexie a très sérieusement aggravé les choses par les erreurs éducatives énormes, le climat de nervosité excessive, et trop souvent des thérapeutiques agressives et traumatisantes. Et l'enfant guéri de son anorexie trouvera bien souvent d'autres manifestations pour accaparer : crises nerveuses, spasmes du sanglot, cris la nuit...

2. Les anorexies habituelles

Mais pour les anorexies habituelles, si fréquentes, le pronostic est extrêmement bénin, du moins pour l'enfant : il se porte bien, sa courbe de poids est bonne, avec tout juste quelques oscillations, il est aussi résistant qu'un autre. Il mange en fait assez et n'exploite l'anxiété maternelle que pour le surplus.

Il semblerait donc que cela ne pose aucun problème et qu'il soit superflu d'en parler. C'est d'ailleurs l'avis d'un certain nombre de médecins qui trouvent bien inutile de prendre parfois des heures à essayer de convaincre les parents et souvent sans résultat, pour un syndrome si bénin, qui ne met en jeu ni la vie ni la santé de l'enfant.

Personnellement je pense au contraire qu'il est extrêmement important de faire cesser rapidement cette lutte.

D'une part, si elle ne retentit pas sur l'état de santé de l'enfant, elle finit par retentir sur son état psychique par cet énervement qui dure une heure, quatre fois par jour, et contribue à entretenir bien d'autres tensions nerveuses dans la journée. Et aussi elle entraîne bien des perturbations sur le plan éducatif : un enfant qui a pris l'habitude de dire « non » à la purée, pour des raisons légitimes au début, puis de façon systématique, dira « non » à bien d'autres choses et pour des raisons parfois moins légitimes.

D'autre part si l'enfant se porte bien, la mère ne se porte pas bien : elle épuise inutilement ses forces et ses nerfs et cela crée par surcroît une tension dangereuse dans le foyer familial.

Or si on n'arrête pas ce cercle vicieux, cette anorexie va durer jusqu'à l'âge de dix ans environ. C'est tout de même vexant pour un simple malentendu.

LE TRAITEMENT

Si le traitement est simple, il n'est pas facile d'en convaincre les parents.

1. Il y a d'abord ce qu'il ne faut pas faire

La contrainte ne réussit jamais, l'enfant aura toujours le dernier mot, quitte à se faire vomir. Elle ne fait qu'énerver l'enfant et accroître l'opposition.

Le gavage a été proposé par certains médecins pour alimenter à tout prix l'enfant avec en plus le désir, parfois franchement avoué, de faire peur à l'enfant (et ils ajoutent alors toute une mise en scène).

Peut-être arriveront-ils parfois à faire céder l'enfant, par la crainte de ce traitement brutal, mais il y a peu de chances que ce soit durable, et ce qui est absolument certain, c'est qu'ils aggraveront le terrain névropathique qui se manifestera par d'autres troubles sans doute plus graves, même s'ils sont moins apparents.

Ce traitement est donc à proscrire formellement, en dehors des cas tout à fait exceptionnels où le pronostic vital est vraiment en jeu, et en l'utilisant alors avec le plus de douceur possible. Cela m'est arrivé deux ou trois fois seulement.

Je me souviens d'une petite fille de deux ans et demi qui m'avait été envoyée pour anorexie à la Civelière dans un état dramatique après avoir subi pendant un an les traitements les plus divers et les plus traumatisants. À l'évidence, elle était affamée : elle regardait avec envie les autres enfants manger et ouvrait elle-même une grande bouche, toutes les fois que son voisin mettait une cuillère dans la sienne. Mais quand c'était son tour, elle fermait hermétiquement la bouche et détournait la tête. Au bout de trois jours, je me suis décidé à la gaver à la sonde, mais avec le maximum de douceur. L'enfant s'est d'ailleurs laissé faire sans aucune résistance et lorsqu'elle a senti les aliments arriver dans l'estomac, elle a manifesté une grande satisfaction qui de toute évidence voulait dire : « J'ai enfin à manger, mais je n'ai pas cédé ! » Un fait le prouvait bien : cette sonde que j'avais passée par le nez, pour la laisser en place, dans le but de ne pas la traumatiser à chaque repas, elle ne l'a jamais retirée, alors qu'elle avait les mains parfaitement libres, elle était trop contente de l'avoir.

Cela a permis de passer un cap très difficile, dû uniquement à un tas d'absurdités antérieures, et pendant une dizaine de jours cette enfant était heureuse à table avec les autres, nourrie par la sonde. Bientôt elle s'est mise à ramasser les miettes, que volontairement on laissait traîner « négligemment » sur la table et tout est rentré dans l'ordre.

Mais à part des cas aussi exceptionnels, le gavage est à éviter.

Il est également trop fréquent de vouloir hospitaliser ces enfants « pour les isoler du milieu familial ». C'est une solution de facilité, car le plus souvent à l'hôpital l'anorexie cessera : c'est maman qu'on veut accaparer, une infirmière cela n'a aucun intérêt, cela ne vaut pas la peine de se priver de manger. L'enfant va donc reprendre rapidement le poids qui lui manque, mais l'anorexie reprendra immédiatement dès le retour à la maison et l'état psychique de l'enfant aura été aggravé par le choc affectif de l'hospitalisation. Cet isolement n'a évidemment aucun sens, puisque la seule personne à traiter est la mère !

Là encore il m'est arrivé exceptionnellement d'hospitaliser une anorexie grave (à la Civelière puisque je prévoyais un séjour de plusieurs semaines). Mais à la condition formelle que la mère vienne le plus souvent possible, tous les jours si elle le pouvait, d'abord entre les repas, puis au repas (pour lui apprendre à regarder manger son enfant sans réagir), jusqu'à ce qu'elle puisse enfin donner le repas elle-même. Mais cette solution doit rester très rare.

2. Le vrai traitement

Le vrai traitement comporte trois points : des conseils pédagogiques donnés aux parents, d'importance capitale ; une diététique précise très utile ; la suppression de presque tout médicament.

a) Des conseils pédagogiques

Les conseils donnés aux parents sont de beaucoup l'élément le plus important, car si on a réussi à bien se faire comprendre, l'enfant est guéri, puisqu'il n'a plus aucune raison de s'opposer.

Mais encore faut-il se faire comprendre !

Cela se résume en trois mots : du calme, de l'indifférence à l'appétit, et un peu d'autorité.

Du calme : supprimer toute cette vaine agitation de la famille, une seule personne s'occupe de l'enfant, dans le calme : sans aucune distraction, ni menace ni supplication, avec le moins de paroles possible. (Cela ne veut pas dire que le repas doit être triste, il doit se passer dans une ambiance aimable et chaleureuse, mais pas de cirque.) J'ai souvent vu ajouter « dans une demi-obscurité », ce qui me paraît ridicule. Soyons donc tout simplement naturels. (Si du moins le naturel de la personne est d'être calme !)

De l'indifférence à l'appétit : bien sûr, pas une indifférence à l'enfant qui doit sentir beaucoup d'amour autour de lui entre les repas, comme pendant les repas. Mais qu'il sente bien que l'appétit ne nous intéresse absolument pas, puisqu'on le laisse libre de manger à sa faim. En effet personne d'autre que lui ne peut connaître ses besoins ; lui et lui seul ressent cette sensation de faim, quand il a besoin de manger, qui le guidera de façon sûre. Un enfant mangera toujours à sa faim si on le laisse se régler seul. Cette indifférence doit se traduire clairement dans les faits, dans notre attitude : ne jamais parler d'appétit, ni de bien ou mal manger… (ni pendant les repas ni entre les repas). Ce sont des mots, comme bien d'autres dont j'ai déjà parlé, qui doivent être totalement proscrits du vocabulaire. Il est également très important que tout l'entourage (grands-parents, oncles, tantes…) adopte la même attitude et n'arrive pas en disant : « Alors tu as bien mangé », ni même : « Tu manges bien maintenant » !

Ne pas avoir la moindre réaction devant une assiette qui s'est vidée ou non. Que notre attitude veuille dire : « Tu as faim, tu manges, c'est normal », « Tu n'as pas faim, tu ne manges pas, c'est normal », mais surtout sans rien dire ; on enlève tout simplement l'assiette de façon toute naturelle, lorsque l'enfant n'en veut plus. Le succès ou non du traitement réside exclusivement dans cette indifférence à l'appétit. Mais c'est moins simple que l'on croit, car elle doit être réelle, la mère doit être convaincue. Si la mère, pour « essayer », fait semblant de simuler l'indifférence, l'enfant s'en aperçoit. Il suffit d'une réflexion, d'un seul mot, d'un regard pour qu'il devine l'inquiétude de sa mère et c'est cela surtout qu'il recherche, il voit bien qu'il est intéressant. En somme tout simplement il est indispensable que la mère quitte le cabinet médical, en se disant : « J'ai de la chance d'avoir un enfant économique. »

Bien sûr, on doit parfois prendre un peu sur soi, se surveiller.

Cela m'est arrivé bien des fois, avec Anne, d'insister un peu pour qu'elle finisse une assiette, tellement sa ration était dérisoire ! Mais si je recommençais deux ou trois fois, je voyais très bien le résultat et j'étais obligé de me dire à moi-même : « N'oublie donc pas de faire ce que tu prescris aux autres » et son appétit reprenait son cours normal.

Beaucoup de parents auxquels j'ai dit de laisser l'enfant manger à sa faim, m'ont répondu : « C'est trop commode, vous cédez tout aux enfants. » Il est vrai que j'ai cédé à beaucoup de choses (toutes celles qui n'avaient aucune importance), mais jamais à tout. Et dans le cas présent, contrairement à ce que pensent ces parents, ce n'est pas moi qui cède, ce sont eux! En effet ce que veut l'enfant anorexique, c'est qu'on le force à manger, qu'on le supplie. Si on enlève l'assiette sans rien dire, c'est au contraire là qu'on ne cède pas et ce n'est pas toujours si simple. Il faut en arriver au troisième mot.

De l'autorité : comme toujours très douce, mais ferme, surtout ne pas gronder ni punir, mais aucune discussion.

L'enfant mange à sa faim : c'est bien d'accord et lorsqu'il n'en veut plus, on enlève l'assiette (même s'il n'a rien mangé) et cela d'une façon toute naturelle. Mais si, un peu surpris, il réclame de nouveau son assiette, on lui répond avec toujours le même naturel : « Non, ce n'est pas la peine », s'il fait alors une colère, on ne la voit surtout pas.

Il mange à sa faim, mais ce qu'il y a sur la table. On doit avoir le bon sens, au début, de tenir compte adroitement de ses goûts. Mais je ne veux à aucun prix, ce que j'ai vu bien des fois, que l'enfant, par simple caprice, refuse ce qui est là et exige autre chose. La mère a la faiblesse d'aller la chercher mais quand elle revient l'enfant a changé d'avis... Non, il y a cela sur la table, on en mange ou on n'en mange pas, c'est indifférent, mais il n'y a rien d'autre.

Manger à sa faim, cela ne veut pas dire n'importe quoi, uniquement de tel ou tel plat selon les goûts préférés. Il est indispensable que le régime soit équilibré, donc varié. Il faut donc manger un peu de tout. L'enfant qui a très faim doit manger beaucoup, mais de tout. Celui qui a très peu faim doit manger très peu de tout (avec un peu de souplesse, mais aussi de fermeté).

Manger à sa faim, cela ne veut pas dire n'importe quand. Il faut des horaires raisonnables : réguliers et suffisamment espacés pour que l'estomac ait son repos indispensable entre deux repas. Donc ne jamais rien donner entre les repas (même si l'enfant n'a rien mangé au repas précédent, car de toute façon cela lui couperait forcément l'appétit pour le repas suivant).

En effet l'enfant doit avoir bien compris que s'il n'a pas faim il ne mange pas, mais qu'il faudra attendre ensuite l'heure du repas suivant; alors que bien des enfants refusent de manger au repas, mais savent très bien que, si dans une heure ils viennent demander un gâteau ou une tartine de pain, maman sera trop heureuse de les donner!

En pareil cas, il faut un « non » très simple et très ferme : « Non, il n'est pas encore l'heure » d'un air très indifférent. Et surtout ne pas ajouter (ce que j'ai entendu bien des fois) : « Tu vois, si tu avais mangé tout à l'heure... » C'est catastrophique car l'enfant a la preuve formelle que la mère n'est pas indifférente du tout à l'appétit, donc il recommencera demain.

L'autorité consiste, là encore, uniquement à se maîtriser soi-même.

Voilà donc tout l'essentiel du traitement. Si les parents ont bien compris ces trois mots, l'enfant est déjà guéri.

b) Une diététique précise

La diététique est également très utile, mais un peu plus facile à faire admettre.

Des repas très espacés : un jeune nourrisson anorexique doit être mis à quatre repas et assez rapidement à trois repas puisqu'il est très important que l'estomac ait le temps de se reposer à vide, pour que l'enfant ait cette sensation de faim. C'est pour cette même raison qu'il ne faut rien donner entre les repas. Si l'enfant n'a rien mangé au repas, on pourra au maximum avancer un peu le suivant.

Des repas courts: chez un nourrisson arrêter au bout de dix minutes, jamais plus d'un quart d'heure. Que de fois j'ai vu des nourrissons de quelques mois, dont les repas duraient une heure ou une heure et demie, alors que si la mère consentait à arrêter au bout de dix minutes, en deux ou trois jours ils prenaient exactement les mêmes quantités à quelques grammes près avec ces repas courts.

J'ai même réussi, un jour, à convaincre un confrère hypernerveux, comme sa femme et sa fille aînée âgée de cinq ans; celle-ci d'ailleurs toujours anorexique, grâce aux conseils d'un autre confrère, qui disait de la forcer à manger, car elle était trop maigre! Mais ce n'est pas celle-là qu'il voulait me montrer puisqu'il avait le traitement! C'était celle de deux mois, une mignonne petite fille frétillante de vie, en parfaite santé, dont la courbe de poids était normale, qui finissait bien ses biberons mais en une heure et quart. En somme tout allait bien, mais il me demandait un bon traitement uniquement pour que les repas durent moins longtemps.

Après avoir bien examiné l'enfant, qui avait tout ce qu'il fallait pour suivre l'exemple de la sœur aînée, j'ai dit au père : « Si tu veux que les repas durent moins longtemps, il n'y a qu'un seul moyen, mais absolument infaillible : tu prends ta montre et tu arrêtes au bout de dix minutes, ils ne dureront sûrement pas une heure et quart. » Il a bien pris la chose, mais était persuadé que je me moquais de lui! Je ne dis pas ne pas avoir eu une petite arrière-pensée de ce genre en lui disant cela! Mais j'ai passé, moi aussi, au moins une heure et quart à essayer de lui expliquer que c'était bien cela, à la lettre, que je voulais. Je suis parti de chez lui un peu fatigué d'un tel effort (il m'avait fallu répondre à tant d'objections), mais aussi assez désabusé, étant bien persuadé que j'avais perdu mon temps et que, sitôt la porte fermée, ce père allait téléphoner à un autre confrère un peu plus sérieux!

Deux mois plus tard je n'avais pas eu de nouvelles de cette petite fille, lorsqu'un jour je croise le père dans la rue. De loin, j'ai un peu eu envie de changer de trottoir, pour ne pas le gêner. Finalement, assez curieux de connaître la suite des événements, je me suis décidé à l'aborder. À ma grande surprise il me dit d'emblée : « Je voulais te téléphoner... » et j'appris que la fille, âgée alors de quatre mois, allait toujours aussi bien, avec la même courbe de poids, et des repas de... dix minutes. Et il m'expliqua que je ne m'étais trompé que sur un point : je lui avais dit que s'il faisait cela, l'enfant au bout de trois jours mangerait exactement autant qu'auparavant en une heure et quart, en fait il avait fallu quatre jours pour qu'elle mange vraiment la même quantité, faisant de temps en temps des restes de cinq ou dix grammes. J'avoue avoir été plein d'admiration devant un confrère capable de patienter quatre jours !

Mais si je raconte cette histoire c'est surtout pour montrer combien le déclenchement d'une anorexie d'opposition tient parfois à peu de chose : cinq à dix grammes que l'enfant laissait dans un biberon et pour ces cinq à dix grammes que les parents voulaient qu'elle termine, les repas s'étaient mis à durer une demi-heure, puis une heure puis une heure et quart, puisque plus ils duraient, plus ils étaient rapprochés et l'enfant finalement n'avait plus jamais la sensation de faim que donne un estomac vide.

Lorsqu'il s'agit d'un enfant plus âgé, des repas courts, cela veut dire : si l'enfant mange seul avec sa mère, lorsqu'un plat est refusé, on passe au suivant et si l'enfant refuse d'emblée, le repas est terminé. Si l'enfant mange avec toute la famille, lorsqu'un plat s'en va, l'assiette est retirée vide ou pas, sans aucune réflexion, comme quelque chose de tout à fait normal.

Pour ce qui est des rations : donc aucun chiffre précis, c'est à l'enfant de savoir ce dont il a besoin. Mais à une seule condition c'est que le régime soit équilibré, donc varié (sauf dans certains cas très graves pour lesquels, au début, ayons le bon sens de donner momentanément ce que l'enfant est habitué à manger pour ne rien brusquer, comme lors de l'introduction des premiers légumes).

Mais dans la grande majorité des cas, il doit manger très peu de tout. Si un enfant ne mange rien d'un plat, on ne doit surtout pas compenser la chose, en donnant beaucoup du plat suivant, ou du dessert. Non, une ration normale ou même plutôt un peu plus faible.

Mais que l'enfant n'ait pas l'impression que ce soit par punition (car alors son appétit devient intéressant) ; surtout ne pas lui dire : « Tu n'auras pas de dessert puisque tu ne manges pas. » Non tout simplement on lui en donne un peu moins pour s'adapter à son petit appétit. Si l'enfant ne mange rien du tout, penser qu'il peut se passer de manger, mais pas se passer de boire, il faut donc lui donner à boire à sa soif, mais de l'eau et non des boissons sucrées.

Mais le plus important est encore de mettre de faibles quantités dans l'assiette : je vous ai raconté ce que donnait une assiette un tout petit peu trop pleine : cela bloque immédiatement l'enfant, il importe surtout de ne pas en mettre trop. Et même il est capital les premiers jours du traitement de *ne pas mettre assez dans l'assiette,* on est sûr ainsi de supprimer toute opposition et rapidement c'est l'enfant qui réclamera à manger. Il faut tout simplement inverser le mécanisme.

À la pouponnière de la Civelière, où j'ai eu à traiter un bon nombre d'anorexies très graves (ayant à deux ans quatre à cinq kilos de moins que la moyenne), le premier jour on ne donne que du liquide : eau ou bouillon. Le deuxième jour on présente une bouchée à l'enfant. Le troisième jour quelques cuillerées et en cinq ou six jours ils mangent normalement et reprennent un kilo et demi, voire deux kilos le premier mois, puis un kilo par mois ensuite.

J'en ai vu plusieurs devenir boulimiques en vingt-quatre à quarante-huit heures. On criait victoire, mais en fait, je m'apercevais que c'était aussi pathologique que leur anorexie précédente : pour s'opposer aux parents qui voulaient les faire manger à tout prix, ils refusaient totalement. Pour s'opposer à nous qui ne leur donnions pas assez, ils en voulaient le plus possible. Mais finalement avec un peu de diplomatie (beaucoup d'indifférence au repas, beaucoup d'amour entre les repas) tout rentrait dans l'ordre.

Voilà donc tout le traitement.

c) Suppression des médicaments

J'allais oublier les médicaments puisqu'ils sont totalement inutiles et même le plus souvent nuisibles, car tous les fameux « fortifiants » sont le plus souvent des excitants qui ne font qu'aggraver l'état nerveux de ces enfants, ce dont ils n'ont manifestement pas besoin !

Alors ne rien prescrire ? J'en serais tenté. Pourtant je crois qu'il faut donner un médicament. Car les pauvres parents viennent de très bonne foi demander le médicament miracle. Les laisser partir sans rien, ce serait tout de même trop leur demander. Donnons-leur quelque chose, mais en leur disant bien que ce n'est pas cela le vrai traitement, c'est seulement pour les aider un peu.

L'hiver l'enfant a besoin de sa petite dose de vitamine D. Eh bien, il n'y a qu'à la donner, sinon je leur donnais souvent quelques vitamines du groupe B sous forme le plus souvent d'ultralevure, ce qui fait bien rire certains médecins ou pharmaciens, mais en fait cela me semble avoir manifestement une petite action sur l'appétit et en tout cas s'il y a un médicament inoffensif, c'est bien celui-là !

Actuellement la plupart des médecins prescrivent de la Périactine, qui effectivement stimule un peu l'appétit, très probablement en donnant une certaine hypoglycémie. Mais c'est déjà un peu moins inoffensif et en tout cas très transitoire, car dès qu'on arrête, l'enfant reperd le poids qu'il a pris. À mon avis, cela a bien peu d'intérêt.

*

* *

Ce traitement de l'anorexie, tellement simple, est pourtant bien difficile à faire admettre aux parents. J'ai souvent dit que cette anorexie était ce qui en quarante ans de pédiatrie m'avait apporté le plus de désillusions et le plus de joies.

Le plus de désillusions, car lorsque je voyais un de ces petits anorexiques, je savais à la première phrase de la mère et bien souvent au premier regard dans la salle d'attente que j'en avais pour une heure et que bien des fois ce serait une heure perdue : sitôt sortie, la mère prendrait rendez-vous chez un autre médecin plus raisonnable. Que de fois je croyais avoir réussi à convaincre la mère, mais en partant elle me disait : « Oui je crois que vous avez raison, mais tout de même, s'il pouvait manger autant que son petit cousin ! » (me montrant bien qu'elle n'avait pas compris), ou bien encore : « Oui, je vais essayer ! » (Non, ce n'est pas la peine, cela ne marchera sûrement pas, puisqu'au premier essai l'enfant ne mangera rien et on abandonnera.)

Et pourtant cela m'a aussi donné les plus grandes joies de ma carrière. Oui, dans bien des cas, j'ai été plus éloquent ou plus patient (cela tient à bien peu de chose) et la mère sortait rassurée de savoir que son enfant ne se laisserait jamais mourir de faim, elle était tout heureuse de savoir qu'elle avait simplement la chance d'avoir un enfant économique. J'étais sûr qu'il était déjà guéri pratiquement. J'avais alors l'énorme satisfaction d'avoir transformé la vie d'une mère et de son foyer, en y rétablissant le calme, en redonnant à ce repas, qui était devenu un cauchemar, sa place de bonne détente dans la vie familiale et son rôle éducatif. Je crois que je n'ai jamais reçu de remerciements plus sincères que ceux de ces mères.

Certains trouveront peut-être que j'ai traité trop longuement un sujet purement médical. En fait cette anorexie, si fréquente, retentit moins sur la santé de l'enfant que sur son éducation et sur l'atmosphère familiale ; n'est-on pas en plein dans la transmission de l'amour ? C'est aussi un des cas où les parents, pour leur enfant, doivent avoir le courage de se remettre en question pour :

– écouter des conseils qui heurtent leurs méthodes éducatives;

– admettre une diététique qui bouleverse leurs habitudes;

– accepter de sortir de chez le médecin sans l'ordonnance qu'ils étaient venus chercher.

XI.– L'ÉCOLE

Une bonne préparation

Les difficultés scolaires

Ce sujet déborde le programme que je m'étais fixé. Mais, très souvent consulté pour des difficultés scolaires et longtemps confronté moi-même à ces problèmes, comme bon nombre de mes enfants, je pense devoir ajouter ce chapitre. Chapitre important en effet, car les échecs scolaires sont cause de bien des difficultés et finalement du désarroi de toute une famille :

– des parents, déçus dans leur espoir, inquiets, à juste titre, de l'avenir de l'enfant, blessés dans leur orgueil, et finalement furieux contre l'enfant ;

– de l'enfant qui souffre malgré les apparences, supporte mal le dépit familial, durcit son caractère, et surtout ne s'épanouit pas selon ses possibilités.

Je ne traiterai que l'essentiel du sujet, mais cela englobera la grande majorité des problèmes scolaires chez un enfant d'intelligence normale.

Cela pourrait se résumer en une phrase : donner confiance à l'enfant, lui redonner confiance dans l'échec.

UNE BONNE PRÉPARATION

1. Dès la naissance

Cette préparation commence dès la naissance en aidant l'enfant à s'épanouir sur tous les points, en laissant se développer *ses qualités d'enfant.*

a) Acceptons sa vitalité et son audace

Même si elles nous agacent : guidons ce flot impétueux, sans le briser, mais en apprenant à l'enfant à accepter quelques contraintes nécessaires à son épanouissement, et à la vie collective. Laissons-le se stabiliser sur ce qui l'intéresse pour favoriser sa joie de l'effort. Amenons-le à considérer une chute, une erreur, une maladresse, non comme un échec, mais comme un facteur de progrès.

Qu'il est important pour les parents de se maîtriser devant un petit risque, devant une chute : ne pas gronder, ni se moquer, ne pas non plus se précipiter, ni s'apitoyer ; cela déclenche immédiatement des pleurs ; et ensuite l'enfant n'osera pas recommencer, ne prendra plus d'initiatives, attendra tranquillement l'aide et la protection de maman. Il faut tout simplement le féliciter joyeusement d'avoir presque réussi, et c'est avec joie, lui aussi, qu'il se relèvera, sans même penser à une légère douleur, pour recommencer immédiatement avec succès.

Cela peut paraître bien loin des problèmes scolaires et pourtant c'est bien la préparation à tout l'avenir de l'enfant et tout d'abord à son avenir scolaire. Cela conditionne toute la confiance qu'il aura en lui-même et lui fera vaincre les obstacles ; sinon ce sera le blocage devant la moindre difficulté, qui lui paraîtra infranchissable, rendant tout effort inutile, et le découragement devant l'échec, dans l'attente d'une aide éventuelle.

b) Conservons sa joie d'apprendre

Gardons-lui sa joie d'apprendre : de parler, de manipuler, d'explorer, de tout découvrir, de savoir le « pourquoi » des choses. Joie amplifiée si les parents savent applaudir aux premiers sons qu'il émet, le laissent manipuler presque tout, le remercient de l'aide qu'il cherche à leur apporter (même si cela les retarde), répondent avec bienveillance et exactitude à tous ses « pourquoi ». Joie que l'on peut si facilement supprimer dans le cas contraire, la transformant alors en passivité tranquille, qui peut parfois satisfaire certains parents, momentanément, mais dont les conséquences sont dramatiques pour l'enfant.

c) Avec beaucoup d'amour

Tout cela doit se passer dans une grande ambiance d'amour, je n'y reviens pas. Seul l'amour rend valable l'effort, l'acceptation des contraintes, des limites à la liberté.

– Cet enfant, satisfait dans ses besoins affectifs, sait accepter par amour quelques contraintes et pourra se passer momentanément de sa mère.

– Son besoin d'activité respecté, dans la joie, à son rythme, mais parfois guidé, lui a déjà appris à coordonner ses mouvements, à contrôler un peu sa vitalité, à se stabiliser sur ce qui l'intéresse.

– Suffisamment libre, il sait reconnaître les limites de cette liberté et les admettre.

– Il garde intactes sa joie de connaître et aussi sa joie de l'effort soutenue par sa confiance en ses éducateurs et en ses propres possibilités. Il sait ne pas considérer une erreur comme un échec, mais comme un moyen de progrès.

Il est mûr pour entrer à l'école.

2. L'école maternelle

a) Elle est utile... mais à une condition

Conçue initialement comme garderie, elle est transformée aujourd'hui en enseignement préscolaire. Le jeu, les manipulations, le dessin aident l'enfant dans son développement psychomoteur, en favorisant une bonne coordination des mouvements, son sens de l'orientation spatiale, sa latéralisation, son langage. Cette première expérience sociale va l'habituer à la vie en collectivité avec des camarades et une maîtresse. Mais tout cela doit être vécu de façon enrichissante et non dans l'angoisse.

Donc expérience valorisante, facteur de maturation, à la condition que l'enfant ait déjà une certaine maturité pour en profiter. En particulier une maturité affective pour pouvoir supporter sans inconvénient un sevrage maternel de quelques heures par jour. C'est dire que beaucoup d'enfants vont à l'école maternelle trop tôt. Je sais bien que dans certains cas cette précocité est parfois nécessitée par des raisons légitimes, dont j'ai déjà parlé.

b) Les réactions de l'enfant

Les réactions de l'enfant sont souvent ambiguës. Le voilà donc qui entre dans ce monde nouveau. C'est souvent avec joie : joie de connaître, d'apprendre tant de belles choses, qu'il imagine ; attrait

237

du nouveau : du beau cartable, des camarades, un certain désir d'émancipation. Mais tout cela est mitigé et il faut bien comprendre l'enfant pour ne pas risquer de transformer en désillusion, en corvée ou même en frayeur ce qui doit rester joie.

Sa joie de connaître! Veillons bien à la lui conserver. L'enfant parlera très sérieusement de « son travail », de même qu'il sait fort bien mimer tout ce que fait l'adulte. Il parlait d'ailleurs depuis longtemps de son travail, et de « son école » (du moins s'il a des frères et sœurs plus âgés), il en décrivait avec détails les locaux et le mobilier, qui évidemment, étaient strictement ceux de sa chambre! Mais que cela reste bien un jeu, pour ne pas risquer de se transformer déjà en corvée.

Les camarades sont source de joie, de dynamisme. Mais aussi il entre dans un monde de compétition, de jalousie, de premières vexations. L'intégration n'est pas toujours facile, l'enfant peut ne pas être accepté, ou n'être pas assez mûr pour participer, ce qui entraîne parfois un désarroi, surtout lors des récréations.

Son besoin d'émancipation se mêle au regret de quitter la famille, avec presque toujours une certaine nostalgie qui peut parfois se transformer en frayeur.

La maîtresse est celle qui sait tout. Mais elle sera aussi le substitut maternel qui détient l'autorité, et aussi l'amour. Elle doit laisser établir un climat d'amour, tout en sachant contrôler un peu ce transfert affectif qui se fait sur elle.

c) *Des difficultés*

Des difficultés surgissent parfois. Elles sont pratiquement toujours dues à un manque de maturité.

– *Sur le plan psychomoteur*

Une immaturité psychomotrice : Troubles de la coordination, de l'orientation spatiale, de la latéralité (enfant malhabile, instable), ou troubles du langage… Ce n'est pas bien grave. Il faut surtout dédramatiser pour ne pas risquer de transformer en pathologique quelque chose de normal. L'enfant est justement là pour se perfectionner et mûrir sur ce point en attendant la véritable école. Donc surtout ne pas lui faire remarquer ses difficultés, respecter son rythme, le mettre en confiance pour l'aider à mûrir, ne pas être trop pressé. Un retard important et trop persistant, surtout retard de parole, devra être rééduqué avant le CP mais c'est bien rare.

Pour la latéralité : pas de heurts, ni d'affolement. L'enfant est le plus souvent mal latéralisé avant cinq ou sept ans et il prend un objet tantôt d'une main, tantôt de l'autre. Laissons-le se latéraliser, en l'aidant gentiment à se servir de la main droite, ce qui n'a pas d'inconvénient si c'est fait sans heurt. Les troubles sérieux qui ont été observés chez les gauchers contrariés étaient dus autrefois essentiellement aux punitions, vexations (« la mauvaise main », etc.) infligées à l'enfant, qui finissait par se croire anormal. Ce n'est plus à craindre.

Aujourd'hui c'est parfois l'inverse. J'ai vu plusieurs fois des enfants qui étaient, en fait, presque sûrement des droitiers contrariés et qu'on forçait à écrire de la main gauche parce qu'à la maternelle ils avaient d'abord pris le crayon de cette main. N'allons pas d'un excès à l'autre!

Par contre en CP, si l'enfant écrit franchement de la main gauche, laissons-le faire.

La fatigue, le surmenage! Oui! j'ai bien souvent vu d'authentiques « surmenages scolaires » en maternelle : enfant dont la joie est transformée en corvée (que cela devient fatigant!), ou au contraire enfant ayant un si fort désir d'apprendre qu'il ne veut rien perdre de ce que dit ou fait faire la maîtresse. Il prend trop au sérieux son « travail ».

De grâce, soyons sérieux en effet : restons dans le jeu à cet âge et respectons aussi la sieste qui est nécessaire jusqu'à environ quatre ans et parfois plus.

Un enfant à six ans ne peut pas fixer son attention plus de deux heures par jour et souvent moins, et pas pendant plus de vingt minutes consécutives. En maternelle, c'est bien moins.

– En fait les difficultés les plus fréquentes sont d'ordre affectif

Les manifestations en sont variées : parfois réactions violentes, traumatisme d'abandon : désarroi avec agitation, oppositions, cris... ou manifestations viscérales : vomissements, douleurs abdominales intenses (simulant un syndrome ulcéreux et pouvant même y aboutir), crise d'asthme...

Plus souvent nostalgie silencieuse : l'enfant va à l'école volontiers... ou sans discussion, parce qu'il ne peut pas faire autrement, mais devient irritable, nerveux, ne fait rien à l'école, il est capricieux et coléreux à la maison. Ou bien l'enfant se replie sur lui et cherche à régresser : accapare la maîtresse, attire l'attention sur lui, ne travaille que si elle est près de lui ; de même à la maison, il accapare la mère : ne s'habille plus seul, fait des comédies pour manger, une énurésie réapparaît.

Les causes en sont pratiquement toujours une *immaturité* ou un déséquilibre affectif : enfant trop jeune, enfant qui n'a pas encore accepté par amour sa contrainte sphinctérienne, ou n'a pas encore liquidé ce conflit d'Œdipe qui l'attache intensément et de façon exclusive à sa mère, ou qui n'a pas accepté de partager cet amour avec un petit frère, qui, lui, reste à la maison. *Déséquilibre affectif :* enfant surprotégé, il reste bébé, ne peut évoluer au rythme des autres ; ou insuffisamment entouré et qui se replie sur lui ; ou les deux à la fois, ce n'est nullement contradictoire. Régressions momentanées en cours d'année par un traumatisme affectif (déménagement, naissance...). De toute façon, s'ils sont méconnus, ces troubles affectifs risquent de créer une répulsion pour l'école, qui inhibe l'enfant pour longtemps et parfois pour toute sa scolarité.

Il est important d'y remédier. Dans les cas bénins il suffira d'améliorer le climat affectif : à l'école avec la complicité bienveillante de la maîtresse, mais aussi à la maison : l'accueillir avec amour dès la sortie de l'école, s'intéresser à ses découvertes, applaudir ses premières prouesses, lui redonner confiance dans ses déboires avec les camarades (mais sans s'apitoyer), ne jamais lui dire : « Toi qui es grand »… (c'est ce qu'il ne veut pas être) ou « Tu n'es pas un grand » (c'est ce qu'il souhaite).

Si le trouble est sérieux, il est préférable de renoncer provisoirement à l'école, en attendant une plus grande maturité ou l'effacement d'un choc affectif. On en profitera pour rectifier quelques petites erreurs éducatives.

Certains troubles et en particulier ce traumatisme d'abandon du début auraient parfois pu être évités par une petite préparation : visite à l'école, présentation à la maîtresse, à la directrice ; et en attisant un peu sa curiosité, sa joie de découverte, de nouvelle camaraderie… Mais que tout cela se fasse d'une façon toute simple et très naturelle, sans insister outre mesure. « Trop, c'est trop », comme on dit. Attention à l'anxiété maternelle. La mère qui a tellement peur que son enfant soit anxieux déclenchera forcément cette anxiété par des excès de mise en garde. C'est exactement comme lorsqu'on amène au médecin un enfant : il se laisse parfaitement examiner, sans aucune crainte, si les parents ont agi tout naturellement sans mensonge, ni surenchère : « On va chez le médecin pour être guéri, ou soulagé » sans rien ajouter. Les enfants qu'on ne peut pas examiner sont toujours ceux auxquels les parents inquiets ont cru bon de camoufler la cause de la visite ; ou bien plus souvent ceux que des parents, encore plus inquiets, ont essayé de « rassurer » tellement qu'ils les ont forcément mis sur leurs gardes ! En fait, l'anxiété de l'enfant n'est que la manifestation, le reflet de l'anxiété des parents. De grâce, gardons cette simplicité, ce naturel et maintenons l'enfant dans cet état d'esprit qui est normalement le sien.

Bref, qu'en maternelle l'éducation soit centrée sur le développement harmonieux de l'enfant, en tenant compte de son tempérament d'enfant, de ses besoins, de ses capacités, de ses intérêts, de ce qui lui fait plaisir, et de son équilibre affectif, pour lui *maintenir à tout prix cette soif de découvrir le monde* qui le caractérise si bien et sera sa grande force plus tard, dans ses études.

3. Le passage en cours préparatoire

a) Quelques mots sur l'âge

Pour la législation française il faut avoir six ans au 1er janvier, dans d'autres pays sept ans.

Ce qui est important là encore, c'est que l'enfant ait acquis une maturité suffisante : affective, intellectuelle, motrice : bonne coordination des muscles, bonne représentation dans l'espace, bon contrôle graphique, maîtrise rythmique, perception visuelle fine, et l'âge en est variable.

Mettre l'enfant en CP avant cette maturité, c'est forcément le mettre en difficulté : soit qu'il réussisse, mais au prix d'un effort nuisible, qui risque fort de transformer la joie en corvée, soit qu'il échoue et se dégoûte des études. Le redoublement nécessaire le sauvera peut-être, mais sera rarement valorisant.

Donc à quel âge? Puisqu'on est en France, on est bien obligé de respecter la loi, et à six ans la plupart des enfants ont en effet atteint cette maturité.

Mais quelques-uns auraient fortement bénéficié d'attendre un an de plus. N'hésitons pas à attendre si c'est trop évident.

Certains ont cette maturité à cinq ans et quelques-uns s'ennuieraient et perdraient leur temps dans une classe sans intérêt pour eux (on a même vu des surdoués être derniers de classe, parce qu'ils ne pouvaient s'adapter à des méthodes ou des raisonnements trop enfantins!), mais il s'agit là d'une minorité. Et il est sage de penser que nos enfants n'en font pas forcément partie.

Bien trop de parents demandent des dispenses d'âge. Elles sont rarement bénéfiques, très souvent nuisibles. La plupart de ces enfants sont obligés de redoubler un jour, avec cet inconvénient d'avoir gâché les premières années et de manquer de bases, ce qui entraînera bien souvent en fait d'autres redoublements.

D'autres suivent bien, mais que de fois j'ai vu des enfants en avance d'un an, pourtant dans les premiers de la classe, qu'on m'amenait fatigués, épuisés par cet effort supplémentaire qu'ils faisaient depuis des années. Les faire redoubler, cela semblait ridicule à tout le monde, vu leurs résultats! et d'ailleurs pas forcément bénéfique, car mal accepté par l'enfant le plus souvent! Alors, faut-il souhaiter une maladie, un accident providentiel qui obligerait à ce redoublement, seule planche de salut?

Quelques-uns arrivent en terminale avec cette année d'avance et même réussissent assez bien des études supérieures, grâce à leur vivacité d'esprit et leur mémoire! Mais quel dommage qu'ils n'aient pas eu par surcroît une année de plus de maturité! Plusieurs, dont j'ai eu les confidences à l'âge adulte, m'ont avoué qu'ils le regrettaient en effet beaucoup et qu'ils auraient eu une formation autrement valable pour eux et pour la société, avec une petite maturité supplémentaire dans leurs études.

En bref on peut affirmer que mettre un enfant en avance à l'école a beaucoup plus de chances de le retarder que de l'avancer, et risque en fin de compte de lui donner une moins bonne formation. Tous nos enfants ne sont pas des génies!

b) L'enfant en CP

Voilà donc notre enfant qui entre en CP : il monte un palier et franchit une épreuve.

Il a conservé (on peut l'espérer) sa joie de connaître, de découvrir. Hélas, ce ne sont plus des connaissances acquises au gré de sa fantaisie, mais fondées sur des règles d'apprentissage. Il peut y avoir opposition entre son appétit de savoir et certains buts ou certaines méthodes d'enseignement. Il a ses besoins et la société veut lui imposer des modes de pensée d'adulte en miniature.

Mais il reste un enfant, et son caractère d'enfant va se heurter à des impératifs. Il garde son imagination, son goût du rêve et pourtant « on n'est pas là pour rêver! », sa vitalité, et il faudra qu'il ne gêne pas les autres par sa turbulence; son instabilité, il ne peut fixer son attention pendant plus de vingt minutes, et il faudra qu'il reste longtemps en place ; son goût du jeu...

Il est évident que la joie du début risque de se transformer rapidement, dans certains cas en désarroi, dans beaucoup d'autres en corvée sans but, inventée par les adultes et à laquelle il est obligé de se plier.

Que ce CP est important et surtout ses premières semaines ! De la façon dont l'enfant l'a vécu va dépendre pour une grande part le reste de sa scolarité. De grâce veillons à ne pas couper à l'enfant sa soif de connaissance, à lui conserver son intérêt pour les études.

Et chez cet enfant qui a eu ses premières désillusions, ne cherchons pas des stimulants dans l'abstrait et le futur : les mots abstraits (conscience, réussite...) n'ont aucun sens pour lui, le désir de devenir grand ne peut que l'inhiber davantage. Un avenir lointain ? Il s'en moque, ou ne voit aucune relation avec ce qu'on lui propose.

Je me souviens de Luc, lorsqu'il se débattait avec ses premiers problèmes scolaires et que sa mère lui a dit : « Il faut bien que tu travailles pour avoir un métier un jour. » Il lui a répondu avec une assurance tranquille : « Beu ! j's'rai marin ! »

Ne faisons pas non plus trop appel aux sentiments, satisfactions d'amour-propre, désir de plaire, récompense ou punition... Ce faisant, on fait appel aux sentiments les moins nobles : orgueil des récompenses, crainte des punitions et souvent on déclenche un sentiment de culpabilité. Tout cela est négatif et souvent anti-éducatif, l'enfant cherchant non à faire plaisir, mais à plaire, non à devenir meilleur, mais à être bien jugé.

Non il n'y a de valable à cet âge que le concret, le présent, le goût du jeu à exploiter peut-être, la curiosité, le désir de lire de belles histoires. Et il faut lui en lire pour lui en donner l'attrait (quitte de temps en temps à arrêter sur un passage passionnant, en laissant le livre à sa portée). Je sais bien qu'aujourd'hui il y a un gros obstacle, c'est la télévision, les bandes dessinées...

En pratique donc, que l'enfant ait une maturité suffisante pour désirer lire et pour accepter quelques contraintes; que le tout soit orienté non sur un but lointain mais sur l'enfant et le présent; qu'on sache développer non l'autorité mais la confiance.

Tâchons de leur garder à tout prix cette joie d'apprendre.

LES DIFFICULTÉS SCOLAIRES

Pour un pédiatre, chez les enfants de plus de six ans, c'est le *motif le plus fréquent des consultations.*

Ou bien les parents viennent demander un conseil, d'eux-mêmes ou sur l'avis du professeur, pour des difficultés précises. Ils désirent un conseil, ou plutôt le médicament miracle, car le diagnostic est fait : « l'enfant est paresseux », et le traitement est déjà entrepris, à base de répétitions, de surveillance plus grande, de punitions...

Ou bien les parents sont inquiets du comportement de l'enfant qui devient instable, turbulent, coléreux, refuse de travailler « n'en fait qu'à sa tête », est arrogant avec le professeur, etc., et finalement on ne peut plus le supporter à l'école, ni à la maison, et lui non plus ne peut supporter ni l'un ni l'autre, ou même ce sont des fugues, vols, phobies scolaires...

Ou bien ils viennent pour tout autre trouble, maux de tête, insomnie, vomissements, douleurs abdominales... et après un examen soigneux et une enquête précise, il faut parfois penser aux problèmes scolaires.

Mais souvent aussi, c'est tout à fait par hasard, à l'occasion d'une consultation, pour un autre enfant, qui s'avère assez simple et courte. Au moment où l'on se réjouit de pouvoir savourer un peu de repos, les parents vous lancent cette phrase : « Vous n'auriez pas un remède à donner à celui-là qui ne fait rien en classe », « Il ne comprend rien », « Il devient idiot », « Il n'aime que jouer », etc., et finalement revient toujours le verdict : « Il est paresseux. » Et alors cette consultation qui s'annonçait si simple, mais en grande partie inutile, se prolonge pendant une heure, devient compliquée et fatigante, mais passionnante et parfois féconde, si elle a pu rassurer les parents et par là même rendre confiance à l'enfant.

Avant d'envisager le problème des difficultés scolaires, le plus important est de se mettre d'accord sur *le but de l'éducation*.

Pour les parents : que ce ne soit pas d'emblée un but arbitraire fixé par eux, dont l'idéal sera souvent que l'enfant entre dans telle école à dix-sept ans et, pour cela, qu'il soit dans les premiers de la classe, qu'il soit en avance d'un an, sans s'occuper de savoir s'il réussit par pure mémoire ou s'il assimile ce qui est nécessaire à sa formation. Cela doit être d'abord d'en faire un homme équilibré, libre, ayant acquis sa personnalité, responsable de ses actes, conscient des limites de cette liberté; capable de tenir dans la société une place adaptée à ses aptitudes et à ses goûts; capable de se donner aux autres, à un idéal, capable d'aimer. La réussite scolaire en découlera tout naturellement.

Mais il faut tout l'amour des parents pour accepter la différence entre l'enfant du rêve et celui de la réalité!

Pour les maîtres : que le premier but ne soit pas le diplôme à obtenir, mais aider l'enfant à acquérir une bonne formation humaine. Tout cela est bien connu, claironné bien haut par tout le monde, mais est-ce toujours bien exact?

Pour tout le monde : comprenons bien que l'enfant n'est pas un adulte en miniature auquel on va imposer de force notre manière de voir d'adulte, mais qu'il est un enfant avec ses besoins, son caractère, sa fragilité. Il doit vivre sa vie d'enfant de façon épanouissante, dans les meilleures conditions déterminées par ses goûts, ses aptitudes et franchir progressivement, en temps voulu, les étapes qui l'amèneront à acquérir sa maturité. Et aussi souvenons-nous bien avec quelle facilité un enfant se laisse suggestionner par l'adulte.

Le mot entraîne sa réalisation : « Tu vas tomber », il tombe, « Tu vas casser cela », il le laisse tomber, etc. Il est bien évident que s'il entend dire (et trop souvent c'est de façon répétée!) : « Tu ne fais rien », « Tu n'es bon à rien », « Tu es paresseux »... il ne fera rien, ne sera bon à rien, sera paresseux. Il en prend son parti, juge tout effort inutile. Celui qui toutes les semaines voit écrit sur son carnet « mauvais résultats, manque de travail » verra ses notes baisser progressivement. Mais qu'il est difficile de faire comprendre cela à bien des parents et bien des professeurs!

La paresse existe-t-elle?

Question qu'on m'a bien souvent posée et à laquelle je répondais : si la paresse consiste à préférer les distractions au travail, oui, elle existe! Je pense alors que nous sommes tous paresseux, donc normaux. Et cela, surtout si on nous propose un travail fastidieux, sans but précis, et qui semble dépasser nos possibilités.

Par contre, nous ferons l'effort avec ardeur s'il y a un intérêt, un but, un idéal, si on en a les moyens, et surtout si on est bien persuadé de pouvoir y arriver.

Lorsqu'un enfant fléchit dans son travail, ou dans ses résultats, il y a une cause. Le traiter de paresseux, le punir, le vexer ne pourra qu'aggraver les choses. Le seul traitement est de traiter la cause. En médecine, traiter un symptôme d'une maladie sans traiter la maladie est absurde : chez un enfant qui tousse on ne donne pas un sirop pour la toux sans examen. Chez un enfant qui a mal au ventre et vomit, donner un sédatif peut être une erreur mortelle si l'enfant a une appendicite. Il en est de même pour la « paresse ».

Donc cherchons d'abord la cause des échecs scolaires. Elle peut être d'origine physique, intellectuelle ou affective.

1. Difficultés d'origine physique

Cela peut être une défaillance de santé : la fatigue, « l'asthénie », ou un déficit moteur ou sensoriel.

a) La fatigue

Les forces vitales d'un individu servent d'abord à entretenir la vie et chez l'enfant à assurer la croissance. Il n'y a que le surplus qui permette les activités physiques et intellectuelles. Un enfant fatigué ne peut donc pas assurer un travail intellectuel valable.

– Cette fatigue se manifeste de façon très variée
Elle peut être *évidente*, baisse d'activité sur tous les plans : effondrement scolaire, mais aussi refus du jeu ; aspect évocateur : pâleur, yeux cernés, regard terne ; somnolence, enfant affalé dans un fauteuil.

Malheureusement elle est plus souvent *inapparente,* et alors, méconnue, elle est interprétée comme paresse : par les parents et par l'enfant lui-même. La seule manifestation en effet semble la baisse du rendement scolaire, l'enfant faiblit dans tous les domaines : trous de mémoire, vocabulaire très pauvre : il parle de « machin », de « truc », erreurs d'orthographe, de calcul, « impardonnables » ; il ne fixe plus son attention ; son jugement manque de netteté, il ne sait plus conduire un raisonnement ; il manque de volonté ; il manque de maîtrise de soi, il est le jouet de ses impulsions ; finalement c'est le désintérêt des études, « cela ne m'intéresse plus », répète-t-il.

Deux faits sont importants à noter : le rendement baisse en cours d'année et la déficience est souvent intermittente, il échoue complètement à un travail, qu'il avait très bien pu faire à d'autres moments. Ce qui est interprété comme mauvaise volonté : « Vous voyez qu'il peut quand il veut », oui, mais pour vouloir, il faut pouvoir.

Donc paresse! Et pourtant il y a d'autres petits signes : maux de tête en fin de journée, les jours de classe; manque d'appétit, nausées, maux de ventre; instabilité psychomotrice : gestes lents, presque figés, ou au contraire turbulence, tics, déplacement d'objets sans motif; insomnie, cauchemar : parfois la fatigue le soir le fait s'effondrer dans le sommeil, plus souvent l'énervement, l'excitation l'empêchent de s'endormir, il a des cauchemars, et le matin il n'arrive pas à se réveiller; modifications du caractère : besoin de solitude, instabilité, larmes faciles.

Le drame est que souvent cette fatigue est d'autant plus inapparente qu'elle est *camouflée*.

Soit par un aspect extérieur trompeur : une grande croissance : « Lui qui est grand et fort, il devrait... » Non, il ne peut pas. En fait toutes ses forces vitales sont utilisées momentanément par cette croissance et par les transformations physiologiques de la puberté qui se font en même temps.

Soit parce que les activités physiques ne sont pas diminuées : « Il n'est pas fatigué lorsqu'il s'agit de jouer »! Eh oui! car en cas de fatigue, les activités intellectuelles sont, pour beaucoup, nettement plus pénibles que ces activités physiques. Mais en fait, si on observe bien, on voit que les activités physiques sont dirigées par des centres nerveux en mauvais état : turbulence en classe, mouvements sans mesure dans le jeu, cris, agitation.

De toute façon, tout cela va être terriblement aggravé par : les devoirs à refaire, les leçons à réapprendre, les répétitions... qui accentuent la fatigue; les punitions qui suppriment la détente indispensable; les reproches qui créent le découragement et un sentiment de culpabilité.

L'enfant lui-même se sent coupable de sa fatigue et s'accuse de paresse!

– Bien des causes peuvent expliquer cette fatigue

Déficiences constitutionnelles.

Handicap : sensoriel, intellectuel, affectif. On y reviendra.

Déficiences temporaires : convalescence de maladie, période de croissance, puberté.

Surmenage scolaire : programme trop vaste, trop d'heures de travail, ou mal réparties. La répartition de l'année scolaire est-elle raisonnable ? Le nombre des jours de congé dépasse le nombre des jours de classe, et dans la semaine on en arrive souvent à quatre jours de travail. C'est très bien pour les parents et professeurs, mais peut-être moins pour les possibilités réelles des enfants, qui doivent ingurgiter tant de choses en quatre jours. Beaucoup d'enfants résistent à ce « malmenage », mais il n'est pas étonnant que ce ne soit pas la totalité.

Inadaptation de l'enfant : trop jeune, trop lent, ce n'est pas trop grave. Il suffit de respecter momentanément son rythme pour que tout s'arrange, le plus souvent. Mais encore faut-il le respecter !

Cela a été le cas d'un de mes enfants qui, dans une des classes élémentaires, était très lent parce qu'il avait besoin de réfléchir, de comprendre. Si bien que dans une dictée il n'y avait aucun mot écrit en entier, parfois quelques lettres seulement. Sur dix opérations il n'y en avait que deux de faites, mais elles étaient bonnes. La maîtresse a eu l'admirable bon sens de ne pas noter les dictées, mais d'y mettre une appréciation encourageante et de se contenter de mettre un B sur chacune des deux opérations faites. À la fin de l'année, il arrivait à écrire presque toute la dictée et à faire presque toutes les opérations, et l'année suivante il suivait le rythme. Bravo à cette maîtresse !

Tout ce qui n'est pas adapté à l'enfant, à son rythme, ses aptitudes, ses besoins est fastidieux et entraîne le surmenage et la fatigue.

Hygiène défectueuse : parfois difficile à éviter : trajets trop longs à pied ou en bus ; logement trop exigu ou trop bruyant ne permettant pas à l'enfant de travailler dans le calme. Mais souvent évitable : coucher trop tardif, télévision le soir, les jours de congé, remplaçant une saine détente au grand air, week-end trop fatigant, sport trop violent, enfant déposé le matin de bonne heure à l'école et repris trop tard le soir.

– Le traitement de cette fatigue est évident
Les médicaments sont souvent plus dangereux qu'utiles : surtout pas de stimulants qui ne feraient qu'énerver l'enfant; quelquefois un petit calmant très anodin peut être utile momentanément. Je prescrivais parfois de l'acide glutamique qui favorise un peu le travail cérébral mais dont l'intérêt était surtout de redonner confiance à l'enfant.

Les mesures d'hygiène sont autrement utiles : la fatigue n'a qu'un seul traitement, le repos, donc du sommeil et des loisirs.

Il faut absolument une demi-heure ou une heure de sommeil supplémentaire.

Les loisirs doivent être respectés. À la maison assurer des moments de détente. À l'école ne supprimer sous aucun prétexte les récréations (pour refaire un devoir ou « rattraper » un retard…), on est sûr que l'heure suivante serait totalement perdue; et si par malheur cette suppression est faite à titre de punition, cela devient catastrophique. La récréation, la détente n'est nullement une récompense, mais une nécessité absolue pour l'enfant d'âge scolaire… surtout si on voit le rendement baisser!

Les exercices physiques, surtout au grand air, doivent également être respectés. Un sport trop violent est parfois à déconseiller, s'il ajoute un surmenage physique à un surmenage intellectuel. Mais la pratique normale d'un sport ne peut être qu'une excellente chose, si elle correspond bien à une saine détente et redonne un peu la joie de vivre. Vis-à-vis de succès sportifs, surtout savoir les applaudir et ne pas les mépriser en disant à l'enfant, ce qui est si fréquent : « Tu ferais mieux d'être premier à l'école. »

Pour ce qui est du travail : il y a une nécessité absolue de le diminuer, d'une part, pour assurer le repos et la détente indispensables et, d'autre part, une heure de travail chez un sujet reposé est autrement féconde que plusieurs heures s'il est épuisé. Donc en accord avec le professeur il faudra d'abord supprimer tout le travail supplémentaire qui souvent a été ajouté aux heures de classe : leçons particulières, travail à refaire, punitions… et en plus obtenir que l'enfant ait une heure de travail en moins, ou qu'il puisse la supprimer si c'est nécessaire. Si c'est vraiment fait, on verra rapidement les notes remonter! J'en ai eu de multiples exemples.

Tels ces deux enfants que j'ai vus au début d'un second trimestre presque en même temps. Les deux mères m'ont raconté à peu près exactement la même histoire : les résultats étaient déplorables et de toute façon l'enfant redoublerait sa classe. Mais pour être sûr que l'année suivante soit bonne, il avait tout un programme de leçons particulières et on venait tout simplement me demander le bon stimulant qui viendrait en plus l'aider à travailler. Ces deux enfants en début de puberté étaient manifestement fatigués et j'ai répondu à chacune des deux mères : tant mieux s'il redouble, cela va lui permettre de se reposer un peu, ce dont il a un besoin absolu, de façon à faire une bonne année l'an prochain. Donc supprimez les leçons particulières et demandez au professeur qu'il ait un peu moins de travail, de façon à ce qu'il puisse dormir une heure de plus. Je me souviens tout particulièrement de ces enfants, car le hasard a fait que je les ai revus tous les deux, également à quelques jours d'intervalle, à la fin juin. Pour l'un, comme pour l'autre, on avait suivi ce programme et il n'était plus question de redoublement, ils passaient dans la classe supérieure et en bon état.

Un camarade d'un de mes fils m'a été amené un mercredi après-midi pour la même raison. Mais c'était encore plus grave car les notes baissant avec une rapidité vertigineuse, il accumulait punitions, heures de colle… et finalement il devait travailler tous les soirs jusqu'à onze heures et tout l'après-midi du mercredi et du dimanche! J'ai donné le même traitement et d'emblée, puisque c'était le mercredi, j'ai dit au gars de rester jouer chez moi. Il s'est immédiatement mis à pleurer, en refusant, puisqu'il avait du travail pour toute la journée. Je l'ai alors emmené de force dans le jardin en lui disant que travail et punitions, je m'en chargeais. Une heure plus tard je le voyais jouer joyeusement. Je suis allé voir le professeur pour lui parler, non de mon fils, mais de ce camarade, ce dont il m'a beaucoup remercié.

Les notes ont remonté rapidement et l'année s'est terminée très honorablement.

En même temps il faut tenir très grand compte des *facteurs psychologiques* qui sont forcément toujours associés, soit comme cause, soit comme conséquence, et en tout cas aggravent toujours le problème. Donc : le déculpabiliser, le prendre au sérieux (qu'il sache qu'on a compris sa fatigue) et lui redonner confiance en lui.

b) Handicaps physiques

Handicaps sensoriels : il faut toujours y penser devant un retard scolaire, surtout s'il s'accompagne de fatigue le soir :

– Déficit visuel qui entraîne des maux de tête le soir, les jours de classe. Il pourra le plus souvent être rectifié par des lunettes.

– Déficit auditif partiel : l'enfant parle mal, mais le déficit peut ne pas être évident et dans ce cas, l'enfant est rejeté par ses camarades, considéré comme désobéissant par les parents, comme inintelligent à l'école. Ces retards de dépistage sont plus rares aujourd'hui.

Ces handicaps auditifs laissent souvent quelques troubles, d'abord la fatigue par suite de l'effort plus grand à fournir dû à sa gêne fonctionnelle, des heures de travail supplémentaires entraînées par la rééducation et surtout cette sensation de ne pas être comme tout le monde : il est important, à ce sujet, que l'enfant mène une vie la plus proche possible de la normale et dans une classe normale, surtout s'il n'a qu'un petit déficit. Mais les camarades lui font souvent sentir son infirmité : les enfants ont pitié d'un grand infirme, pas d'un petit infirme! Les parents sont souvent trop hyperprotecteurs. Les maîtres également peuvent le vexer involontairement, faisant trop ressortir son infirmité en voulant l'aider ; ils doivent fournir la protection et l'aide bienveillantes, mais surtout très discrètes : le meilleur service qu'ils peuvent rendre c'est de parler toujours face à la classe, en articulant le mieux possible pour faciliter la lecture sur les lèvres.

Les difficultés de langage, troubles de l'articulation de certaines consonnes, bégaiements, retard de langage s'arrangent le plus souvent spontanément dans les premières années à condition surtout de ne pas les faire remarquer, mais de parler à l'enfant lentement et correctement. En effet l'émotion, l'anxiété les aggravent toujours immédiatement.

Mais si ces troubles persistent à l'âge scolaire, ils entraînent à leur tour l'anxiété et une rééducation est alors nécessaire.

Pour les handicapés moteurs, par *immaturité motrice,* chez ces enfants maladroits qui, à la maison renversent facilement des objets, à l'école ont des cahiers sales, une écriture maladroite, le traitement sera le même : patience et bienveillance en viendront bien souvent à bout, avant d'envisager une rééducation psychomotrice.

Quant à *la gaucherie,* ce n'est pas un handicap. Le gaucher est aussi normal qu'un droitier et aussi habile que lui, mais de sa main gauche, bien sûr. Il peut avoir une toute petite gêne dans la vie courante du fait que certains instruments sont faits pour les droitiers et que l'écriture a été conçue par eux, mais il la palliera facilement.

Les problèmes scolaires chez les gauchers ne peuvent pas être dus à leur gaucherie mais à la société : préjugés défavorables pour certains, légère gêne parfois pour le voisin, mais essentiellement traumatismes affectifs dus aux vexations maladroites et qui peuvent entraîner un sentiment d'infériorité, d'insécurité.

Si un jour on veut apprendre à un gaucher à écrire de la main droite, que ce soit sans aucune réflexion désagréable, sans contrainte. Présenter la chose non pas parce qu'il y a une anomalie à écrire de la main gauche, mais un avantage à savoir écrire également de la droite. Et surtout ne pas insister si la difficulté est trop grande.

2. Difficultés d'origine intellectuelle

Je ne parlerai pas des retards intellectuels dont le problème est très particulier et dépend de chaque cas. Mais uniquement des enfants d'intelligence normale.

a) Quelques retards scolaires facilement expliqués

Il y a d'abord tout un *groupe d'enfants d'intelligence normale,* mais qui risquent d'être éliminés de la filière habituelle, à cause *d'un retard scolaire* qui n'a rien à voir avec leur intelligence; par exemple : défaut d'assiduité scolaire par maladies répétées; changement trop fréquent de professeurs, d'école, par suite de déménagements; classes surencombrées; blocage par mauvaises méthodes éducatives; une certaine immaturité; enfants trop lents momentanément, ou simplement trop jeunes et encore cette asthénie due parfois exclusivement au surmenage intellectuel dont j'ai déjà parlé.

Ils n'ont souvent besoin que d'un décalage d'un an et encore plus d'une mise en confiance.

b) La dyslexie-dysorthographie

Je veux m'étendre davantage sur la dyslexie-dysorthographie. Problème si fréquent, qui atteint 5 à 10 % des enfants et qui est la cause majeure des échecs scolaires.

Je la connais malheureusement assez bien, puisque j'en suis atteint : je lis encore très lentement car je suis obligé de relire certains mots, ou même toute une phrase que je ne comprends pas, jusqu'à ce que je m'aperçoive que j'ai lu un mot de travers. Il m'est très pénible de lire un texte en public, si je ne l'ai pas déchiffré avant, je suis obligé de faire très attention et malgré cela je dois souvent me reprendre! Quant à l'orthographe je n'ai cessé d'avoir mon zéro qu'en classe de troisième… puisqu'il n'y avait plus de dictée!

Malheureusement la tare est familiale et plusieurs de mes enfants en ont subi plus ou moins les conséquences. J'ai donc essayé d'expliquer le problème à bien des professeurs, qui, il y a trente ans, ignoraient la chose et étaient parfois heureux de se renseigner; plus récemment ils la connaissaient et bien souvent je n'avais rien à leur apprendre! Hélas, si le problème est bien connu, il est rarement compris et pour cause, vu sa complexité!

J'ai souvent dit à mes élèves que, pour être un bon médecin, il faudrait avoir eu toutes les maladies, il y a toujours quelque chose qui nous manque, c'est d'avoir un jour été à la place du malade! Malheureusement un dyslexique ne pourra jamais être professeur de français ou de langues. Quel dommage!

Dans le cas présent mes enfants ont peut-être eu la chance d'avoir eu un père à la fois malade et médecin, cinq d'entre eux, qui m'ont été déclarés très franchement inaptes aux études, ont passé sans difficulté leur baccalauréat (section mathématiques bien sûr, ils ne pouvaient prétendre à autre chose!) puis fait des études supérieures avec succès.

Je me permets d'insister un peu sur ce syndrome qui garde encore bien des mystères.

– Qu'est-ce que la dyslexie-dysorthographie?
Il y a quarante ans j'aurais écrit dyslexie et dysorthographie. Aujourd'hui je mets un trait d'union car je crois de plus en plus que les deux sont presque toujours liées, tout dyslexique est forcément dysorthographique et je me demande si presque tous les dysorthographiques ne sont pas plus ou moins des dyslexiques. À première vue cela ne semble pas, mais en fait il est bien rare que la lecture soit strictement normale chez eux.

Quelle est donc cette infirmité? Il y a quarante ans j'aurais répondu avec assurance. Aujourd'hui après avoir vu des centaines et probablement des milliers d'enfants à problèmes scolaires et lu bien des études discordantes, je ne sais plus très bien. Donc s'il faut donner une définition, je me contenterai de traduire simplement le mot : « difficulté rebelle à lire et à écrire ».

– Les symptômes

Dans les cas les plus caractéristiques, l'apprentissage de la lecture et de l'écriture se heurte à des difficultés énormes.

Pour la lecture :

– Confusion des sons voisins (f et v, t et d, b et p, j et ch…).

– Confusion des lettres ayant des graphismes voisins (u et n, b, d, p et q qui sont identiques, seule l'orientation varie).

– Dans les syllabes, la confusion se fait dans la place respective des lettres, en particulier inversion, mais aussi omission ou addition de lettres.

– Pour les mots, on obtient une belle salade de syllabes et de lettres ou même carrément une substitution de mot n'ayant parfois aucun rapport avec le mot écrit et aucun sens.

– Les phrases sont mal découpées et finalement le texte n'est pas compris.

Pour l'écriture : toutes ces difficultés se retrouvent, avec en même temps des erreurs de syntaxe et de grammaire que les professeurs admettent difficilement! D'autant qu'elles s'accompagnent d'un graphisme défectueux, de difficultés à suivre les lignes et d'inversion allant jusqu'à l'écriture en miroir au début.

Il semblerait que tout soit évident et que la dyslexie soit bien facilement étiquetée. En fait, la plupart de ces erreurs, y compris l'écriture en miroir, se retrouvent chez beaucoup d'enfants au début. S'il fallait les rééduquer tous, ce serait un quart de la classe en début de CP. Il faut alors se contenter d'une patience bienveillante et éviter toute maladresse qui, en créant l'anxiété, pourrait créer de faux dyslexiques.

Il n'y a que le caractère rebelle des troubles qui permette de parler de dyslexie : lecture très tardive, orthographe très défectueuse.

À l'inverse, toutes ces erreurs peuvent apparemment manquer ou être très légères, car elles sont masquées par une lecture lente et très contrôlée (c'est sans doute presque aussi fréquent).

Alors sur quoi se baser? En fait il y a bien *difficulté à la lecture.* La date d'acquisition de celle-ci est tardive (contrastant avec une bonne acquisition du calcul); la lecture est lente, hésitante, presque syllabique; cette lenteur est aussi importante que les erreurs qu'elle masque et surtout la lecture reste et pour longtemps un effort rebutant qui enlève tout plaisir, tout intérêt : un de mes fils voyant l'un de ses frères lire de nombreux livres disait : « Mais quel plaisir peut-il avoir à lire? »

– L'évolution

Les difficultés ne vont qu'en s'accentuant. La lecture finit par être acquise, mais tardivement, ce n'est que vers neuf à dix ans que l'enfant comprend assez bien ce qu'il lit, et elle reste lente, hésitante le plus souvent. Toute l'acquisition de la langue française s'en ressent : langage écrit pauvre, maladroit (manque de vocabulaire par manque de lecture), puis ce sont les langues étrangères qui subissent le même sort, parfois même les mathématiques sont gênées par suite de difficultés à bien comprendre les termes d'un énoncé, ou à formuler correctement un raisonnement. Ou encore parce que, même pour ces matières, le professeur retire des points à cause de l'orthographe, ne laissant même pas la joie d'une bonne note en maths!

– Retentissement sur l'enfant (si la dyslexie n'est pas reconnue)

Les parents et professeurs considèrent l'enfant comme sot ou paresseux, incompréhension fort pardonnable d'ailleurs, sauf s'ils s'entêtent dans leur erreur.

Et l'enfant lui-même n'est pas conscient de l'erreur commise à son sujet, d'où :

– le découragement : il perd toute confiance en lui, convaincu qu'il ne réussira pas ; il en prend son parti, habitué à être le dernier, à être puni ;

– un sentiment de culpabilité qui accentue l'angoisse.

– Finalement un désintérêt total pour l'école – soit passif : il s'évade dans le rêve, se replie sur lui – soit agressif : c'est le chahut à l'école, la turbulence à la maison, « il est insupportable » – soit la répulsion pour cette école qu'il cherche à fuir parfois par l'école buissonnière, surtout par des malaises soudains (qui ne sont pas forcément simulés volontairement), ou par n'importe quel prétexte pour quitter la classe (l'un de mes fils avait régulièrement un besoin pressant toutes les fois qu'il y avait une dictée!)

– Si les éducateurs sont trop incompréhensifs, les mensonges seront bien tentants : pour dissimuler les échecs, ou se soustraire à l'école.

Vers douze ans, si rien n'a été fait, cela devient inextricable, et cet enfant intelligent, qui aurait pu faire d'excellentes études, supplie qu'on lui apprenne un métier manuel, pour que cesse le cauchemar scolaire.

– *Causes de la dyslexie*

Un facteur constitutionnel me semble évident : souvent héréditaire avec une transmission sur le mode dominant, prédominant chez le garçon (trois quarts des cas). Il n'est nullement lié à un défaut d'intelligence. Mais il y a sûrement au niveau du cerveau quelque chose de particulier. Mais quoi ?

La dyslexie est souvent précédée par des troubles du langage. Je pense qu'il s'agit tout simplement d'un des symptômes de la dyslexie et non de la cause ; tout au plus peuvent-ils l'aggraver par suite de l'anxiété due à certaines moqueries.

On a beaucoup insisté sur sa fréquence chez les gauchers. En fait des études modernes, tout en reconnaissant cette plus grande fréquence, la trouvent trop faible pour être significative.

Le manque de latéralisation et l'immaturité dans l'orientation spatiale m'ont longtemps paru plus valables pour expliquer la confusion des lettres, les inversions. Mais il est bien curieux alors que le trouble soit si persistant chez des gens par ailleurs adroits.

Des études sur la motricité oculaire m'avaient séduit : le dyslexique aurait-il tendance à lire de droite à gauche, ce qui expliquerait les inversions ? Cela ne me semble pas évident. Le balayage du texte avec les yeux se fait-il chez lui de façon anarchique ? Ce qui me semble plus exact. Mais en fait cela n'est-il pas la conséquence, plus que la cause de la difficulté de lecture : le sujet hésitant sur la forme d'une lettre ou la composition du mot a tout simplement besoin de revenir très souvent en arrière.

Les facteurs pédagogiques sont certainement très importants. Mais n'exagérons rien, ils le sont surtout comme facteurs aggravants : apprentissage trop précoce de la lecture (en particulier si l'enfant a des troubles du langage ou de l'orientation spatiale), méthode globale certainement, surtout les maladresses pédagogiques, les vexations qui transforment très facilement une dyslexie légère, à peine gênante, en catastrophe.

Je l'ai constaté chez deux de mes fils, l'un surtout qui jusqu'en septième était bien peu atteint, mais pour lequel l'entêtement absurde de son professeur de sixième (impardonnable vu toutes mes mises en garde) a transformé les choses en dysorthographie quasi irrémédiable !

Les facteurs affectifs sont peut-être encore plus importants. Certains prétendent qu'ils sont souvent la cause de la dyslexie : conflit mère-enfant, chocs affectifs (tout particulièrement naissance d'un autre enfant), et les traumatismes dus aux erreurs pédagogiques.

En fait, je les considère bien comme un élément capital, le plus important de tous, mais d'une part comme facteurs aggravants ce qui se comprend facilement : cet enfant qui a une grosse difficulté de lecture, qui n'acquiert pas cet automatisme de lecture mais est obligé de faire un effort d'attention considérable pour arriver à déchiffrer est bien sûr incapable de le faire lorsque des facteurs affectifs, si puissants, viennent en plus troubler son attention; d'autre part comme conséquences de la dyslexie, et il ne peut en être autrement, cet enfant est déçu dans sa joie d'apprendre, par cette lecture si pénible et qui en plus n'a aucun intérêt, puisqu'il ne comprend rien à ce qu'il lit. Il est vexé de ne pas être comme les autres, humilié par l'incompréhension de l'entourage, qui lui donne un complexe de culpabilité et lui enlève toute confiance en lui. Et on tombe dans le cercle vicieux, où, la dyslexie ayant déclenché de graves problèmes affectifs, ceux-ci rendent impossible tout effort de lecture et aggravent considérablement la dyslexie, aboutissant à l'aversion totale pour l'école. La difficulté devient insurmontable.

Donc le plus important dans le traitement sera d'interrompre ce cercle infernal.

– Le traitement

Il est double : rééduquer, redonner la joie d'apprendre.

Malheureusement la plupart des gens ne s'occupent que du premier point, la rééducation (qui est utile), et négligent presque totalement le deuxième point qui est infiniment plus important, ce qui explique bien des échecs !

La rééducation est à prescrire dans les cas sérieux, sans se précipiter au début puisque beaucoup de troubles s'arrangent spontanément. Mais lorsque ceux-ci persistent de façon nette à la fin du CP, c'est certainement à faire : rééducation psychomotrice pour obtenir une meilleure coordination motrice et une meilleure structuration spatiale, rééducation orthophonique pour apprendre à mieux reconnaître les sons et les signes graphiques.

Tout cela est fort bien et donne une amélioration assez rapide au début et une certaine stabilisation psychoaffective. Mais sans que l'on sache très bien si cette amélioration est la cause ou la conséquence de cette stabilisation. En effet en même temps que l'on commence la rééducation, l'enfant reprend un peu de joie, et parents et professeurs sont momentanément calmés par le diagnostic, et pleins d'espoir dans la thérapeutique, ce qui a un effet bénéfique énorme sur l'enfant. Enfin, peu importe la cause du succès, ce qui est important c'est le résultat et réjouissons-nous. Mais n'oublions pas complètement cette petite réserve.

De fait les résultats deviennent moins rapides et parfois un peu décevants et malheureusement parents et professeurs ne peuvent admettre qu'au bout de bien des mois, l'enfant ait encore des difficultés et continue à faire des « fautes » d'orthographe. On ramène alors au pédiatre et à l'orthophoniste l'enfant désabusé, pour prolonger ou reprendre les leçons d'orthophonie. Ont-elles alors de l'intérêt? Quelquefois sans doute, mais pas toujours, car la joie de l'enfant du début se transforme parfois en lassitude et cela ajoute quelques heures supplémentaires de travail, pas toujours souhaitables. Mais surtout, s'il en a besoin, c'est probablement que le deuxième point du traitement, qui est en fait le premier, n'a pas été fait, car tout le monde mise sur cette rééducation miracle.

Pour faire bien comprendre les choses je vous donne une comparaison : les semelles orthopédiques pour des pieds plats sont quelquefois utiles, mais rarement et très accessoirement, car le seul traitement efficace est la gymnastique. Personnellement je ne prescrivais jamais de semelles, même si je les considérais comme un peu utiles, cela pour la raison suivante : si on en prescrit, même en disant bien que ce n'est pas le principal traitement, les parents font toujours faire les semelles, ce n'est pas bien fatigant, puis ayant la moitié de la conscience soulagée, ils ne font jamais la gymnastique qui, elle, demande une astreinte journalière. En ne prescrivant que la gymnastique, j'avais espoir que celle-ci soit faite, puisque seul traitement! C'est un peu la même chose pour la dyslexie, avec la différence que la rééducation est bien nécessaire.

Donc *surtout redonnons la joie d'apprendre,* en même temps que la joie de vivre. C'est ça le traitement ou du moins son élément le plus important. Que parents et professeurs comprennent bien que l'enfant n'est pas un paresseux, ou en tout cas qu'il ne l'était pas au début. Faisons cesser à tout prix toute cette surenchère, cette entreprise (involontaire) de démolition de l'enfant. Qu'au contraire tout le monde contribue d'une part à le *sécuriser*, qu'il sache bien que sa dyslexie est reconnue ; d'autre part à le *déculpabiliser* : qu'il comprenne bien qu'il n'est ni paresseux ni inattentif. Dieu sait au contraire quel effort d'attention supplémentaire il fournit pour lire !

À ce sujet je fais deux remarques :

Pourquoi une pauvre erreur d'orthographe est-elle appelée une « faute » ? Simple nuance, me direz-vous, et la relever a fait sourire bien des gens. Oui ! mais nuance très significative de la mentalité de ces gens qui n'ont pas de handicap, et nuance qui joue sûrement dans ce sentiment de culpabilité absurde qu'ils cherchent, inconsciemment peut-être, à inculquer à l'enfant. Pourquoi également faut-il que les mathématiques soient notées de façon intelligente, et l'orthographe de façon absurde : si un enfant, sur 10 opérations, en a 5 de bonnes, il a droit à 10 sur 20 et si dans une dictée de 100 mots il en a 50 de bons il a un 0. Que de fois j'ai essayé d'expliquer cela à des professeurs ! Non pas pour leur demander de mettre 10 sur 20, cela aurait tout de même été trop demander, mais simplement un mot de félicitations à la place du 0 souligné trois fois. Je crois qu'actuellement on y revient un peu. Tant mieux !

Et surtout redonnons confiance :

– confiance en ses parents et professeurs qui le comprennent enfin ;

– confiance en ses possibilités ; ne parlons plus d'orthographe, ou du moins remettons-la à sa juste place, et n'en parlons surtout pas lorsqu'il s'agit des autres matières pour lesquelles on doit, au contraire, bien mettre en valeur ses possibilités : mathématiques (où il est bon en général), sciences, travaux manuels, gymnastique… Il y en a forcément de bonnes, si on ne l'a pas complètement dégoûté des études.

– Confiance en son avenir : qu'il comprenne bien que ces dons, qu'il a, sont aussi importants que l'orthographe et, pour lui, beaucoup plus. Ce qui est la pure vérité (jusqu'ici on lui avait toujours menti!) et qu'il sache que cette orthographe bientôt ne le gênera plus, ou bien peu.

Personnellement j'ai toujours dit à ces enfants que j'étais moi-même un grand dyslexique, ce qui ne m'empêchait pas d'être médecin des hôpitaux. (Je n'ajoutais pas que j'avais une excellente secrétaire à l'hôpital, et qu'en dictant une lettre je ne faisais plus de « fautes » d'orthographe! Et que chez moi, comme tout le monde, je fais un petit gribouillage peu lisible, lorsque j'ignore l'orthographe d'un mot! Cela n'empêche pas de vivre, ni même de rendre service!)

Il n'est pas question pour autant de l'entretenir dans une mentalité de malade, en l'abritant derrière son handicap. Mais bien au contraire de lui donner la certitude qu'il suppléera à ce handicap avec seulement un petit effort supplémentaire (comme ceux qui ont un petit handicap visuel, auditif ou moteur).

Quant à la scolarité, il faut certainement garder l'enfant dans la classe normale pour lui, celle qui correspond à son niveau intellectuel et au niveau qu'il a pour les matières autres que la lecture et l'orthographe : ces dernières, il ne les acquerra jamais parfaitement bien, mais les améliorera suffisamment au cours des années, à la condition qu'on ne l'inquiète pas sur ce point. Pour les autres matières, il progressera normalement, profitant fort bien de l'enseignement oral.

Le faire redoubler n'a strictement aucun avantage (à moins d'un gros déficit par ailleurs) et sera certainement nuisible, contribuant fortement à monter en épingle son handicap, à le décourager et à supprimer la joie de l'effort.

Pourquoi faut-il que lecture et orthographe soient causes de la majorité des redoublements dans les classes élémentaires, et que les mathématiques le soient rarement, alors que celles-ci deviennent nettement l'élément privilégié d'orientation au cours des années suivantes?

Et évidemment! Bien mettre en valeur les matières pour lesquelles l'enfant est doué.

Il y a une mentalité très curieuse chez beaucoup : si un enfant a une difficulté très importante sur un point, on axe tout sur cette difficulté : petits exercices supplémentaires le soir, devoirs à refaire, punitions, leçons particulières, devoirs de vacances… y a-t-il moyen plus radical pour dégoûter des études?

J'ai même vu quelques professeurs, pour un enfant nul en orthographe, mais très bon en mathématique, vouloir le mettre dans une section où ils espéraient lui apprendre l'orthographe, plutôt que dans une filière correspondant à ses aptitudes scientifiques, où il s'épanouirait et serait sûr de réussir. Ils en convenaient parfois, mais réussir avec un zéro d'orthographe, ce n'est pas concevable! Ne risque-t-on pas ainsi une erreur d'aiguillage de l'enfant, qui puisse l'orienter un jour vers une profession contre ses goûts et ses aptitudes, où il continuera à s'ennuyer? N'est-il pas préférable de pouvoir suivre une carrière où l'on s'épanouit, malgré quelques « fautes » d'orthographe qui simplement de temps en temps font bien rire les camarades!

Lorsqu'un pédiatre voit un enfant intolérant à un aliment (intolérance aux protéines du lait de vache, à certains sucres, au gluten…), s'il voulait à tout prix lui donner cet aliment qui lui donne des troubles graves, il démolirait son organisme et l'intolérance irait en s'aggravant. Que serait-ce si en plus il forçait la dose! Si au contraire on supprime sagement cet aliment, en le nourrissant normalement par ailleurs, l'enfant guérit, se développe et reprend sa croissance qui s'était arrêtée. Alors on peut réintroduire, mais très progressivement cet aliment nocif et finalement il le tolérera souvent, du moins en partie, et de toute façon il mènera une vie normale.

C'est exactement la même chose pour la dyslexie-dysorthographie (sans qu'il soit question de supprimer totalement l'orthographe, mais seulement de la mettre à sa juste place).

En résumé, je ne crois guère à la guérison totale d'une vraie dyslexie-dysorthographie, en tout cas sûrement pas par la rééducation seule. Il restera toujours un léger handicap. Mais handicap bien léger, si l'enfant a su prendre conscience de son existence, en même temps que de sa bénignité et le surmonter avec confiance. Le zéro en orthographe disparaîtra comme par enchantement vers la troisième par la suppression des dictées! Et les mathématiques prendront de l'importance.

Malheureusement beaucoup d'enfants continuent à être agacés par les remarques désobligeantes au sujet du français et des langues qui restent d'autant plus faibles que ces remarques sont plus fréquentes.

Quel dommage qu'aucun professeur de français ou de langue étrangère ne soit dyslexique! Quelles merveilles il ferait! Malheureusement c'est impossible. Tant pis pour nous, pauvres dyslexiques!

Si des professeurs de français lisent ces pages, qu'ils n'y voient aucune rancœur. Je garde à la majorité des professeurs de mes enfants une très grande estime pour leur dévouement et bien souvent leur écoute, même si elle était sans enthousiasme. Les erreurs, je les excuse, car il y a des problèmes difficiles à comprendre (je crois même impossibles) lorsqu'on n'y est pas passé soi-même.

En écrivant ce livre, je n'ai eu qu'un mobile : l'amour des enfants, et deux soucis majeurs : n'affirmer que ce dont je suis sûr et essayer de ne vexer personne, tout en disant exactement ce que je pense, dans l'intérêt de l'enfant. Ma franchise habituelle pouvant être mal interprétée, avant d'éditer ce qui était écrit pour mes enfants, je l'ai fait lire par bien des personnes, leur demandant leurs réactions ; sept professeurs dont cinq de français ont lu ce dernier chapitre, la plupart étaient d'accord, et se sont contentés de corriger quelques erreurs d'orthographe (je les remercie de m'avoir fait profiter de leur science) ; un seul a réagi assez fortement, mais c'était surtout à cause de ces trois dernières lignes sur la dyslexie. Je n'ai donc rien changé, estimant qu'il est de mon devoir de lancer ce cri d'appel d'un dyslexique, qui connaît le sujet, après plus de soixante ans d'expérience.

c) Les difficultés en calcul

Elles sont aussi mystérieuses que la dyslexie ; il s'agit là encore d'élèves parfaitement intelligents, mais qui ne comprennent rien en maths. Et heureusement ils sont souvent bons en français.

Eh bien ! ce sera le même traitement. Tenons compte de leurs aptitudes. Et aidons-les aussi par des expériences concrètes à comprendre l'intérêt du calcul dans la vie.

Leur cas est beaucoup moins grave, car dans les petites classes (qui sont les plus décisives) ils trouvent plus facilement grâce. Et puis cinq erreurs sur dix opérations, cela leur donne quand même la moyenne !

Plus tard ils s'orienteront tout tranquillement vers des études littéraires. Mais si par hasard ils ont des goûts un peu scientifiques, cela peut être plus catastrophique que la dyslexie.

d) L'instabilité psychomotrice

Elle pose des problèmes pas toujours faciles à résoudre. Ces enfants ont besoin de remuer, ils s'agitent sans arrêt, grimacent, jouent avec leurs mains, leur stylo, remuent leur chaise, font tomber livres, cartables... ils sont distraits par la moindre cause, et surtout sont incapables de fixer leur attention de façon soutenue.

D'ailleurs lorsqu'on voit leur cahier, on est tout de suite fixé : les premières lignes sont bonnes (parfois la première seulement) puis les suivantes le sont de moins en moins, puis totalement nulles, ou même inexistantes, ou encore l'enfant vide tout simplement son cœur sur le cahier en écrivant n'importe quoi. Par exemple j'ai vu un jour « je m'en fiche » écrit après trois ou quatre lignes dont la première était impeccable.

Ces enfants ne peuvent rester ni immobiles, ni silencieux, ni attentifs et seront (on le comprend) difficilement tolérés à l'école comme à la maison.

Les causes peuvent en être le désintérêt de la classe, le surmenage, l'asthénie qui peut se manifester de cette façon un peu
paradoxale. Mais ce sont surtout des problèmes affectifs : inadaptation au groupe scolaire, sévérité des parents ou maîtres, déception
personnelle, un idéal qu'il n'a pas pu réaliser (tel qu'entrer aux
louveteaux, comme je l'ai vu). Il est évident que l'enfant, tracassé
intensément par son problème affectif, est incapable de fixer son
attention. C'est aussi malheureusement parfois l'état habituel de
l'enfant, dû à de graves perturbations de la petite enfance : soit
qu'on ne l'ait jamais laissé se stabiliser sur ce qui l'intéressait, soit
qu'il ait subi de graves carences affectives, et ce sera alors bien
difficilement curable.

Le traitement n'est pas simple. Tout d'abord rectifier certaines
erreurs et réaliser une ambiance sécurisante et calme. Mais aussi,
bien comprendre que l'enfant ne peut fixer son attention plus d'une
dizaine de minutes (et parfois moins) et que tout ce qu'on veut lui
faire faire au-delà, sans une période de repos, est d'une part totalement inutile et d'autre part aggrave son état. Il est donc absolument
indispensable de ne demander que des exercices brefs et entre-
coupés de repos et détente. J'ai obtenu plusieurs fois que le maître,
sous un prétexte quelconque, envoie l'enfant courir un peu, et de
nouveau celui-ci pouvait se fixer encore pendant dix minutes.

C'est évidemment difficile à généraliser, mais de toute façon au
bout de dix minutes l'enfant ne peut plus se fixer et, si on ne lui
laisse pas une petite détente, toute l'heure de classe sera perdue. La
solution n'est pas simple, je la laisse au bon sens des maîtres.

C'est peut-être le cas où, après une bonne détente, quelques
minutes de travail le soir avec maman peut être utile, s'il est fait
dans une atmosphère calme et sécurisante, et surtout s'il assure un
re-maternage parfois nécessaire.

3. Difficultés d'ordre affectif

Dans un individu tout est intriqué et, chez l'enfant particulièrement, tout a une énorme charge affective. Je viens donc d'insister énormément sur les problèmes affectifs comme cause, conséquence, facteurs aggravants des syndromes précédents et comme élément primordial du traitement. Je veux simplement signaler ici quelques problèmes de nature presque uniquement affective.

a) L'anxiété

Le plus important est peut-être l'anxiété. Elle peut être due à n'importe quelle cause : sentiment d'abandon (une mère fatiguée, des parents trop accaparés par la vie professionnelle), sensation de ne pas être aimé, d'être de trop dans la famille (à cause d'une parole désabusée, lancée par la mère un jour de fatigue ou d'énervement), mésentente familiale... C'est peut-être l'anxiété scolaire : crainte de réprimandes, crainte de ne pas bien faire, crainte des railleries des camarades, ou amour-propre exagéré avec la crainte de perdre des places.

Ces enfants deviennent incapables de mettre en valeur leurs connaissances, et leurs capacités intellectuelles réelles. L'enfant qui sait parfaitement sa leçon est incapable de la réciter. Souvent c'est uniquement lors des compositions, des contrôles : la veille ce sont les maux de tête, maux de ventre, vomissements, insomnie... et le jour même c'est la panique et forcément l'échec. Parfois c'est pour une matière précise par crainte d'un professeur.

Le traitement est de se garder à tout prix de la moindre réprimande, ou parole pessimiste! Et aussi de la moindre « stimulation » maladroite. Et tout simplement sécuriser, mettre en confiance.

Par exemple, j'ai vu un enfant qui avait fait un bon CP, mais l'année suivante en CE 1, il ne savait plus lire du tout, ni à l'école, ni à la maison et il devait donc retourner en CP lorsqu'au bout de quelques semaines on me l'a amené : après l'avoir mis en confiance, je

J'ai fait lire (en cherchant bien la difficulté, puisque c'était en présence de la mère, mais cela me paraissait utile). L'enfant d'emblée butait sur la première lettre qui était un « r » et essayait à plusieurs reprises d'articuler le « r »... en jetant un œil inquiet à sa mère et à moi. Il a suffi que je lui dise deux fois très tranquillement « oui c'est ça » pour qu'il sorte la première syllabe et après un « bien » très confiant, il a terminé le mot puis à la stupéfaction de la mère il a lu parfaitement le texte.

Mais une mère anxieuse est-elle toujours capable de rester parfaitement calme et sereine pour inspirer la confiance, de donner tout juste le mot de félicitations nécessaire, sans plus, pour que l'enfant sente qu'il est capable et qu'il n'a pas d'aide à attendre!

Ah! que l'anxiété est une cause fréquente d'échec et pourtant qu'elle est aggravée si souvent par la majorité des méthodes utilisées par parents et maîtres pour « stimuler » un enfant!

Par suite des difficultés dont j'ai parlé, plusieurs de mes enfants, à Pâques, avaient régulièrement l'appréciation suivante : « Ne passera dans la classe supérieure que s'il améliore ses résultats. » Il est bien évident que toujours à partir de cette date les résultats baissaient. On ne voit pas très bien comment il aurait pu en être autrement.

b) Le sentiment d'infériorité

À rapprocher de cela, il y a les sentiments d'infériorité qui inquiètent l'enfant et agissent de la même façon.

Infériorité physique, et en particulier une cause très fréquente est la petite taille. Chez le garçon, les troubles sont pratiquement constants. Le cas le plus fréquent est le garçon qui fait une puberté retardée de deux ou trois ans par rapport à l'ensemble de ses camarades. Il ralentit sa croissance, au moment où ses camarades prennent dix à onze centimètres par an, d'où un décalage énorme qui l'humilie et l'inquiète toujours. Il s'ensuit souvent des difficultés scolaires. Le seul traitement est de le rassurer en lui expliquant la cause de cette petite taille qui ne sera que momentanée.

Infériorité psychique, voilà encore une cause si fréquente d'échec. Pour réussir il faut absolument être sûr de soi, sûr de ses possibilités. Quelques échecs suffisent à déclencher le manque de confiance et donc... d'autres échecs. On risque facilement de tomber dans un cercle vicieux dramatique. Et même sans échecs véritables, l'enfant qui momentanément s'aperçoit qu'il réussit moins bien que d'autres se prend volontiers pour un incapable. Si par malheur, ce qui est si fréquent, pour le stimuler on monte en épingle ses échecs, ou si on fait des comparaisons avec d'autres, ce sera désastreux. On verra que penser de la comparaison des garçons avec les filles.

c) Accaparer

Chez les tout jeunes il y a aussi le désir d'accaparer, dû soit à une carence affective, soit peut-être plus souvent à des excès : enfants trop couvés qui, avant d'aller à l'école, savent fort bien accaparer maman. Et celle-ci malheureusement se laisse toujours faire, il faut qu'elle l'habille, qu'elle le fasse manger, et au gré de ses caprices... Il est bien évident que lorsqu'il ira à l'école, il en fera autant avec la maîtresse, ne pouvant travailler que si elle est à côté de lui et le soir cela recommencera avec la mère. Il est alors grand temps avec un minimum de tact et de douceur de couper le cordon ombilical !

d) Une réaction d'opposition

Un fait relativement fréquent est une réaction d'opposition due à un conflit avec les parents ou le maître, déclenchée par une trop grande exigence scolaire de ceux-ci, une punition imméritée par erreur involontaire du maître, ou simplement la méconnaissance des efforts réels.

Cette réaction d'opposition peut être très variable dans ses manifestations : l'opposition franche, la guerre ouverte, avec chahut, refus de travailler, et fanfaronnade devant les résultats ; ou opposition silencieuse avec uniquement arrêt de travail et nullité sur les résultats, dont la cause peut ne pas apparaître évidente au premier abord, et sera interprétée comme nonchalance ou manque de possibilités. D'ailleurs dans certains cas, à la suite de ces vexations, et surtout si elles se répètent, il est très difficile de bien savoir s'il s'agit d'opposition plus ou moins volontaire ou simplement d'une inhibition totale, accompagnée d'un manque de confiance en soi.

De toute façon le résultat est le même et le traitement aussi. Il consiste uniquement à comprendre l'enfant, à rectifier une erreur d'appréciation, à détendre une éducation trop sévère, il faut que l'enfant s'aperçoive bien qu'on ne le considère pas comme un être inférieur qui a forcément toujours tort, et ne peut échouer que par paresse.

Voici deux exemples :

Un jour je suis appelé à titre médical chez le professeur d'un de mes enfants. Après la consultation, il me prévient que mon fils, habituellement dans les premiers, n'avait rigoureusement rien fait depuis quinze jours. Connaissant son tempérament très opposant à la moindre injustice, j'en préviens le professeur, en lui racontant quelques faits familiaux ou scolaires. Il me dit alors : « Je vois ce qui s'est passé, il y a quinze jours je l'ai puni à tort, et je m'en suis aperçu trop tard. » Il pensait que l'enfant avait oublié. Le soir le gars, très à l'aise, nous montre son carnet où tout était nul ; je n'ai rien manifesté moi non plus. Le professeur, bon éducateur, ayant fait une mise au point adroite, à la fin de la quinzaine suivante, ce fils, tout joyeux cette fois, dit à sa mère : « Je crois que je suis premier ou second. » Cela se vérifiait le soir.

Un autre fils, d'un tempérament assez sensible, était, jusqu'en CM 1 dans les bons élèves. Il semblait commencer de la même façon le CM 2, lorsqu'il revint un jour avec un cahier à signer ; ce cahier était bon, ainsi que la dernière page, sauf les tout derniers mots sur lesquels le buvard avait dérapé (on écrivait encore à l'encre). La page avait donc été déchirée par le maître et recopiée en punition ; on voyait fort bien qu'elle avait été refaite d'une main rageuse et beaucoup moins bien que la première fois. Connaissant ce fils, beaucoup moins opposant que l'autre, mais plus anxieux, j'étais inquiet. Peu de temps après, les notes et l'application baissant, je suis allé voir le maître, qui me semblait excellent professeur et étudiait bien ses élèves, avec même de petits tests psychologiques, qui m'avaient intéressé. Il ne voulut rien croire de ce que je lui disais, pensant que c'était de la mauvaise volonté (c'était d'ailleurs en partie vrai, mais à mon avis il y avait surtout inhibition par anxiété). Les notes ont continué à baisser jusqu'à Pâques et la moyenne tombait alors à 8 sur 20, ce qui compromettait fort le passage en sixième à la fin de l'année. Je suis retourné voir le maître qui maintenait ferme sa position ; nous avons parlé longtemps et comme j'étais sur le point de partir, déçu de mon échec et donc de celui de mon fils, qui en découlait forcément, il me dit soudain en réfléchissant : « Je me demande si vous n'avez pas raison » et la conversation a continué pleine d'intérêt pour préciser les choses. Ce professeur a donc accepté de réviser totalement sa façon de faire. Au troisième trimestre, chaque quinzaine cet enfant gagnait un ou deux points, et bientôt, arrivait à 14 sur 20 de moyenne. Le professeur qui avait déjà transmis au collège secondaire les notes des premiers trimestres, s'est de lui-même donné la peine de fournir également celles du troisième trimestre avec une note explicative. L'enfant a été admis à passer l'examen d'entrée et a été reçu.

4. Et les stimulants ?

Dans toutes ces difficultés scolaires, le seul traitement est toujours de traiter la cause. Mais les parents comme les professeurs veulent, en plus, des stimulants et le plus souvent les ont déjà utilisés.

Que faut-il penser de ces *stimulants* ?

a) Les médicaments sont bien peu utiles

Surtout pas d'excitants qui énerveraient davantage l'enfant !

La meilleure prescription médicale le plus souvent doit être de demander aux parents de réaliser un bon climat de sécurité et d'amour et de veiller au repos et à la détente indispensables.

b) *Surveiller le travail à la maison?*

La plupart des parents veulent surveiller le travail à la maison. Nous ne l'avons jamais fait pour aucun de nos enfants.

Faisons confiance à l'enfant, c'est le seul moyen pour qu'il ait à cœur de mériter cette confiance. Mais cela suppose qu'on ait eu cette attitude de confiance depuis la naissance. Et, cependant qu'il sente bien qu'on s'intéresse à ses progrès.

c) *Aider dans le travail scolaire?*

Faut-il aider l'enfant dans son travail scolaire? Oui, s'il demande un conseil, une explication sur quelque chose qu'il n'a pas compris. À la condition de donner seulement l'explication nécessaire sur le point non compris et de laisser ensuite l'enfant faire son travail.

Mais une aide systématique est nuisible le plus souvent : soit que l'enfant la ressente comme une agression et risque de s'opposer de façon plus ou moins évidente, soit qu'il en prenne son parti et accepte malheureusement cette perte d'autonomie. De toute façon cela inhibe forcément le travail personnel ; la plupart des enfants attendront tout simplement cette aide. J'en ai eu la confirmation quasi constante par tous les parents auxquels je déconseillais cette façon de faire : ils me répondaient toujours : « Mais il ne fait rien si je ne suis pas là. » Hé oui, cela me semble évident.

En tout cas, ma femme et moi n'avons jamais aidé nos enfants sauf s'ils le demandaient (c'est-à-dire bien rarement). Beaucoup d'amis ou des parents d'élèves que je voyais nous ont dit : « Mais c'est parce que vous avez la chance que vos enfants travaillent tout seuls ! » En fait ce n'est nullement parce que nous avions de la chance, c'est parce que nous voulions les laisser travailler seuls. Si nous avions eu de la chance, il est quand même curieux que nous l'ayons eue onze fois et que ces autres parents ne l'aient jamais eue!

Cela les a peut-être handicapés un peu dans les petites classes : le professeur mettait sans doute parfois de moins bonnes notes à leurs devoirs qu'à ceux des parents de leurs camarades! Mais je pense que c'était bénéfique; finalement ils sont tous bacheliers, puis ont fait des études supérieures.

Cela ne veut évidemment pas dire que dans quelques cas très particuliers, mais bien rares, certains enfants ayant des problèmes sérieux ne bénéficieront pas d'une aide, à la condition qu'elle soit très discrète et très momentanée.

d) Alors y a-t-il d'autres « stimulants »?

Tout dépend de ce qu'on entend par là. Si comme c'est la règle dans la très grande majorité des cas, ces stimulations sont négatives, elles sont non seulement inefficaces, mais toujours nuisibles :

— Les réprimandes, les punitions ne peuvent guère déclencher autre chose que l'opposition ou l'anxiété et on conçoit de toute façon la valeur d'un travail fait dans ces conditions.

— Les appréciations péjoratives, si habituelles lorsqu'il y a la moindre difficulté : « mauvais résultats », « manque de travail », ne peuvent qu'aggraver les choses; déclenchant elles aussi soit la révolte si elles sont imméritées (ce qui est fréquent pour ce qui est de l'appréciation du travail), soit l'anxiété et un sentiment d'infériorité qui aboutit forcément à l'échec.

Pourquoi faut-il le plus souvent faire remarquer surtout les erreurs, qu'on appelle mensongèrement des « fautes » et qu'on transforme ainsi en échec?

Pourquoi toujours minimiser le travail par cette appréciation : « manque de travail », ce que le professeur ignore totalement (qu'il juge le résultat, mais pas le travail fourni)?

Pourquoi minimiser les succès par un : « Pourrait faire mieux »?

Tout cela est catastrophique, si l'élève a une difficulté quelconque. Je sais combien j'en ai souffert autrefois à cause du français, ainsi que presque tous mes enfants pour la même raison. Chantal, qui était dans les toutes premières de sa classe, n'a pas pu s'empêcher un jour de s'exclamer : « Que le professeur de français est agaçant, de toujours me répéter : "Travaillez donc moins les maths et davantage le français" et elle ajoutait : "Pourtant je travaille bien plus le français que les maths!" »

– Que sont également catastrophiques toutes ces comparaisons avec un frère ou un des parents, qui tombent le plus souvent d'ailleurs totalement à faux – ou, encore actuellement, dans les écoles mixtes, la comparaison des garçons avec les filles!

Cela m'amène à dire quelques mots sur les *écoles mixtes*. Elles sont aujourd'hui presque généralisées, dans certains cas par nécessité, mais pas toujours, car beaucoup de parents et de professeurs ont prôné ce mélange des sexes comme un stimulant bénéfique, en particulier pour les garçons. Je me permets de dire ce que je pense de ce genre de stimulant. Justement ce qui m'inquiète dans l'école mixte, ce n'est pas tant son existence que cette méconnaissance catastrophique de la psychologie de l'enfant et, dans le cas présent, cette méconnaissance totale des différences physiologiques et psychologiques des deux sexes chez l'enfant et l'adolescent.

Je rappelle quelques points essentiels :

D'une part les filles ont en moyenne deux à trois ans d'avance de maturité sur les garçons, et sont donc forcément plus mûres sur le plan scolaire : par exemple, vers onze à douze ans on a dans la même classe des adolescentes avec des garçons encore totalement enfants. Puis deux ans plus tard des jeunes filles avec des garçons en pleine effervescence pubertaire. C'est une évidence et cela entraîne une plus grande précocité intellectuelle du sexe que l'on dit « faible ».

D'autre part, ce qui est au moins aussi important, il y a une très grande différence de mentalité entre les deux sexes, et là encore c'est à l'avantage très net des filles. Elles ont l'esprit plus vif, sont plus futées, savent fort bien mettre en valeur leurs connaissances et masquer très adroitement leurs déficiences. Le professeur ou l'examinateur en a plein la vue, sans s'apercevoir que c'est souvent un peu plus superficiel que chez le garçon. Que de jeunes filles devant lesquelles je disais cela m'ont approuvé avec un bon sourire, accompagné d'exemples personnels. S'il y a un obstacle, elles sautent aisément par-dessus et, ne s'en tracassant pas, continuent à progresser plus rapidement.

Le garçon au contraire est plus lent, il a besoin de creuser davantage les choses, de bien comprendre et s'il y a un obstacle il fonce dessus ; pendant qu'il essaie de le forcer, il prend du retard. Lors d'une interrogation, s'il a une lacune, par son inquiétude, il réussit justement à aiguiller l'examinateur sur ce point.

Mettre dans une même classe deux sortes d'individus si différents est un non-sens, lorsque cela peut être évité. Pour les garçons cela risque souvent d'être très nuisible, s'ils ont la moindre difficulté par ailleurs, en accentuant un sentiment d'infériorité et leur retirant toute confiance en eux.

Je n'ai nullement la prétention qu'on revienne en arrière, mais je crois avoir le devoir de jeter un cri d'alarme, dans l'espoir de faire réfléchir certains, pour atténuer les inconvénients de cette mixité. De grâce que l'on comprenne bien ces différences élémentaires des sexes. Je ne demanderai pas aux professeurs masculins d'éviter de se faire rouler par les filles, c'est impossible à tout homme ; mais je leur demande d'avoir un peu pitié du sexe dit « fort ». De tenir compte d'un manque de maturité momentané. De savoir apprécier un travail moins brillant, qui souvent a demandé plus de temps et qui est peut-être plus profond. D'atténuer dans certains cas, au lieu de surestimer, la valeur, parfois un peu artificielle, des filles, de comprendre que la stimulation des garçons par comparaison avec celles-ci réussit peut-être chez quelques individus, mais en démolit beaucoup plus.

En somme tout ce qu'on appelle « stimulant » est habituellement inutile ou nuisible. Il n'y a qu'un seul stimulant efficace, et pourtant simple : *redonner confiance!* Montrer ce qui est réussi et non les échecs. Il devrait toujours y avoir quelques « B » sur un devoir. Certains professeurs m'ont dit que c'était souvent impossible; cela m'étonnerait à moins qu'à force de mettre des « mal », on n'ait déclenché l'irréparable. Bien mettre en valeur le moindre progrès. Bien montrer à l'enfant ses possibilités et les mettre en valeur, comprendre une défaillance, plutôt qu'accabler.

Bref que l'enfant reprenne confiance, confiance en ses éducateurs, confiance en ses forces, confiance en la vie.

C'est toujours ce que j'ai essayé de faire. Que de professeurs auraient été un peu étonnés de me voir commenter les carnets de notes de mes enfants, qui avaient si souvent des appréciations péjoratives! Je n'ai jamais dénigré les professeurs, mais je me contentais de les féliciter pour la bonne note en mathématiques ou en gymnastique. Pour le reste je n'en parlais pas, ou je leur disais que cela ne m'inquiétait pas du tout, que j'avais eu les mêmes appréciations à leur âge, pour les mêmes raisons et qu'ils réussiraient eux aussi. Cela s'est réalisé pour tous.

Mais en fait, il n'était pas si facile de contrebalancer tant d'appréciations défavorables et pour certains d'entre eux, ce n'est qu'en terminale qu'ils ont repris confiance en eux.

Je me souviens du jour où François, vers le milieu de cette terminale, m'a tendu son fameux carnet en me disant deux mots seulement (comme toujours) : « C'est marrant », et comme, n'étant pas très sûr d'avoir bien compris sa pensée, je lui ai fait préciser, il a ajouté : « les appréciations des professeurs ». Je me suis contenté de sourire, mais j'étais plein de joie, car cela me montrait qu'il avait enfin compris. Toutes ces appréciations étaient fausses et il reprenait confiance en lui.

De fait, toutes les notes ont remonté rapidement et un mois plus tard, il m'annonçait qu'il s'inscrivait en maths sup. : ce qu'il n'osait pas faire avant, puisque, m'a-t-il dit, « il ne s'en croyait pas capable ». Bravo!

Je me suis permis de raconter cette histoire à deux autres de ses frères dans les mêmes circonstances exactement et j'ai bien eu l'impression que cela a été bénéfique.

Pour ce qui est des *punitions,* je n'y crois guère, je l'ai dit. Souvent elles ne sont pas méritées, car il faudrait savoir s'il y a eu faute ou erreur involontaire, mauvaise volonté ou fatigue, paresse ou simple anxiété et de toute façon, elles ne peuvent guère qu'aggraver les choses, car négatives.

Alors pourquoi les maîtres en sont-ils si souvent partisans? C'est le plus souvent qu'ils font une méprise bien curieuse et pourtant si fréquente, qui m'agace. De même qu'ils parlent de « faute » pour ce qui n'est qu'erreur, ils parlent de « punitions » pour ce qui n'en est pas et malheureusement ils le présentent effectivement comme punition, ce qui est catastrophique. Le fait de recopier un mot erroné d'une dictée, pour apprendre son orthographe, est normal. C'est un moyen de progresser et l'élève l'admettra fort bien, si on lui a maintenu sa joie d'apprendre. Appeler cela punition est anti-éducatif, car cela devient forcément corvée, donc à bâcler, et facteur de régression. Ce qui est encore plus anti-éducatif, c'est de le donner à copier cinquante fois car d'une part cela aggrave énormément la réaction d'opposition, qui devient tout à fait légitime et aussi, dans la très grande majorité des cas, j'ai constaté que sur la première ligne le mot était écrit correctement, mais sur les suivantes l'orthographe devenait fantaisiste, ce qui apprend à l'enfant à écrire le mot de façon incorrecte.

De même, s'il y a cinquante erreurs par dictée, donner à recopier les cinquante mots n'a aucun sens, car il sera rigoureusement impossible à l'enfant de se souvenir de l'orthographe de cinquante mots. S'il y en a quelques-uns à recopier, cela sera valable.

D'autre part sur le plan psychologique, cette copie doit faire partie du travail normal et non être un travail supplémentaire, donc punition.

Un professeur avait même inventé le « cahier de punitions ».

Je lui avais suggéré d'appeler plutôt cela cahier de « progrès », par exemple, et de n'y faire recopier que quelques mots, ce qu'il a fait dès le lendemain, avec un petit mot de remerciements au père sur le cahier de mon gars. Cela a été fort positif.

Laisser la joie et donner confiance sont les seuls garants d'un succès scolaire.

Et n'est-ce pas là aussi transmettre l'amour ?

XII.– ÉDUCATION SEXUELLE

Information sexuelle

Éducation sexuelle

Quelques problèmes particuliers à chaque âge

La première fois qu'on m'a demandé de parler à des parents de l'« éducation » sexuelle, la personne qui me le demandait venait d'assister à un exposé que j'avais fait sur l'éducation des jeunes enfants, basée sur l'éducation de l'Amour, adaptée à chaque enfant, donc à chaque sexe. Je lui ai répondu : « En somme, vous me demandez de refaire exactement le même exposé ! » Ce n'était pas uniquement une plaisanterie, je voulais qu'il n'y ait pas de confusion sur la façon d'envisager le problème.

Beaucoup de gens ne voient dans l'éducation sexuelle que l'information sur les mystères de la vie, et certains sont tout simplement obnubilés par une initiation précoce à la contraception ! Cette information est nécessaire, mais pour moi, le plus important de beaucoup est ce qui est vraiment l'éducation sexuelle, qui n'est autre que l'éducation de l'Amour vrai, adaptée à chaque sexe.

Je pense que la meilleure préparation à cette éducation sexuelle consiste à relire la Bible. (Je préviens le lecteur que je ne me sens pas autorisé à traiter ce sujet sans faire référence à ma foi chrétienne.) Ce premier chapitre de la Genèse si plein d'enseignement et de sagesse. Il définit magnifiquement bien l'amour de l'homme et de la femme qui est l'image de Dieu-Amour et donc en tout point béni de Dieu, mais qui doit rester soumis à l'Amour. Chaque mot de ce texte est riche d'enseignement :

« Dieu dit : "Faisons l'homme à notre image, comme notre ressemblance, et qu'il domine sur les poissons de la mer, les oiseaux du ciel, les bestiaux et toutes les bêtes sauvages et toutes les bestioles qui rampent sur la terre." Dieu créa l'homme *à son image*, à l'image de Dieu il le créa ; *homme et femme* il les créa. Dieu *les bénit*

284

et leur dit : "Soyez *féconds* et multipliez-vous, emplissez la terre et *soumettez-la*; *dominez* [...]." Il en fut ainsi. Dieu vit tout ce qu'il avait fait, *cela était très bon...* » (Gn 1, 26-31).

C'est donc par amour que Dieu créa l'homme et il le créa même à son image, donc pour l'Amour.

Et c'est bien le couple homme et femme qui est créé à l'image de Dieu-Amour.

Il les bénit dans leur union charnelle, puisqu'il leur demande d'être féconds.

Et il vit que tout ce qu'il avait fait était très bon.

Les organes génitaux sont donc parfaitement nobles et honnêtes, puisque créés par Dieu par amour et toute éducation sexuelle doit être parfaitement claire, naturelle et placée sous le signe de l'Amour (communion de deux êtres dans une union totale de leurs corps, de leurs cœurs et de leurs âmes, dont l'épanouissement sera l'enfant).

Dans le deuxième récit de la Création, il est d'ailleurs précisé qu'avant la chute, l'homme et la femme étaient nus et n'en avaient pas honte l'un devant l'autre, car ils étaient dans la parfaite innocence, et considéraient tous les organes de leurs corps avec le même naturel! Le petit enfant est encore dans cette innocence, il considère tout avec cette même simplicité, n'est offusqué de rien. Veillons à lui conserver cette innocence, qui lui permette le plus longtemps possible de considérer les problèmes sexuels avec cette sérénité. C'est dans cet état d'esprit qu'il faut lui apprendre le respect de son corps, puis la soumission de la chair à l'Amour. Cela lui permettra un jour, dans un don total à Dieu et au conjoint, de trouver l'épanouissement total de sa personnalité.

Dieu en effet, achevant sa création, précise bien à l'homme et à la femme : « *Soumettez* [la terre]; *dominez* [...] » (il énumère toute la création charnelle), et donc bien sûr, il ne fait pas exception pour le charnel humain qui doit être dominé par l'Amour, soumis à l'Amour, donc à Dieu. Et pour finir, il met très nettement l'homme en garde contre l'insoumission, contre la tentation qu'il aura de vouloir se faire Dieu, en décidant lui-même ce qui est bien ou mal, en reniant son état de créature.

Mais sitôt la révolte contre Dieu, l'homme et la femme perdent cette innocence merveilleuse et ressentent l'appel de leurs instincts, ils s'aperçoivent alors qu'ils sont nus, et éprouvent le besoin de se vêtir. Nous sommes actuellement dans cet état puisqu'il y a eu le péché. Si bien que garder l'enfant dans l'innocence, ce n'est pas lui masquer les problèmes sexuels, ni supprimer la morale, mais lui donner la force de les regarder bien en face et de les dominer.

Il faut bien se souvenir que les bases de toute éducation se posent durant les premières années. C'est donc sans trop tarder que va commencer cette tâche faite à la fois d'information sexuelle faite à temps et sainement, et surtout d'éducation sexuelle qui consiste à faire de l'enfant un homme viril ou une femme féminine et à lui apprendre le véritable sens de l'amour. Moyennant quoi, l'adolescent, puis l'homme ou la femme seront capables de mettre le charnel à sa juste place dans l'Amour et de soumettre leurs instincts à la raison et à la volonté pour accomplir un jour l'acte sexuel dans toute sa plénitude, dans un don total de toute sa personne à l'être aimé, ou y renoncer volontairement pour un autre idéal.

INFORMATION SEXUELLE

1. *Qui doit la faire ?*

C'est évidemment aux parents que cela revient tout naturellement. Puisqu'il faudra la faire progressivement, à mesure des besoins de l'enfant, de ses questions, de son évolution intellectuelle et affective, de l'éveil de ses instincts.

Et il est très important qu'il en soit ainsi pour conserver la confiance de l'enfant jeune, en répondant toujours la stricte vérité à toutes ses questions, surtout sur ces sujets ; ou pour récupérer en partie cette confiance chez l'adolescent, en mettant au point clairement et avec bienveillance ces problèmes qui le tracassent.

Actuellement cette information est faite en partie à l'école, ce qui peut être utile pour préciser certains points de façon plus scientifique, mais à la condition que les parents aient déjà commencé, et complètent par l'éducation.

2. *Comment ?*

D'abord, je pense qu'il est inutile aujourd'hui de réfuter toutes sortes d'erreurs commises trop souvent autrefois.

Ne rien dire : l'enfant l'apprendra forcément, mais de façon incorrecte, erronée ou malsaine, et les parents perdent la confiance de l'enfant.

Dire des sottises (choux, cigognes, anges…) : c'est absurde car cela ne satisfait pas l'enfant, et surtout cela lui montre que les parents mentent.

Donner des réponses maladroites : « Tu es trop petit », « Ne t'occupe pas de ces choses-là »… ne fait qu'éveiller la curiosité et supposer qu'il y a quelque chose de trouble.

S'offusquer : « On ne pose pas de telles questions ! » Ou gronder si l'enfant contemple l'anatomie de l'autre sexe. Cela fait entrevoir les choses comme malsaines (et vient justement d'une conception malsaine de l'adulte), et cela faussera complètement la notion d'amour.

Surtout, il faut une totale ouverture : être bienveillant, compréhensif des besoins de l'enfant, respectueux de sa personnalité et de ses sentiments.

Dire toujours la vérité avec simplicité : pas de mystères, tout doit être naturel ; avec aisance : ne pas avoir l'air troublé (le trouble vient uniquement de l'adulte, pour l'enfant tout est parfaitement normal) ; être clair et complet : la réponse doit satisfaire l'enfant.

S'adapter à l'enfant : à son âge : l'information doit être progressive, suivant les questions de l'enfant et ce qu'il peut comprendre ; à son sexe.

Mettre le charnel à sa place : ne pas le mépriser mais montrer que la sexualité peut être vécue proprement et surtout l'intégrer dans l'*amour* humain.

3. Quand?

Il vaut certainement mieux trop tôt que trop tard, mais l'idéal est toujours de trouver le juste milieu adapté au besoin de l'enfant.

Pour le petit il n'y a en fait aucun problème : il a besoin d'apprendre, de connaître, de découvrir des tas de choses qui l'intéressent, mais dans la mesure où il peut comprendre. Il serait donc bien rare qu'une grossesse, une naissance dans la famille ou le voisinage ne provoque pas de questions sinon il sera bien facile de saisir une occasion. Il suffit de répondre l'exacte vérité adaptée à sa question et à son âge, tout est parfaitement normal pour lui et ne le trouble absolument pas. Il ne faut pas craindre les questions embarrassantes qui ne seraient pas de son âge ; cela ne l'intéresse pas : il ne pose que les questions qui l'intéressent donc qu'il a besoin de connaître. Si on lui en dit plus, il ne comprend pas et manifeste son ennui – et il ne retient pas ce qu'on lui a dit. C'est comme si on lui donnait un livre de science trop fort pour lui.

Par exemple, alors que ma femme et moi n'avons jamais rien dit d'inexact sur ces sujets, un de nos enfants m'a étonné un jour en demandant si c'était bien par le nombril que naissaient les enfants. Sa mère lui avait expliqué l'accouchement quelques mois plus tôt, lui parlant en même temps du cordon ombilical et de la cicatrice qu'il laissait. Cela l'avait alors si peu intéressé qu'il n'avait rien retenu. Mais quelques mois plus tard il voulait avoir confirmation de ce qu'il croyait avoir compris.

Plus tard (à l'approche de la puberté), si l'enfant reste en confiance et continue à poser des questions, il n'y a qu'à continuer à répondre franchement.

Mais souvent il n'en pose plus, c'est que quelque chose est venu le troubler : une réponse maladroite, laissant percevoir une gêne de notre part ; une conversation avec un camarade, qui lui a laissé entrevoir quelque chose de malpropre ; l'éveil des sens et quelques petites fautes qui lui paraissent non conformes à la morale ?

De toute façon il faut alors engager le dialogue avant la puberté et mettre tout au point de façon précise et complète : de façon que l'enfant ne soit pas étonné ni inquiet des modifications physiologiques de sa puberté, et pour qu'il soit bien au courant de tout le charnel et qu'il sache le dominer.

Il serait bien souhaitable que ces conversations se fassent progressivement en choisissant les occasions propices. Mais mon expérience m'a montré qu'en voulant ainsi trop bien faire, on s'aperçoit un beau jour qu'on a deux ou trois ans de retard et qu'il est grand temps de faire une mise au point qui devient un exposé un peu trop magistral. Que ceux pour lesquels j'ai agi ainsi veuillent bien m'en excuser. Les bonnes intentions ne sont pas toujours réalisées.

4. En pratique que dire?

Je n'ai pas l'intention de donner beaucoup de détails qui me semblent fastidieux (il y a d'ailleurs bien des livres sur ces sujets). Je n'envisage donc que les points principaux.

a) Chez le tout-petit

Que d'emblée il acquière la notion de différence des sexes. Rectifier au besoin des erreurs. Par exemple Anne, pendant que maman changeait l'un de ses frères, expliquait à une petite cousine intriguée par son sexe que « tous les bébés sont comme ça » (il y avait eu quatre garçons de suite après elle et cela lui semblait bien évident). Maman en a profité pour rectifier en expliquant que c'était la caractéristique du garçon. À l'inverse d'autres croiront que chez la petite sœur cela n'a pas encore poussé! ou qu'une fille est un garçon castré, ce qu'il faut absolument rectifier pour que la fille n'en ait pas de complexe et que le garçon ne craigne pas que cela lui arrive!

Ne pas laisser entrevoir la moindre supériorité d'un sexe. D'emblée il faut que l'enfant comprenne que les deux sexes sont différents mais égaux, chacun ayant ses attributs. J'ai vu bien des fois des petites filles complexées de ne pas avoir de pénis. Mais le fait de leur expliquer qu'elles auront un jour des seins, ou bien qu'elles seront capables de mettre au monde un enfant plus tard, les a le plus souvent totalement rassurées.

b) Entre trois et cinq ans

L'enfant a forcément demandé où se trouve le bébé avant la naissance. Surtout pas d'erreurs : il est si simple de dire à l'enfant qu'il n'était nulle part, puis, qu'un beau jour il s'est formé dans le ventre de maman. Ni inexactitudes : bien des parents n'osent pas parler du ventre, disant « près du cœur de maman ». C'est bien gentil et peut-être pas très grave mais c'est inexact et cela compliquera bien l'accouchement! Il faut évidemment dire « dans le ventre », qui n'a quelque chose de honteux que pour les adultes, jamais pour l'enfant. Et si une grossesse arrive, il sera très content de sentir le petit bébé. Que l'on parle de cœur du point de vue affectif, oui! Il faut surtout bien parler de l'amour maternel et de l'amour de Dieu!

c) Vers sept-neuf ans ou avant

Expliquer l'accouchement, là encore pas d'erreur et s'il y a césarienne, que l'enfant sache que ce n'est pas la voie normale. Il est, là encore, assez simple d'expliquer qu'il y a une fente au bas du ventre qui s'élargit au moment voulu.

Ne pas exagérer les souffrances de l'accouchement qui pourraient entraîner une crainte de la maternité chez la fille, ou un certain sentiment de culpabilité vis-à-vis de la mère. Parler au besoin de l'accouchement sans douleur.

L'explication du cordon ombilical et de l'ombilic se fera également tout naturellement.

Tout cela me paraît des plus simples et ne pose plus guère de problèmes aujourd'hui.

d) Le rôle du père

C'est le point sur lequel les parents sont moins à l'aise. Il faut toujours dire la stricte vérité adaptée à l'âge, le trouble sur ce point vient toujours des parents et non de l'enfant. C'est le seul moyen de montrer que la sexualité peut être vécue proprement. Faire des comparaisons (végétaux, insecte…), je n'en vois guère l'utilité ; ce peut à la rigueur être une entrée en matière, mais à la condition de ne pas en rester là et de bien montrer que chez l'homme autre chose intervient dans les relations sexuelles : l'amour. Que l'union charnelle est conditionnée par l'amour-sentiment dont l'enfant est le fruit.

Le tout-petit doit déjà avoir la notion de l'exigence d'un couple qui s'aime, même si le père ne lui semble alors que nourricier et protecteur.

Puis la « petite graine » pourra le contenter dans un premier temps.

C'est d'ailleurs la stricte vérité et plus compréhensible pour le jeune enfant que le même mot plus savant tiré du grec (spermatozoïde).

Mais il voudra savoir d'où vient cette petite graine, il faut alors qu'il sache bien qu'il y a union de deux petites graines, l'une venant de la maman, l'autre du papa, et dans un premier temps il saura que ce rapprochement se fait dans un élan d'amour intense.

Mais aux environs de huit à dix ans, il devra savoir comment le père la dépose, dans une union totale des âmes, des cœurs, mais aussi des corps, par la même fente qui sert à la naissance. Il faut alors un rappel précis des organes génitaux dont l'enfant connaît déjà depuis longtemps les noms exacts. (Il a d'ailleurs largement enrichi son vocabulaire au contact de ses camarades de classe !)

Avant la puberté, il est nécessaire de lui parler des transformations qui vont se passer en lui, du plaisir sexuel avant qu'il ne le ressente, de la violence parfois de l'instinct sexuel pour qu'il soit capable de le dominer à temps.

À la puberté, l'adolescent doit bien connaître tous les détails anatomiques et physiologiques des organes génitaux. Il doit avoir bien acquis la notion que cet acte sexuel est réservé au mariage, car acte d'amour total qui suppose une union définitive de deux êtres, et peut aboutir à l'enfant. Les chrétiens donneront le point de vue de l'Église. Je reviendrai sur ce sujet bien délicat aujourd'hui, les adolescents étant entourés de tant de contre-témoignages. Il a également besoin de notions précises sur la contraception et l'avortement.

L'ÉDUCATION SEXUELLE

L'éducation sexuelle ne se distingue guère de l'éducation tout court : la sexualité n'est pas une partie de l'individu; tout dans l'homme ou la femme est marqué par le sexe (le physique, l'intelligence, l'émotivité, l'attrait sexuel...). L'éducation sexuelle commence donc dès la naissance et consiste à aider l'enfant à développer sa personnalité dans le sens de son sexe, à découvrir le vrai sens de l'amour ce qui lui permettra d'acquérir une saine conception du sexe et de mettre le charnel à sa place.

1. L'aider à développer sa personnalité

Dans le sens de la virilité ou de la féminité.

Pour cela il est capital que les parents aient bien accepté le sexe de leur enfant, sans préférence et sans idée de supériorité ou d'infériorité. Deux erreurs sont fréquentes et dangereuses.

Ces mères qui élèvent leur garçon comme une fille par regret de ne pas en avoir eu une, ou pour qu'il comprenne sa femme plus tard, ou pour toute autre raison tenant le plus souvent au fait qu'elles ont mal accepté leur propre sexe. Le résultat sera forcément déplorable; soit qu'il en souffre, entraînant un complexe d'infériorité, un manque de confiance en lui, soit qu'il s'y complaise!

D'autres conçoivent la promotion de la femme comme un nivellement des sexes, une virilisation de la femme, ce qui est en fait un mépris de la condition féminine. Il est curieux de rencontrer tant de femmes misogynes. Ce sera très fâcheux dans l'éducation des enfants et aussi dans la vie du couple (ces femmes ne seront guère appréciées par un homme viril et chercheront inconsciemment à abaisser leur mari).

Il est au contraire très important d'avoir bien la notion de l'égalité des sexes : ils sont égaux, mais différents par nature et complémentaires tant du point de vue physique qu'intellectuel ou affectif. La seule supériorité tient à la valeur morale et au plein développement de l'individu dans son sexe : une femme féminine est supérieure à un homme efféminé; un homme viril est supérieur à une femme masculinisée. Mais une femme féminine et un homme viril sont égaux.

Quelle que soit la vocation dans laquelle ils s'engagent, il faut que ce soit en homme ou femme accomplis : aussi bien dans le mariage (pour l'équilibre du foyer et l'éducation des enfants) que dans le célibat et même la vie religieuse (un religieux ne sera un bon religieux que dans la mesure où il aurait pu être un bon mari et de même pour la femme).

Il sera alors relativement facile de concevoir une éducation bien adaptée au sexe de l'enfant en développant une personnalité bien sexuée :

– Le garçon utilisera sa force, le besoin de dépenser son énergie en activités musculaires; son intelligence logique l'amènera à approfondir une idée, à vouloir comprendre le mécanisme des choses, à inventer; mais cela fera aussi sa lenteur parfois; Son audace l'amènera à prendre plus de responsabilités.

– La fille gardera une activité physique faite de souplesse et de grâce, son intelligence intuitive et fine avec une compréhension plus rapide, son sens pratique des choses, mais aussi sa sensibilité, sa vocation à la maternité.

Ce sera dans la compréhension et le respect du sexe opposé :

– que le garçon comprenne la valeur de la fille, dont l'une sera un jour la mère de ses enfants, ce qui devra entraîner une certaine délicatesse envers elle ;

– que la fille comprenne la nature du garçon plus violent (qui la protégera), plus ardent (ce qui l'incitera à une certaine réserve).

Ce sera dans l'acceptation de son sexe sans aucune notion de supériorité, ni d'infériorité, mais comme un caractère personnel normal : que le garçon ne se considère pas supérieur du fait de sa force, et de ses organes génitaux visibles (considérant la fille comme un garçon castré) ; que la fille n'ait pas un complexe d'infériorité. Mais qu'à l'inverse le garçon ne se sente pas complexé à l'école parce que la fille plus précoce et plus futée aura souvent de meilleurs résultats scolaires que lui. Qu'ils comprennent bien l'un et l'autre qu'ils sont égaux mais différents, pour se compléter un jour de façon harmonieuse, s'ils se sont pleinement développés dans le sens de leur sexe.

2. Lui apprendre à aimer

Lui apprendre à aimer, mais dans le vrai sens de l'Amour. Non pas cette caricature d'amour, largement étalée dans la presse, la radio, le cinéma, qui n'est que recherche de son plaisir, de sa propre satisfaction, donc en fait pur égoïsme. Mais ce don total de toute sa personne à l'être aimé, et ce don du couple aux autres.

Et c'est dans les toutes premières années de la vie que se fait cette éducation, alors que l'enfant est si loin de l'amour oblatif, mais inconsciemment en pose les bases.

– Dès la naissance, alors qu'il n'est encore qu'à cet amour captatif, c'est par la satisfaction de son plaisir qui l'attache à sa mère et aussi par ces quelques petites limites aux satisfactions qu'il va accepter dans son intérêt.

– Entre un et deux ans, par cette ébauche d'amour échange dans laquelle pour accaparer davantage maman il va lui consentir la petite contrainte de sa propreté sphinctérienne (qu'il est important de l'aider à cette acquisition en temps voulu et non d'attendre tout simplement qu'il l'acquière plus tard spontanément pour sa simple satisfaction personnelle).

– Entre deux et cinq ans, par l'acceptation du partage de l'amour maternel entre ses rivaux : père, frère ou sœur, pour rompre définitivement avec son amour égoïste. Je ne reviens pas davantage sur tout cela que j'ai déjà développé, mais j'en rappelle l'importance.

Vers cinq ans tout l'essentiel est pratiquement fait, toutes les bases sont posées. Encore faut-il l'aider ensuite à aboutir au don de soi qui ne sera guère possible avant la puberté, mais qui devra être préparé très progressivement par un juste dosage de satisfactions puis de contraintes acceptées par amour, et comme toujours l'essentiel sera l'exemple : exemple d'un amour conjugal sincère, d'un don du foyer aux autres et surtout de l'amour qu'on lui aura témoigné à lui-même ; il sentira bien s'il était ou non désintéressé, si nous l'avons élevé pour qu'il nous fasse honneur et nous laisse la paix, ou pour l'épanouissement de sa personnalité. Si nous lui avons appris le véritable Amour.

3. Une saine conception de la sexualité

L'enfant, puis l'adolescent, pourra alors se faire une saine conception de la sexualité. Les organes génitaux sont aussi normaux et nobles que les autres ; l'instinct sexuel est normal : « Dieu vit que *cela était très bon.* »

Mais ils doivent être mis à leur place : les organes génitaux utilisés dans le plan divin qui est l'Amour, les instincts dominés par la raison et la volonté, comme tous les instincts : « […] emplissez la terre et *soumettez-la, dominez...* (sur toute la création). »

Tout instinct est normal mais est soumis à des valeurs fondamentales (sociales, morales, religieuses…) donc exige une discipline, et l'enfant peu à peu, puis l'adolescent, comme l'adulte, doit être capable de maîtriser ses instincts. Mais cette discipline doit s'acquérir sainement : non pas par refoulement aveugle, par peur des inconvénients, des châtiments…, l'individu cherchant à rejeter dans l'inconscient ses pulsions (confondant souvent dans un même sentiment de culpabilité l'instinct qui est normal et sa réalisation qui elle seule pourrait être anormale). Cette pulsion qui garde tout son potentiel ne peut alors que s'exacerber et donnera forcément des manifestations pathologiques plus ou moins névrotiques, accompagnées d'anxiété, de scrupules… et de toute façon risque d'aboutir au repli sur soi. Mais en toute connaissance de cause, l'individu doit considérer son instinct comme normal, et accepter de ne pas l'utiliser momentanément ou définitivement, au nom d'un idéal. Toute sa puissance d'Amour restera alors intacte et sera utilisée dans des activités altruistes. Ce sera la meilleure préparation au don total de toute sa personne, qu'il fera un jour à l'être aimé, à moins qu'il ne le consacre définitivement au service de ses frères et à Dieu.

« Ce qui ennoblit l'homme, c'est le pouvoir qu'il possède de maîtriser ses instincts et de renoncer à son plaisir au nom d'une idée » (Berge).

4. Le rôle des parents

Le rôle des parents sera là encore très important : dans la formation de la conscience morale, dans l'acquisition de la maîtrise de soi.

Dans la formation de la conscience morale nous avons une grosse responsabilité. Le tout-petit est amoral : ce qui est bon c'est ce qui le satisfait. Mais rapidement ce qui est bien ou mal, c'est ce qui est permis ou défendu par les parents. Qu'il est facile de fausser la conscience d'un enfant : en faisant voir le mal où il n'est pas, en réprimant ce qui nous gêne, plus que ce qui a une réelle gravité, en donnant l'impression que les adultes ne sont pas soumis aux mêmes lois morales que les enfants. La remise en cause à la puberté sera alors d'autant plus grave qu'on aura donné une fausse idée de la morale, et que notre conduite n'aura pas été en accord total avec nos principes.

L'acquisition de la maîtrise de soi tient également pour beaucoup à l'attitude des parents. Évitons le négatif, la répression, la peur, qui risquent de déclencher l'opposition, ou le refoulement, le manque de confiance en ses possibilités. Ne cherchons que du positif, pour que très précocement mais progressivement, dans une grande atmosphère d'amour, l'enfant comprenne qu'en toutes choses des limites sont nécessaires, et qu'il acquière une volonté lucide et une saine maîtrise de lui.

– Ainsi, il saura dès le berceau qu'il y a des limites au plaisir, dans son intérêt, comme je l'ai expliqué, puis ce sera dans le jeu, dans l'alimentation...

– Il découvrira la joie de l'effort et comprendra que le plaisir d'une réalisation est d'autant plus grand qu'elle a demandé plus de difficultés, plus d'énergie.

– Il apprendra à se dominer s'il se fait un peu mal, à se relever s'il tombe. En pareil cas ne nous précipitons surtout pas, mais, sans se moquer, faisons lui sentir le côté comique, par exemple dire gaiement : « Ha ! boum ! », et il se relève joyeusement. S'il s'est fait un peu mal, bien laver au besoin, en disant : « C'est pas grave », un petit baiser sur la région endolorie, puis dire gentiment : « Va jouer. » (Laisser un enfant pleurer une demi-heure dans les bras de sa mère pour un rien est certainement très nocif.)

– Qu'il sache aussi réfréner certaines tendances : violence, gourmandise... Mais tenons bien compte du fait qu'une contrainte n'est valable que si l'enfant a une maturité suffisante pour comprendre et accepter par amour. N'oublions pas non plus que l'exemple est plus efficace que les conseils.

Alors l'enfant, ayant appris à être libre et responsable, sera capable de maîtriser ses instincts; les parents auront gardé, au moins en partie, la confiance de l'adolescent.

QUELQUES PROBLÈMES PARTICULIERS À CHAQUE ÂGE

1. Chez le tout-petit

Tout est naturel, il faut tout simplement lui conserver son innocence, sa saine conception des choses.

Sa curiosité devant les organes est normale : il a besoin de connaître ces choses, comme les autres. Toute réflexion ne ferait qu'évoquer à tort l'idée de malsain.

La masturbation primaire est tout à fait normale entre trois et six ans et là aussi toute réflexion ne pourrait avoir que des inconvénients. Cette masturbation est parfois excessive; c'est dû alors essentiellement soit à des frustrations affectives : sensation d'abandon, naissance d'un petit frère, répression d'autres pulsions, soit tout simplement à des irritations locales (en particulier adhérences préputiales chez le garçon).

Le traitement consiste donc simplement à rectifier ces erreurs. Au besoin à décoller des adhérences préputiales si elles existent, ce qui est souvent très efficace.

(Je profite de l'occasion pour dire aux parents que ces adhérences sont normales chez tout garçon à la naissance et le plus souvent elles se décollent spontanément dans le courant de la première année. Le mieux est donc de respecter la nature. Mais si elles persistent entre un ou deux ans, elles peuvent entraîner de petites infections, il est alors préférable de les décoller.)

Mais le plus important est le dérivatif qui consiste à satisfaire les besoins affectifs normaux et à compenser les éventuelles frustrations.

Surtout le moins de drame possible : toute remarque ou remontrance ne pourrait qu'aggraver les choses et risquerait de transformer une masturbation banale en pathologique, au maximum un discret appel à la bienséance (exactement comme pour les doigts dans le nez sans aucune différence et sans insister), au besoin des vêtements un peu plus fermés, mais sans aucune réflexion à ce sujet (si cela peut calmer une obsession maternelle).

L'obsession inverse de la part de certaines mères que j'ai vu parfois attirer l'attention de leur garçon sur son pénis ou le tripoter de peur qu'il ne le découvre pas assez vite me paraît aussi délirante.

2. Quelques années plus tard

L'enfant entre dans cette période de latence durant laquelle le sexe l'attire bien peu et normalement cette masturbation primaire va cesser d'elle-même.

Comme à la période précédente, la nudité est totalement indifférente en soi, sans aucun inconvénient (sauf à la rigueur risque de petits traumatismes, ou d'irritations légères) ni avantage. Je pense cependant qu'il est temps, sans aucune pudibonderie, mais de façon toute naturelle de l'habituer à une certaine pudeur. Cela n'a encore aucune importance, bien sûr, mais il arrivera bientôt un âge, où cela commencera à en avoir, même si apparemment l'enfant ne manifeste aucun trouble, ce qui sera sûrement faux, s'il est normal. Cet âge est extrêmement variable d'un enfant à l'autre, et bien impossible à prévoir. Alors puisque cette nudité n'a vraiment ni inconvénient ni avantage, est-il bon de la maintenir comme le préconisent certains ? Ne détruisons pas la pudeur naturelle.

Pour cela comme pour tant de choses, on a souvent l'impression que la race humaine navigue sur un voilier, toujours le vent debout, qu'elle ne peut jamais aller droit au but, dans un juste milieu et qu'elle est obligée de louvoyer de bâbord à tribord, se laissant toujours entraîner à des excès d'un côté ou de l'autre. Si une génération a été obsédée sexuellement dans une pudeur excessive, pourquoi faut-il que les suivantes soient souvent obsédées par un désir d'exhibitionnisme? Les deux ont autant d'inconvénients et relèvent également de l'obsession sexuelle! De grâce restons en toutes choses dans une saine mesure, pleine de simplicité, de naturel et de clairvoyance.

3. À la puberté

La masturbation secondaire est tout à fait différente de celle du tout-petit, car elle est consciente, aboutit à l'orgasme et pose un problème moral.

Il est nocif de la dramatiser comme cela a été fait autrefois sous prétexte de catastrophes physiques ou psychiques. Ce qui ne peut aboutir qu'à l'arrêt brutal par refoulement et déséquilibre, ou l'absence d'arrêt avec anxiété, aggravant le repli sur soi, donc la masturbation.

Il ne me paraît pas bon non plus de la légitimer totalement, car c'est un repli sur soi, une absence d'oblativité, donc un infantilisme affectif. Elle est donc fortement favorisée par une absence d'initiation correcte, et surtout d'amour vrai, don de soi.

La meilleure attitude est d'éviter tout drame et d'aider à acquérir la maturité affective, disons la vérité. Montrons l'aboutissement normal de la sexualité, avec tout ce qu'elle a d'enrichissant et d'épanouissant, si elle reste incluse dans l'amour vrai, qui est don de soi. Donc les pratiques solitaires, qui sont, à l'inverse, un repli sur soi, ne peuvent que retarder l'éclosion de l'amour. Surtout orientons les efforts vers l'intérêt pour les autres. L'adolescent jugera d'une amélioration ou non : moins sur les échecs, que sur les progrès dans la charité (mieux vaut la domination progressive qui s'accompagne d'une orientation vers la charité authentique, qu'une pseudo-guérison radicale qui entraîne un blocage de l'évolution affective). Mais aussi trouvons des dérivatifs.

Les pratiques homosexuelles fréquentes à cet âge ne trouvent également leur solution que dans une saine éducation de l'amour.

Puis apparaîtra l'attrait pour l'autre sexe : L'adolescent confie qu'il aime : éviter mépris ou ironie, mais avec bienveillance montrer le sérieux et la beauté de l'amour.

Les relations sexuelles avant le mariage : nous n'avons pas à juger tel individu, dont nous ignorons les motivations et les sentiments, mais nous devons juger un acte et informer nos enfants.

Pour les unions passagères, sans aucun amour, il est impossible de considérer la chose comme morale, ni même normale, même si c'est le fait d'une majorité d'individus. L'acte sexuel est un acte d'amour, un don total de toute sa personne à l'autre, qui ne peut être qu'un don définitif dans le mariage. L'individu ne trouve son épanouissement que dans cet amour complet et réel qui nécessite d'ailleurs une maturité physique, psychique et affective. Donc chez l'adolescent il n'apportera le plus souvent que déception, surtout chez la fille. D'autre part cet acte implique l'enfant, la « paternité responsable », qui dans le mariage apportera un complément de maturité : c'est l'occasion de rompre définitivement avec son égoïsme, de se sentir engagé, solidaire de l'humanité et pour des générations. Cette paternité vraiment responsable n'est possible que dans un foyer stable.

Pour garder sa virginité, l'adolescent doit être bien persuadé que c'est possible et que la morale sexuelle est aussi normale que toute autre morale. Or, sur ce sujet tout particulièrement, beaucoup de gens considèrent qu'un principe de morale est absurde, parce qu'ils ne sont pas capables de le respecter. Alors qu'admettre un principe comme valable, tout en prenant conscience au besoin de ses erreurs, est autrement fécond.

Il doit être bien persuadé également que garder sa virginité n'a aucun inconvénient ni sur le plan physique ni sur le plan psychique : le prétendu risque de névrose est totalement faux, si la continence (abstention physique de l'acte sexuel) s'accompagne de chasteté (attitude d'esprit qui, bien conscient de l'instinct sexuel, en veut la soumission) ; ni sur le plan affectif, bien au contraire : « faire l'amour » dans les conditions dont je parle actuellement n'est qu'une parodie d'amour. La chasteté garde au contraire intact tout le potentiel d'amour, qui s'investira dans des activités altruistes, le rendant plus oblatif, en attendant son épanouissement dans le mariage.

Que penser de la cohabitation avant le mariage si fréquente aujourd'hui ?

S'il s'agit de jeunes qui n'ont aucune conviction chrétienne et s'unissent réellement pour la vie, je n'ai pas à leur imposer mes convictions et je ne peux que respecter leur union, si elle est sincère. Malheureusement trop souvent, s'ils ne se marient pas civilement, c'est qu'en fait ils font chacun des réserves sur l'avenir et de fait, bien souvent, cette union n'est que temporaire avec tous les graves inconvénients que cela comporte : pour eux-mêmes, car l'un et parfois les deux seront fortement meurtris, et à tout coup pour les enfants s'il y en a (je ne connais pas d'exception).

Mais s'il s'agit de chrétiens, qui se prétendent tels, cette attitude ne peut absolument pas être acceptée. Il n'est pas question de condamner qui que ce soit pour une erreur, même répétée (« Que celui qui n'a jamais péché, jette la première pierre », disait Jésus). Et les péchés de la chair ne sont pas plus graves que les autres et sans doute moins. Mais il n'est pas question d'accepter que quelqu'un pour se disculper veuille prétendre qu'il est dans la vérité, tout en vivant ostensiblement contre la parole de Dieu et de l'Église. Ces chrétiens, en fait, font eux aussi des réserves sur l'avenir et oublient cette loi divine qui existe depuis l'origine : « L'homme quittera son père et sa mère et s'attachera à sa femme, et ils ne feront plus qu'une seule chair. » Ils refusent cette loi de rupture définitive avec leurs parents et refusent cette création d'un nouveau foyer dans toute sa plénitude. Ils oublient aussi que depuis le Christ, cette union a été renforcée dans un sacrement.

S'il y a un problème particulièrement délicat, c'est bien l'immoralité actuelle : tous ces gens qui veulent se convaincre et convaincre les autres (et ils y arrivent fort bien) que leur conduite est strictement normale. J'ai dit à tort « immoralité », je devrais dire « amoralité » ce qui est infiniment plus grave, car c'est la négation de la morale. C'est bien là un problème au sujet duquel l'amour du prochain doit tout particulièrement être vu dans l'Amour de Dieu. Il est bien évident que nous devons être charitables envers tous. Je dis bien envers tous et cela ne veut pas dire qu'il faille considérer leur façon de faire comme normale, car on va alors totalement contre la charité donc contre l'Amour et envers tout le monde. On nuit fortement à beaucoup d'autres jeunes, qui les imiteront, avec tous les drames que cela comporte, pour eux et leurs enfants, comme on le voit trop souvent (nous n'en avons absolument pas le droit). On nuit à ces gens eux-mêmes, en contribuant à les conforter dans leur erreur, en les aidant à se fausser la conscience et sans les rendre vraiment heureux pour autant (nous n'en avons pas davantage le droit). On nuit encore plus fortement à nos enfants qui ne peuvent absolument rien comprendre, ou comprendront tout simplement que ces pratiques sont tout à fait normales (nous n'en avons absolument pas le droit).

Alors l'attitude à avoir n'est pas simple, on n'a pas le droit de juger les gens et on leur doit la plus grande charité, mais on n'a pas le droit d'admettre n'importe quelle action, en faussant ainsi le jugement de nos enfants.

Mon but étant dès le départ de donner des conseils sur l'éducation dans les toutes premières années, je n'insisterai pas sur d'autres problèmes pourtant capitaux, et sur lesquels nous devons donner à l'adolescent une saine information.

La contraception, sans oublier les méthodes naturelles, les seules préconisées par l'Église dans sa sagesse. Elles sont pratiquement aussi efficaces que les autres et sont les seules sans aucun inconvénient pour les deux époux, si elles sont vécues dans l'Amour. Elles ne peuvent qu'accroître cet Amour vrai par la maîtrise de soi, et aboutissent à un bien plus grand épanouissement de chacun lors de l'acte sexuel, après les périodes d'abstention.

L'avortement : on n'a pas le droit de juger une femme qui se fait avorter, ni l'accabler. Mais on n'a pas le droit non plus de dire à nos enfants que l'avortement n'est pas un assassinat et de le considérer comme normal.

Le divorce, problème douloureux, sur lequel je ne ferai que relater mon expérience de pédiatre. Que de drames provoqués chez les enfants de divorcés, victimes totalement innocentes, drame d'intensité variable, mais toujours important comme me l'ont montré quarante ans de pédiatrie. Or que de jeunes seraient tentés de réfléchir avant de s'engager, que de ménages pourraient faire un effort mutuel de compréhension, si on ne leur proposait pas un divorce si facile.

Oui, tout cela n'est pas simple !

La seule solution est d'apprendre à nos enfants l'Amour.

Note à l'intention des lecteurs non croyants

Dans les chapitres précédents, j'ai laissé parlé mon cœur de pédiatre et de père. Mais je suis chrétien et il ne m'est pas possible de parler de l'Amour, sans parler de celui que je reconnais son auteur : Dieu-Amour.

Les pages qui vont suivre, de même que les dernières du précédent chapitre, pourront paraître désuètes à certains, ou heurter d'autres. Elles s'adressent à des chrétiens (et même au départ, je les avais écrites uniquement pour mes enfants). J'ai hésité à les supprimer en publiant ce livre. Cela aurait été un mensonge de ma part, dont je ne suis pas capable.

Que les non-chrétiens, qui accepteront de les lire, le fassent dans le même esprit que je les ai écrites. Sans rechercher ni ironie ni polémique, mais la seule chose qui puisse unir les hommes : l'Amour.

Je respecte toute conviction sincère, et à ceux qui se sentiraient vexés par certaines phrases, je peux dire en toute franchise que j'ai rencontré bien des non-croyants, dont l'amour authentique me fait penser qu'ils sont plus près de Dieu que beaucoup de chrétiens.

XIII.– TRANSMETTRE L'AMOUR

« Tu aimeras »

Transmettre l'Amour de Dieu

Au fil des âges de l'enfant

Pour éduquer, éduquons-nous d'abord

Éduquons nos enfants, mais laissons-nous éduquer par eux

Jusqu'ici j'ai parlé de l'amour, en l'écrivant avec un petit « a », ce n'est pas que je le méprise, bien au contraire, puisque, donnant quelques conseils sur l'éducation je n'ai guère parlé que d'amour.

Dans ce chapitre je l'écris avec un grand « A », car je veux parler de Dieu-Amour, source de l'Amour, et guide de tout véritable amour dans le cœur des humains.

« TU AIMERAS »

Dieu nous a donné un unique commandement, qui englobe tous les autres : « Tu aimeras. » Commandement unique, mais double : Amour de Dieu et du prochain. Les deux étant liés, l'un ne pouvant se concevoir sans l'autre.

« Si tu dis que tu aimes Dieu et que tu n'aimes pas ton prochain, tu es un menteur », nous dit saint Jean.

Mais l'Amour du prochain, s'il ne prend pas sa source en Dieu, risque d'aboutir à des déformations.

Il n'est pas si facile d'associer les deux en un seul et même Amour et pas facile de les transmettre à nos enfants dans un bon équilibre : une trop grande complaisance dans l'Amour de Dieu a pu parfois faire oublier le prochain, c'est bien d'accord. Encore faudrait-il savoir quelles étaient les véritables intentions et surtout ne pas généraliser quelques excès facilement montés en épingle. Aujourd'hui on insiste avec raison sur l'Amour du prochain, c'est très bien si on l'entend dans l'Amour dont Dieu est la source. Mais il y a une grosse tentation pour certains chrétiens : Dieu a bien été le point de départ, le mobile de leur Amour du prochain, mais à force de répéter à juste titre qu'il n'y a qu'un seul commandement : l'Amour, ils finissent parfois par ne plus l'écrire qu'avec un petit « a », en oubliant progressivement Dieu, sa source. S'ils le font avec générosité, don de soi réel, je ne suis pas inquiet, Dieu saura se

311

faire reconnaître. Mais à l'extrême, l'autosatisfaction de se montrer le chic type peut devenir un risque.

Ce que nous cherchons à transmettre à nos enfants, c'est bien l'Amour dans toute sa plénitude, donc ce Dieu-Amour, source de tout Amour, qui donne une tout autre dimension à notre pauvre amour humain. Éduquer chrétiennement, c'est rendre l'enfant conscient de cette source de l'Amour. À travers l'Amour dont ses parents le comblent, il doit découvrir l'Amour dont Dieu nous comble. Il doit découvrir que Dieu, notre père, nous aime toujours le premier, que Dieu est Amour. Tâche bien délicate, mais si capitale, puisqu'elle donne son vrai sens à tout le reste de l'éducation.

TRANSMETTRE L'AMOUR DE DIEU

1. *Foi, confiance et Amour*

Cette transmission de l'Amour de Dieu nécessite une atmosphère familiale faite *de foi, de confiance et d'Amour.*

a) *La foi*

Foi en Dieu et en l'Amour qu'Il nous porte, en l'Amour qu'Il porte à notre enfant, et qui l'aidera à acquérir lui aussi cette foi en l'Amour.

Dieu a voulu avoir besoin de nous, nous laisser nos responsabilités : nous pouvons aider l'enfant à recevoir ce don de Dieu, comme nous avons aussi le redoutable pouvoir de le contrecarrer ou de le rendre stérile. Nous avons donc le devoir de faire fructifier cet Amour, en rendant notre enfant réceptif par l'ambiance de foi dans laquelle il baigne depuis sa naissance, par l'exemple d'une foi personnelle sincère.

Mais restons bien convaincus que ce n'est pas notre action personnelle qui en définitive donnera la foi à notre enfant, ce ne pourra être qu'un don de Dieu ; surtout ne nous croyons pas assez forts pour nous passer de son aide : ayons l'humilité et la sagesse de confier chaque enfant à Dieu dès sa naissance, Lui demandant d'en faire non pas ce que nous souhaitons avec notre pauvre jugeote humaine, mais ce qu'Il veut et demandons ardemment chaque jour Son aide.

b) Confiance en Dieu

Ne nous décourageons pas si les résultats ne sont pas tout de suite ce que nous souhaitons, si nos moyens n'ont pas réussi. C'est peut-être que Dieu avait d'autres vues, désirait d'autres moyens. Il les donnera lui-même à chacun au moment qu'il jugera opportun.

Mais cela ne veut pas dire nous décharger de nos responsabilités, ni dédaigner certains dons de Dieu sous prétexte qu'Il en donnera d'autres. On risquerait peu à peu d'enlever à Dieu la possibilité de les donner.

c) Amour

Surtout tendons nous-mêmes vers cet Amour vrai.

Et ce sont d'abord nos enfants qu'il faut aimer de cette façon. Qu'ils sentent bien que nous les aimons pour eux et par Dieu. Et les aimer ce n'est pas forcément satisfaire des plaisirs passagers, en cédant à tous leurs caprices, en laissant libre cours à tous les instincts, surtout si cela ne nous dérange pas. Mais c'est favoriser tout ce qui les rapproche de l'Amour, pour leur donner finalement la seule joie véritable, la joie d'aimer, en se sentant aimés de Dieu. C'est à travers l'Amour oblatif de leurs parents pour eux que les enfants découvriront ce Dieu-Amour. Acte de foi que nous pouvons donc favoriser mais dont Dieu seul donne la grâce par toute la vie baptismale.

Qu'il est difficile d'apprendre à ses enfants cet unique mais double commandement d'Amour. Je dois avouer que mon épouse et moi ne nous en sommes guère sentis capables et que nous avons largement demandé l'aide de Dieu.

2. Nécessité d'une éducation religieuse

Il est bien évident pour moi que toute éducation commence le jour de la naissance. C'est capital pour le développement intellectuel et affectif. L'éducation religieuse, à plus forte raison, ne saurait faire exception à cette règle (elle commence même bien avant, en nous imprégnant nous-mêmes de cet Amour).

Pourtant certains parents voudraient intervenir le moins possible dans un domaine aussi important, pour laisser à l'enfant la stricte liberté de choisir lui-même ce qui sera un jour un engagement de toute sa personne.

Bien sûr, il faudra un jour qu'il choisisse en toute liberté, sans quoi cela n'aurait aucun sens. C'est même tous les jours de sa vie qu'il devra refaire ce choix, adapté à chaque âge, selon la progression de ses possibilités. Il est donc indispensable de lui donner les moyens de choisir en toute lucidité, en toute connaissance de cause ; et tenons bien compte de la nature humaine et de ses faiblesses. Au début le jeune enfant est dépendant de nous pour tout et il y a des nécessités vitales qui ne peuvent pas attendre qu'il soit capable d'en décider seul.

Nous avons donné la vie à nos enfants sans demander leur avis, et pour donner la vraie Vie qui fera tout leur bonheur sur terre et au-delà, fallait-il attendre qu'ils soient capables de la demander ?

Nous les avons inscrits à l'état civil comme Français, nous les avons domiciliés dans notre ville, et fallait-il hésiter à faire d'eux des chrétiens ?

Cette vie que nous leur avons donnée, nous l'avons maintenue également sans demander leur avis, nous les avons nourris, protégés, instruits, nous leur avons appris la langue française sans attendre, et la Vie, la vraie, fallait-il attendre pour l'entretenir qu'ils le demandent ?

Il est bien évident que dans tous les domaines il y a un choix à faire et il est impossible de ne pas le faire pour l'enfant. Refuser de faire à sa place le choix de l'élever avec Dieu, c'est tout simplement

315

faire à sa place le choix de l'élever sans Dieu, car il n'y a pas d'autre possibilité et c'est un problème vital qui ne peut attendre.

Et j'insiste sur l'urgence. Pour insuffler cet Amour à l'enfant il faut commencer le plus tôt possible, lui laisser certes une grande liberté lorsqu'il est capable de l'assumer, mais le guider au début pour lui donner la possibilité d'assumer cette liberté dans un Amour véritable.

3. Le baptême

La toute première chose me semble de confier l'enfant à l'Église pour qu'elle lui donne, par le sacrement du baptême, la Vie de Dieu.

Dès la naissance tout homme est enfant de Dieu puisque créé par Lui, les parents n'étant que Ses instruments. Mais nous avons ardemment voulu que le plus tôt possible après la naissance nos enfants aient en eux cette Vie que seul le sacrement de baptême peut donner, ils en avaient grand besoin pour acquérir la foi et la garder, malgré la pauvreté spirituelle de leurs parents. Et s'ils sont tous restés dans son Amour, je pense que Son aide n'a pas été vaine.

Seule Marguerite n'a été baptisée qu'à l'âge de quinze jours, pour nous soumettre au désir de l'Église d'un baptême collectif et surtout de préparation plus effective à ce baptême (préparation que nous avions d'ailleurs faite pendant la grossesse, pour la faire profiter ensuite du premier baptême collectif dans la paroisse).

Je n'arrive pas à comprendre qu'actuellement beaucoup de parents foncièrement chrétiens n'aient plus ce désir profond de Vie de Dieu dans leur enfant dès sa naissance. Je pense qu'il s'agit d'une énorme erreur dont les conséquences me semblent graves.

Est-ce par négligence ? Je ne le pense pas ; ou pour satisfaire à la mode ? Un peu sans doute. Ou pour mieux préparer cette belle fête religieuse ? C'est fort bien, mais on a déjà neuf mois pour la préparer. Cette fête est un témoignage, mais n'a-t-il pas plus de valeur s'il témoigne avant tout d'une foi qui donne toute son importance à cette Vie de Dieu en notre enfant.

Je sais bien que certains, de façon bien réfléchie, veulent attendre que, vers sept ou huit ans, ou plus, l'enfant demande le baptême, de lui-même, de façon à respecter sa liberté dans un tel engagement. Raisonnement séduisant il est vrai, mais qui repose sur une méconnaissance de ce qu'est l'enfant et surtout de ce qu'est le baptême.

Méconnaissance de ce qu'est l'enfant : il est évident que, comme pour toutes choses, l'enfant décidera ce que désirent les parents. Je ne méprise nullement sa décision, qui sera bien valable, mais proportionnée à son âge. Elle n'aura certainement pas plus la valeur d'un engagement pour la vie, que si elle a été prise à la naissance par des parents, bien décidés à lui faire découvrir la Vérité, avec l'aide de Dieu qu'apporte le sacrement de baptême, autrement efficace que nos pauvres moyens humains. Alors faut-il attendre l'adolescence ? Ce serait parfois un peu plus valable. Mais en pleine crise pubertaire, le moment ne me paraît pas le plus propice dans la majorité des cas ! Alors à l'âge adulte ? Mais que de grâces perdues !

À ces parents je peux également dire qu'à l'âge où l'on remet tout en question, l'adolescent critique ses parents et ses éducateurs, prend systématiquement le contre-pied, mais au fond il cherche à les égaler et, consciemment ou dans son subconscient, il tient grand compte de ce qu'ils font ou pensent. Alors, quand, de toute façon, il remettra en question sa foi pour acquérir une foi d'adulte (et il aura à le refaire bien souvent dans sa vie), il sera fortement impressionné si ses parents ont tenu à le baptiser dès sa naissance. Ce sera pour lui la certitude que ses parents ont la foi, qu'ils y croient vraiment, qu'ils n'ont pas hésité entre la vérité et l'erreur, car il n'y a pas d'autre alternative. Il aura alors beaucoup plus facilement tendance à choisir, lui aussi, la Vérité, plutôt que l'erreur avec pourtant toutes ses séductions. Refuser de lui donner d'emblée cette Vie baptismale, n'est-ce pas lui donner l'impression que nous avons un doute, que nous considérons qu'il y a plusieurs vérités possibles, que la vie chrétienne n'est pas tellement importante. Sera-t-il alors vraiment tenté de choisir cette voie plus astreignante, même si c'est la plus belle ?

Mais aussi on oublie ce qu'est le baptême. La foi n'est possible que par un don de Dieu, en particulier celui du baptême, par lequel Dieu s'engage à être présent.

Ne gaspillons pas les dons de Dieu et ne gaspillons pas ceux qu'Il a donnés à nos enfants. Il a dit qu'Il donnait à chacun plus ou moins de « talents » à faire fructifier, mais nous en avons la responsabilité. Tous auront un jour l'occasion de le rencontrer, mais à certains il a donné plus et en particulier cette faveur de naître dans une famille chrétienne. Nous l'avons eue, vous l'avez eue, vos enfants l'ont. Si je suis chrétien, c'est certainement parce que mes parents l'étaient, je les en remercie, et je remercie surtout Dieu.

Il donne d'autres grâces à ceux qui n'ont pas eu cette chance. Mais ne lui demandons pas de recommencer tout à chaque génération.

Bien sûr, si les parents n'ont pas la foi, c'est une erreur grossière de baptiser l'enfant sans son consentement, puisqu'ils ne peuvent guère s'engager à l'élever chrétiennement. Non, qu'ils ne baptisent pas leur enfant. Dieu dans sa bonté s'en arrangera en temps voulu.

Mais si l'on croit qu'il y a deux mille ans, un homme, qui s'appelait Jésus, s'est dit Dieu et l'a prouvé par sa résurrection, si on croit, comme Il nous l'a dit, qu'Il est la seule Voie, la Vérité, la Vie, et que c'est Lui qui nous a donné cette règle d'Amour qui a révolutionné l'humanité (du moins lorsqu'elle a été réellement appliquée par les chrétiens), il n'est pas pensable, pour moi, de ne pas vouloir faire de son enfant un chrétien, et de ne pas lui en donner tous les moyens dès le début de sa vie.

Car le baptême n'est pas pour l'enfant un accomplissement, mais un début.

Ce n'est pas un don que l'on fait à Dieu, mais un don gratuit de Dieu qui devance la conscience qu'on en a.

Ce n'est pas le résultat de nos mérites, mais le moyen de permettre à Dieu de faire son œuvre.

AU FIL DES ÂGES DE L'ENFANT

1. *Importance de la première année*

Ce baptême sous-entend une éducation religieuse qui ne se fera pas toute seule et comme pour tous les autres problèmes dont j'ai déjà parlé, les toutes premières années sont d'importance capitale. Et toute éducation doit se faire dans un juste équilibre.

Si l'on force un enfant à manger plus qu'il n'en a besoin, on déclenche l'anorexie d'opposition, c'est bien d'accord (mais il ne se laissera pas mourir de faim). Par contre si on ne lui donne rien à manger, il mourra certainement et si on ne lui donne pas assez, il va maigrir et cesser de grandir et ce qu'il n'a pas acquis alors ne se rattrapera pas.

Si on ne prend pas soin de lui parler, de l'éveiller, il aura de gros retards psychiques et finalement se comportera comme un encéphalopathe.

Si on ne lui apprend pas l'amour (soit qu'il ait des carences affectives graves, soit qu'on l'ait laissé satisfaire aveuglément tous ses instincts), il se repliera sur lui-même et ne connaîtra ni la joie d'être aimé ni celle d'aimer.

De même si on veut le forcer bêtement à des pratiques religieuses qui ne sont pas de son âge, on l'en dégoûtera sans doute, mais si on ne l'éveille pas très précocement et progressivement à l'Amour de Dieu, il n'y viendra pas spontanément, et plus on attendra, plus ce sera difficile.

Durant la première année, les premiers mois, parler d'éducation religieuse fera sourire certains. Cela m'aurait peut-être fait sourire il y a quarante ans. Et pourtant tous les foyers chrétiens le faisaient alors spontanément, sans peut-être en comprendre toute l'importance.

Cette importance me semble évidente aujourd'hui, quand on a conscience du retentissement de cette première année d'un individu sur tout son avenir physique, psychique ou affectif. Il est bien facile de comprendre qu'il en est de même sur le plan spirituel. L'enfant ne comprend encore rien de précis, mais tout s'imprime en lui pour la vie. Il y a des gestes qu'il doit voir ou qu'on doit lui faire ébaucher (signe de croix, baiser à Jésus…), des mots qu'il doit entendre : Jésus, Dieu, Marie, le verbe « aimer »…, des mélodies ; l'attitude de ses parents en prière qui se renouvelle chaque jour est peut-être le plus important.

Tout cela est inconscient, mais rien n'est indifférent à cet âge.

2. Naissance de la compréhension

Dès que l'enfant commence à parler il comprend déjà beaucoup de choses et durant les quelques années suivantes, quel explorateur infatigable avec cette joie d'apprendre, de découvrir tant de choses merveilleuses ! Y a-t-il période plus favorable pour découvrir le Créateur de ces merveilles ?

a) Une belle histoire

On peut alors lui parler de Dieu de temps en temps. Il ne comprendra rien ? Pas grand-chose au début. Mais nous, comprenons-nous bien ! Il comprendra bientôt qu'il y a un être transcendant, créateur et maître. Et il comprendra peut-être beaucoup mieux que nous le Dieu-Amour et avec en tout cas moins de prétention. Il n'est, dira-t-on, qu'au stade d'amour captatif avec seulement une ébauche d'échange! Mais n'est-ce pas essentiellement notre cas quand il s'agit de notre Amour de Dieu, qui est en grande partie à sens unique? Y a-t-il quelque proportion entre les dons de Dieu et la pauvreté de ce que nous lui apportons, nous qui nous croyons adultes bien équilibrés!

Que de mystères pour lui! Mais y a-t-il un âge où l'on admet mieux le mystère? Tout arrive de façon mystérieuse et merveilleuse. Il aime les contes de fées. Pourquoi s'ingénier à inventer des contes souvent absurdes, à multiplier les surhommes, redresseurs de torts, les extraterrestres, plutôt que de raconter la véritable histoire de l'humanité, qui elle aussi, est extraordinaire, en grande partie mystérieuse, mais bien plus belle et qui l'amènera à découvrir peu à peu Jésus-Christ?

b) Prier avec l'enfant

On va aussi le faire prier et prier avec lui, prières très courtes, quelques mots peuvent suffire, telle cette exclamation : « Vive Jésus, je vous aime », que mon épouse faisait lancer à mes enfants en levant les bras et qu'ils aimaient. On me dira que c'était comme un jeu. Oui, sûrement un peu, mais tant mieux si le service de Dieu commence à cet âge comme un jeu et non comme une chose trop ennuyeuse. Ce qui est important c'est que la prière soit journalière. Et là encore il est bon qu'il voie prier ses parents et bientôt une prière familiale sera fort souhaitable.

J'ai assisté récemment à une prière, pleine de signification, avec un enfant de deux ans. Avant le dîner, les parents entonnant un chant de bénédicité, au mot « pain », il a pris un pain et l'a présenté à bout de bras, dans un geste d'un à-propos merveilleux; il l'a tenu ainsi jusqu'à la fin du chant. J'ignore s'il s'agissait d'un geste que les parents lui avaient appris, mais il avait dit quelques minutes plus tôt, son grand-père étant en retard : « Prier Jésus avec papy. »

Et pendant tout ce chant, pourtant long pour son âge, il était d'une immobilité absolue, religieuse, mais rayonnant de joie. À la fin de cette prière, il a tendu le pain à son père dans un geste qui semblait dire : « Amen ! » Dieu était présent au milieu de nous ! Durant toute cette prière, je n'ai pas pu quitter des yeux ce visage resplendissant ; était-ce distraction de ma part, ou plutôt prière de louange particulièrement sincère ?

c) L'enfant dans l'église

Il est très important que l'enfant entre de temps en temps dans une église et même assiste à quelques cérémonies religieuses.

Entrer dans une église intéresse toujours le jeune enfant, comme entrer n'importe où d'ailleurs. Mais cela prend un intérêt tout particulier si maman en profite pour lui parler un peu de Dieu (dans son langage). Et alors le tout petit enfant entre dans une église avec respect, si du moins l'attitude des parents incite au respect, il sent cette présence invisible qui nous surpasse, mais qu'il aime. Il est alors facile de lui parler de Jésus plus à sa portée, comme à la nôtre. Si l'on a habitué le jeune enfant à ce respect de l'église, cela évitera de voir ces enfants de six à huit ans se mettre à chahuter dès qu'ils entrent dans une église parce qu'on ne leur a jamais appris ce que cela représente.

Le jeune enfant *aime également les cérémonies religieuses,* si elles ne sont pas trop longues et si on n'en abuse pas. Il s'y comporte avec sagesse si un mot de temps en temps attire son attention sur ce qui s'y passe de mystérieux, mais merveilleux, et si notre attitude lui en fait comprendre l'importance.

J'ai entendu bien des adultes et même des prêtres s'insurger contre cette présence des enfants très jeunes à l'église parce que cela les distrait dans leurs prières ! Heureux chrétiens ceux-là, qui semblent n'avoir guère de distractions à la messe. Je vous avoue hélas que ce n'est pas mon cas ! Alors si j'entends la charmante exclamation d'un bambin (parfois bien plus religieuse que mes pensées) ou si je le vois un peu déambuler, j'ai l'impression que c'est le bon Dieu qui me rappelle à un peu plus de piété.

Pour ces enfants cela fait partie de leur éducation religieuse. Ces grands chrétiens sans distractions devraient tout de même avoir la charité de le comprendre, d'autant que, en fait, ces enfants, habitués à venir à l'église, s'y comportent le plus souvent fort bien. Mais s'ils y viennent uniquement pour chahuter, ils sont évidemment mieux ailleurs.

3. À l'âge dit de raison

À l'âge dit de raison, tout est déjà fait pour l'essentiel. Bien des habitudes sont déjà prises, ou devraient l'être. Certains pourront me reprocher ce mot « habitudes ». Que vaut une pratique religieuse faite par habitude ? En fait les habitudes sont nécessaires à toute vie humaine : par exemple lorsque je prescrivais de la gymnastique corrective à des enfants, j'insistais près des parents pour qu'elle soit faite tous les jours sans aucune exception, et à la même heure, qu'elle fasse partie du lever ou du coucher, sans quoi elle est très rapidement abandonnée ; je n'ai jamais vu d'exception. J'ai toujours enseigné à mes élèves que dans ce domaine cette régularité était le plus important de tout. Sur le plan religieux c'est la même chose. D'ailleurs pourquoi trouverait-on normal de laisser les enfants prendre des mauvaises habitudes et ne pourrait-on pas leur en donner quelques bonnes ? Il faut donc absolument à cet âge que ces habitudes soient prises.

Mais avec l'apparition de la raison, l'enfant va pouvoir beaucoup mieux comprendre bien des choses. Ces habitudes vont alors s'animer de l'intérieur, si l'éducation de la foi se poursuit et passe à l'étape catéchétique.

Il y a bien des choses à lui apprendre pour préciser son éducation religieuse puisqu'il peut mieux comprendre. Il serait folie d'obliger un enfant à ingurgiter nos pauvres petites vérités humaines, même si elles se targuent du mot de science (dont les dogmes varient parfois suivant les années) et de ne pas chercher à lui infuser la seule Vérité.

À cet âge la prière doit tout naturellement commencer et clôturer la journée. Prière courte (quelques mots valent mieux que des phrases vides de sens) mais qui devient prière réelle, comprise par l'enfant.

La prière familiale me paraît d'une importance capitale, nous l'avons faite tous les soirs pendant une vingtaine d'années et cela se passait tout naturellement, sans aucune difficulté, sitôt le dîner du soir. Prière bien médiocre peut-être. Je n'ai guère d'imagination et je n'aime pas beaucoup parler. Elle valait ce qu'elle pouvait, mais était, je crois, très utile. Nous l'avons arrêtée peu à peu par suite de diverses circonstances, l'une étant peut-être la difficulté de réunir à la fois des enfants de presque deux générations différentes! Je l'ai beaucoup regretté mais n'ai pas réussi à la reprendre, il est si simple de continuer une « bonne habitude », si difficile de la reprendre. Deux de mes enfants m'ont reproché de l'avoir abandonnée, ils ont eu grandement raison. Outre sa valeur de prière en commun, c'est une occasion magnifique de témoigner sa foi et d'ouvrir les enfants à la Vérité.

Mais cette prière familiale doit aussi s'élargir par la rencontre avec l'Église, et la messe du dimanche devient également une nécessité.

On me dira sans doute qu'il est monstrueux d'obliger un enfant de cet âge à aller à la messe sans savoir s'il le désire. On l'oblige pourtant à venir à table à l'heure des repas, pour satisfaire les besoins de son corps et équilibrer son régime, on le réveille le matin pour aller à l'école et on l'oblige à s'instruire ; et pourquoi, sans l'obliger vraiment, ne lui présenterait-on pas la messe comme ce qu'elle est en fait : une nécessité vitale pour entretenir la Vie de l'âme et un acte d'Amour de Dieu, en obéissant à ses commandements. Aimer ce n'est pas une vague sentimentalité qui nous fait plaisir, à cet âge cela devrait déjà un peu comporter la notion d'un désir de plaire à l'être aimé. La contrainte d'ailleurs est pratiquement inexistante, à la condition que l'enfant ait été élevé dans cette atmosphère religieuse et que les parents donnent les premiers l'exemple. En fait, c'étaient bien souvent nos enfants qui demandaient à venir, alors que je freinais, les trouvant parfois trop jeunes.

Mais aidons un peu l'enfant à prendre des décisions : il est bien évident que si on lui demande de choisir entre la messe (à laquelle « on peut aller si on le désire »!) et une partie de plaisir, je pense que tout individu normal choisira cette partie de plaisir, surtout si dès le début on lui a inculqué que c'était à son choix et si on en fait autant. Si en effet on se dispense de la messe pour le moindre prétexte, il est absurde de demander à un enfant d'y aller. Mais si celui-ci constate que depuis toujours ses parents ne s'en sont jamais dispensés, même s'il fallait se gêner un peu, cela devient tout naturel pour lui.

Pendant ces cérémonies il est nécessaire de s'occuper un peu d'eux et qu'ils sachent l'essentiel de ce qui s'y passe. Il est souhaitable qu'il y ait des cérémonies spéciales pour eux et il y en a de fort bien faites, à condition que cela ne dégénère pas en un peu trop de folklore. Mais je pense aussi que l'enfant doit savoir que l'essentiel de la messe est le même pour tout le monde. Il ne faut pas qu'il prenne l'habitude de n'aller qu'à des messes pour enfants parce que c'est agréable, comme certains adultes se contenteraient volontiers exclusivement de « célébrations vachement sympas » entre copains. Non, la religion est un culte rendu à Dieu, par des hommes, mais pas seulement un culte pour faire plaisir aux hommes, même si ce plaisir n'est nullement à exclure. Le but de la messe est bien l'oblation des chrétiens à Dieu, réalisée en Jésus-Christ. La messe la plus terne, assortie d'un sermon « rasoir », reste cette oblation, si nous cherchons quand même à y apporter notre amour. L'enfant doit comprendre peu à peu que l'Amour ne consiste pas uniquement à se satisfaire de ce qui nous plaît en l'autre, mais à donner, même si cela demande un effort. C'est le but de toute l'éducation de l'Amour.

Il a également besoin des sacrements pour fortifier sa foi encore rudimentaire et pourquoi ne communierait-il pas dès sept-huit ans ou même avant s'il a déjà un peu compris Jésus.

Bien des adultes considèrent que c'est beaucoup trop tôt car ces enfants ne comprennent pas grand-chose. Mais ont-ils compris grand-chose, ces adultes qui semblent vouloir considérer ces enfants cent coudées au-dessous d'eux et eux presque à égalité avec Dieu sans doute? Alors que c'est Dieu qui est des milliers de coudées au-dessus, et eux bien peu au-dessus de ces petits, que Jésus aimait sur terre et aime sûrement toujours dans leur innocence et leur humilité. Or, ils ont besoin de l'Eucharistie, qui, comme le baptême, n'est pas une récompense pour nos mérites mais un moyen de progresser. Encore faut-il qu'une éducation religieuse valable les ait amenés à comprendre l'essentiel et à communier sérieusement, ce qu'ils sont fort capables de faire.

À ce sujet je me permets de signaler le fait suivant : dans certaines célébrations par ailleurs très sympathiques et riches d'apport fraternel, à plusieurs reprises j'ai été profondément choqué de voir, à la communion, apporter gâteaux et jus de fruits pour que les enfants qui ne communiaient pas, aient leur « compensation ». Cela part d'une très bonne intention, mais mon cœur de pédiatre a bondi. Je ressentais comme une insulte faite à l'enfant, qui est fort capable de comprendre qu'il y a là un mystère qui le dépasse (du moins s'il a les moindres rudiments d'éducation religieuse). C'est une occasion magnifique de lui faire comprendre, s'il ne le savait pas, qu'il y a dans l'Eucharistie une présence invisible mais réelle et qu'il pourra bientôt y participer lorsqu'il aura mieux compris. S'il n'est pas capable de comprendre cela, sa place est évidemment ailleurs. De toute façon les gâteaux et rafraîchissements l'empêchent de comprendre quoi que ce soit, enlevant tout sens à cette partie capitale de la célébration. Je n'ai pas observé ce que faisaient les enfants qui avaient l'âge de communier (j'avais à ce moment-là, il me semblait, des choses plus importantes à faire que des observations pédagogiques, qui auraient pourtant été bien intéressantes). Mais on les imagine assez facilement.

Le plus important est que toute cette éducation de la foi doit aboutir à *donner son vrai sens à l'Amour*. Le véritable Amour Don de soi n'est pas encore possible à cet âge, mais il doit déjà comporter l'acceptation du partage, qui entraîne des contraintes pour les autres. Il faut donc l'aider à accepter ces partages.

Proposer un jour un acte de dévouement pour telle œuvre, pour un pays sous-développé : c'est fort bien, mais sans se faire d'illusions et en sachant bien que l'acte de générosité certain est en fait facilement accepté, car rare, spectaculaire et dans la joie de se distraire avec des copains. C'est quand même bien le partage et on ne peut guère demander plus à des enfants.

Cependant cela n'aura aucun sens, si par ailleurs journellement l'enfant se précipite sur les meilleures parts, les meilleurs jouets au détriment des autres avec lesquels il n'accepte pas volontiers de partager ; ou encore s'il n'est pas capable de partager un peu avec Dieu en lui donnant trois quarts d'heure par semaine pour une messe. Les deux allant parfaitement ensemble. Sans mépriser du tout ces actes de générosité voyants, qui plaisent aux enfants (comme aux adultes d'ailleurs), je préfère infiniment les actes silencieux faits tout naturellement et qui témoignent d'un Amour autrement sincère. Dans tout cela, quelques conseils aimables sont utiles, au besoin aussi la suppression momentanée de partage au profit de tel enfant, s'il refuse obstinément de partager au profit des autres. Mais l'essentiel de beaucoup est l'exemple qu'on donne.

Un autre problème qui se pose à cet âge est le *choix d'une école*, car c'est là que va vivre l'enfant pour la majorité de son temps et pendant des années. Ce choix est donc d'une grande importance. Avons-nous, malgré nos multiples occupations, vraiment le temps nécessaire pour mener à bien l'éducation religieuse de nos enfants ? Cela ne me paraît pas évident, aussi l'aide d'autres éducateurs semble-t-elle bien utile.

D'autre part et surtout il se passe de façon constante un phénomène tout naturel : jusqu'à son entrée à l'école, l'enfant a une confiance illimitée en ses parents. « Papa sait tout » et lorsqu'on discute avec un enfant et qu'il vous dit avec assurance : « D'abord c'est maman qu'a dit », on sait qu'il n'y a plus qu'à se taire. Mais dès l'entrée à l'école, c'est le maître qui détient la science suprême. Tout ce qu'il dit est forcément vrai et cela se comprend facilement. Combien de fois ai-je assisté à des scènes comme celle-ci.

Quand Philippe a commencé à apprendre ses premières lettres, il venait le midi me montrer fièrement ses acquisitions : un jour il me faisait un beau rond me disant que c'était un « o », le lendemain il était très fier de me montrer le même dessin avec une « petite queue par-dessus » qui s'appelait un « q ». J'ai essayé innocemment de recti-fier en disant que la petite queue était par-dessous. Mais j'ai eu une réponse cinglante : « La maîtresse a dit que c'était au-dessus. » J'ai préféré ne pas insister et laisser la maîtresse faire la rectification à la prochaine occasion, sans quoi je passais pour le dernier des ignorants.

Belle confiance et heureuse dans un sens. Mais quelle respon-sabilité ! Il est évident que quelques mots du maître ou son silence total sur la religion, son attitude devant une réflexion d'un élève ou lors d'une fête religieuse… marqueront profondément l'enfant dans un sens ou dans l'autre. Et comme toujours ce sont les premières années scolaires qui marquent le plus l'enfant.

C'est pourquoi je suis foncièrement partisan de l'école chrétienne surtout durant les premières années. Ce n'est pas une nécessité absolue bien sûr, mais une grande chance supplémentaire donnée à l'enfant, qui vaut bien au besoin quelques sacrifices.

On pourra me répondre que l'école chrétienne n'est pas toujours parfaite et je suis bien d'accord que certains professeurs ne sont pas forcément des éducateurs et qu'ils peuvent parfois faire plus de mal que de bien. Leur cas, monté en épingle, aboutira à des générali-sations absurdes et nocives. Mais je peux dire que dans la grande majorité des cas mes enfants ont eu des professeurs valables et très dévoués, même si certains avaient des méthodes pédagogiques qui n'étaient pas du tout les miennes, ce qui ne les empêchait pas d'être à l'écoute des parents, en général. Les quelques exceptions que j'ai pu rencontrer ne font que confirmer le fait que dans toutes les professions, quelles qu'elles soient, il y a une majorité de gens valables, à côté d'un certain nombre qui le sont moins. Je ne connais pas d'exception. J'ai d'ailleurs rencontré dans ma carrière une majorité d'enfants venant de l'école publique et je peux dire que j'ai constaté les mêmes proportions, semble-t-il, chez leurs professeurs.

4. L'adolescent

Nous voilà à l'âge où cet enfant va bientôt atteindre sa taille d'homme, il a acquis toutes les possibilités intellectuelles de l'adulte. Mais il est aussi dans ce bouillonnement de la puberté avec sa crise d'opposition, avec ses périodes de découragement puis d'exaltation. Il est clair pour moi que toute éducation et en particulier l'éducation religieuse doit être faite avant. Sinon que de difficultés!

À cet âge il n'est pas question d'imposer quoi que ce soit, à peine peut-on risquer parfois un conseil. La seule action que l'on puisse avoir est l'exemple, mais que c'est important, peut-être encore plus qu'à la période précédente.

En effet cet adolescent en pleine opposition dénigre ses parents et prend le contre-pied de tout ce qu'ils disent, les observe sans ménagement, prêt à critiquer, à l'affût de la moindre erreur, et il n'est pas aveugle! Mais il cherche aussi à les égaler et voudrait bien les dépasser. C'est peut-être très heureux, mais cela engage terriblement notre responsabilité.

Car hélas, nous ne sommes pas des saints. Mais cela, il le comprendra et l'admettra à la rigueur, s'il sent que nous en sommes conscients et que, cherchant à être logiques avec nous-mêmes, nous essayons de mettre notre vie en accord avec nos convictions (même si nous n'y parvenons pas toujours très bien), s'il sait aussi que nous l'avons toujours fait, sans jamais lui avoir demandé ce que nous ne faisions pas nous-mêmes.

POUR ÉDUQUER,
ÉDUQUONS-NOUS D'ABORD

Cette responsabilité que nous avons envers nos enfants nous oblige à vivre le mieux possible cette loi d'Amour, malgré nos faiblesses humaines. Essayons d'avoir ce véritable Amour du prochain, dans un Amour de Dieu, vécu lui aussi sans tricherie. Qu'il est important de ne pas fausser le jugement d'un enfant ou d'un adolescent, en faussant parfois plus ou moins consciemment le nôtre.

Dans l'histoire de l'humanité, que de crimes commis au nom de bons principes, que de conquêtes, d'esclavages camouflés sous des prétextes fallacieux. Aujourd'hui les pays industrialisés, au nom de la solidarité, d'aide aux pays du tiers-monde, trop souvent en fait, exploitent leurs richesses et y écoulent leurs surplus, en les appauvrissant encore davantage. Tout cela nous heurte, ainsi que la plupart des gens, qui ne se sentent pas en cause. Mais sont-ils aussi sévères lorsqu'il s'agit d'eux-mêmes?

Aujourd'hui en effet nous assistons à une amoralité étalée au grand jour, beaucoup plus grave à mon avis que l'immoralité, puisqu'elle fausse le jugement, et en particulier celui de nos enfants et adolescents.

Les pages qui vont suivre sembleront s'éloigner de mon sujet qui est l'éducation des jeunes enfants. En fait elles le concernent au premier chef, quand je pense aux répercussions inévitables de nos faits et gestes sur la formation de nos enfants. Ils sont au courant de bien des problèmes qui les rendent perplexes, et, sans le demander, ou en le faisant par des questions indirectes et fort adroites, mais surtout en regardant, écoutant, ils épient nos réactions, guettent notre opinion pour forger la leur. Il est capital que notre attitude, nos paroles laissent transparaître les notions morales et chrétiennes qu'ils attendent. Il s'agit bien là encore de transmettre l'Amour.

Je vous soumets quelques problèmes concernant particulièrement l'Amour du prochain et de Dieu.

Tout d'abord un grave sujet de morale naturelle élémentaire : on crie bien fort contre la guerre, la peine de mort (et Dieu sait si je suis d'accord) et au nom de fallacieux principes humanitaires, mais en fait par démagogie, on considère comme tout à fait normal de tuer chaque année des centaines de milliers d'enfants dans le ventre de leur mère! On défend soi-disant les faibles, mais ceux-là sont si faibles qu'ils ne pourront jamais rien dire. Il suffit donc d'inventer qu'ils ne sont pas des êtres humains avant telle date de grossesse, date qui varie suivant les régions et pour les besoins de la cause! On rirait de lire ces anciennes discussions théologiques qui essayaient de fixer la date de l'apparition de l'âme, date qui variait selon les sexes! Et on ne rougit pas de revenir à des âneries semblables, lorsque cela arrange bien les choses!

Pourtant les auteurs d'une loi si odieuse n'ont pas eu la conscience si tranquille que cela. J'en ai pour preuve le serment d'Hippocrate que prêtent les jeunes médecins en passant leur thèse. Jadis, le médecin jurait de « respecter la vie sous toutes ses formes, depuis la conception ». Il a fallu modifier le texte, puisque l'avortement devenait légal, et dans le nouveau serment cette phrase a été supprimée dans sa totalité. C'était plus simple. Mais cela prouve bien que les promoteurs de cette loi se sont sentis gênés, considérant bien qu'ils ne respectaient plus la vie. Et on a l'audace d'appeler ce serment, amputé d'une phrase essentielle, serment d'Hippocrate. Quelle insulte à ce grand médecin et quelle décadence!

La preuve en est également qu'on n'ose pas prononcer des mots qui gênent : on ne parle plus d'avortement, mais d'interruption de grossesse et l'enfant est devenu un « produit utérin ». Cela gêne un peu moins la conscience!

Mais les enfants, dans tout cela, que comprennent-ils du respect de la vie!

Et que comprennent-ils tout simplement de la maternité? Il faudrait donc admettre que durant les premiers mois de la grossesse, la femme ne porte pas un enfant, et qu'un beau jour de ce produit utérin elle va faire un être humain, sans que le mari y soit pour quelque chose! Je dois dire que, pour notre part, sitôt que ma femme ressentait les tout premiers signes d'une grossesse elle se sentait mère, et aimait un enfant, et moi je me sentais le père d'un nouvel être humain; tous les deux nous en assumions déjà toute la responsabilité.

Et comme médecin, lorsqu'on a passé toute sa carrière à soigner des enfants, comment ne pas être bouleversé d'un tel massacre légal.

On me dira qu'il y a des cas bien dramatiques et je le sais. Il faut certes faire le maximum pour aider ces mères. Mais rien ne pourra jamais légitimer l'assassinat d'un enfant. Et ces cas dramatiques ne représentent qu'un infime pourcentage des cas d'avortements actuels.

Fait beaucoup moins grave, mais contraire à l'enseignement de l'Église. Beaucoup de chrétiens utilisent n'importe quel procédé de contraception. C'est parfois sous prétexte de libérer la femme; en fait, n'est-ce pas la rendre encore plus esclave de l'homme, sans tenir compte des risques que cela peut parfois comporter pour elle? Plus souvent c'est tout simplement pour se comporter en adulte libéré des contraintes imposées; n'est-ce pas plutôt se rendre esclave de ses instincts? Ce sont ces derniers qui sont libérés et ne doivent plus être dominés par la raison, la volonté, l'Amour.

Est-ce vraiment cela l'Amour, et est-ce bien ce que nous voulons transmettre à nos enfants? N'est-il pas plus chrétien d'utiliser des procédés qui nécessitent une saine ascèse, décidée à deux en pleine conscience, par amour l'un pour l'autre et pour Dieu, et qui les enrichit tous les deux?

Que de gens se permettent n'importe quoi sur le plan sexuel, dans le mariage ou en dehors, mais s'affichent comme chrétiens. Ils sont souvent très généreux par ailleurs. Je suis bien d'accord sur le fait que cette générosité est le principal, et on m'a toujours appris que les fautes contre la chair étaient considérées comme le moins grave des péchés capitaux (dans la mesure du moins où il est simple faiblesse et ne comporte pas une faute grave contre l'Amour).

Mais il peut être plus facile de se dévouer à l'extérieur que d'acquérir la maîtrise de soi; et n'est-ce pas une générosité authentique que de chercher cette maîtrise y compris sur le plan familial et sexuel? Elle n'empêche nullement le dévouement extérieur et même elle l'implique au contraire; on a toujours considéré que le seul moyen d'avoir la force de se maîtriser était de se dévouer aux autres. Mais ce dévouement ne doit pas devenir un moyen de remplacement.

Dans tout cela pensons aux enfants qui observent et écoutent.

Sur un plan strictement religieux : que de chrétiens pratiquants se dispensent de toute pratique religieuse lorsque le dimanche ils sont avec des amis. Je pense qu'au début c'est un peu « par charité » pour ne pas gêner ces amis. En fait, c'est tout simplement par respect humain. Je ne vois pas très bien où est la charité. Bien souvent ces amis sont des chrétiens qui iraient volontiers à la messe et en seraient fort satisfaits, mais bien sûr n'iront pas eux non plus, pour le même respect humain.

Si ce sont des hésitants, ils ne verraient aucun inconvénient à voir des chrétiens pratiquer leur religion et n'en auraient que plus d'estime pour eux et pour leur religion; alors qu'ils mépriseront ceux qui n'ont pas le courage de leur foi et en même temps mépriseront cette foi. Et pourtant Jésus nous a dit : « Soyez mes témoins. »

Cette pratique religieuse n'empêcherait nullement, bien au contraire, une grande charité qui serait un Amour plus vrai que celui qui consiste seulement à flatter la faiblesse des autres.

Finalement un tel laxisme retentit fortement sur soi-même et on ne pratique plus la religion que dans la mesure où cela ne dérange pas du tout. On se libère des pratiques essentielles pour les moindres prétextes, et il est facile d'en trouver.

Certes, il y a des priorités qui doivent passer avant la messe et le service du prochain en est une, s'il n'y a pas possibilité d'associer les deux. Mon épouse et moi-même sommes assez bien placés pour le savoir, avec onze enfants et ma profession médicale. Cela aurait fort bien pu nous arriver à l'un comme à l'autre et nous aurions évidemment fait passer le service des autres avant la messe. Mais pour ma femme, cela n'est jamais arrivé en dehors du dimanche qui a suivi chacune des naissances. Pour moi, il m'est arrivé un certain nombre de fois d'être appelé pour une urgence pendant la messe ou juste avant que j'y parte. Mais je n'ai pas le souvenir de n'avoir pas eu la possibilité ensuite d'aller à une autre messe. Vous me direz que nous aurions pu parfois nous en dispenser! sans doute. Mais je trouve lamentable ces marchandages avec Dieu.

Je pense qu'il est vraiment exceptionnel dans nos régions, avec plusieurs messes du samedi soir au dimanche soir, de ne pas pouvoir y assister. Mais bien sûr il faut s'en soucier. C'est aussi à la condition de ne pas considérer cette messe comme une simple corvée dont on peut se dispenser sous quelques prétextes, mais bien comme un temps fort de la vie chrétienne, absolument nécessaire à l'entretien de la Vie en nous et qui fait partie d'une façon très précise du premier commandement : « Tu aimeras Dieu » ; sanctification du sabbat, devenu le dimanche pour les chrétiens et ramené actuellement à un bien strict minimum.

Voilà quelques exemples bien dramatiques donnés parfois à des enfants ou adolescents qui ne pourront alors d'aucune façon prendre au sérieux la religion.

Malheureusement chacun a tendance à se faire lui-même sa loi, sous prétexte qu'il est adulte. Si bien qu'aujourd'hui on ne pèche plus. La preuve en est que dans quelques célébrations, parfois fort riches en témoignages d'amour fraternel, il n'y a pas la moindre trace de l'idée de repentir (ni *confiteor,* ni aucune autre notion de regret, d'imploration de pardon ou simplement de pitié).

Il est grave de ne plus avoir cette notion de péché : c'est rendre inutile la vie et la mort de Jésus qui n'est venu sur terre que pour les pécheurs et qui préfère, nous dit-il, le pauvre publicain pécheur mais repentant, au pharisien « sans péché » !

En fait il me semble que le grand péché actuel est cette absence de péché. Et en lisant la Bible et en particulier la Genèse, j'ai l'impression que cela a dû être de tout temps le péché de l'humanité.

Oui, j'aime beaucoup le livre de la Genèse et en particulier le récit de la création qui dans sa simplicité imagée est plein d'enseignements. Ces vieux récits bibliques, à la lumière des découvertes des historiens, sont sans doute tout simplement tirés d'anciens mythes orientaux. Cela m'est totalement indifférent. Ce qui me passionne, c'est toute la sagesse que les auteurs sacrés ont insufflée dans ces récits, à première vue, un peu bizarres.

Sur le point qui m'intéresse ici, je me suis bien souvent demandé si le fameux péché originel, ce fruit de l'arbre de la connaissance du bien et du mal, tentation pour l'homme et la femme de devenir « comme des dieux connaissant le bien et le mal » n'est pas tout simplement un moyen d'expliquer ce qui, plus que le péché d'un seul homme, a dû être depuis l'origine, dans tous les temps ou par périodes, celui des hommes : le fait de nier le péché en se faisant à eux-mêmes leur morale, décidant eux-mêmes ce qui est bien ou mal (au mépris de la loi divine), et il semble bien qu'aujourd'hui on soit dans une de ces crises !

Ces chrétiens ont finalement très bonne conscience et sont même devenus presque de bonne foi et donc ne pèchent peut-être plus. Mais que vaut cette bonne conscience, sous laquelle transparaît l'idée de se croire Dieu. Est-ce que cela ne se rapproche pas un peu de ce péché contre l'Esprit qui ne peut pas être pardonné, pardon impossible en effet, puisqu'on n'en a plus du tout conscience ; mais on s'est faussé la conscience au départ.

Qu'il est plus sage de se soumettre à Dieu et à son Amour, quitte à se reconnaître humblement pécheur, et de s'en remettre aussi à ceux qu'il a chargés de nous transmettre sa Parole : le pape et les évêques (« qui vous écoute m'écoute », dit-il). Mais il est de bon ton de critiquer systématiquement cette hiérarchie que le Christ a pourtant désignée pour le représenter. Ce sont de simples hommes qui font forcément des erreurs, mais c'est tout de même à eux que le Christ a donné la responsabilité de nous guider, aussi est-il plus sage de les suivre, plutôt que d'autres hommes peut-être parfois plus intelligents, mais non mandatés par le Christ, même s'il s'agit de prêtres, qui n'ont de pouvoirs que ceux que leur a confiés leur évêque.

Et puis n'est-il pas tout de même un peu prétentieux de se croire forcément plus intelligent !

Mais ce qui importe surtout pour moi c'est l'influence si néfaste sur les enfants de tous ces laxismes. Comment voudriez-vous qu'ils croient à l'Amour si on leur montre qu'on y croit si peu et qu'on ne fait que ce qui nous arrange ? Il n'y a qu'à voir la contagion dramatique actuelle de tout cela. Qu'il est important au contraire de leur donner de saines notions, en rapport avec notre conduite. N'oublions pas ce que le Christ a dit de ceux qui scandalisent les petits enfants (Mt 18, 3).

Comme on comprend Jésus d'avoir aimé les enfants, qui eux au moins ne sont pas prétentieux. Et d'ailleurs, c'est bien parmi les gens simples qu'il a choisi ses apôtres. Gardons, nous aussi, notre humilité d'enfant.

ÉDUQUONS NOS ENFANTS, MAIS LAISSONS-NOUS ÉDUQUER PAR EUX

Je le disais au tout début de ce livre, les enfants furent mes meilleurs maîtres. Qu'ils sont merveilleux en effet, si on sait les regarder, les écouter, les comprendre, les aimer.

Mais Jésus surtout nous a dit : « Si vous ne changez pas et ne devenez comme des petits enfants, vous n'entrerez pas dans le royaume des Cieux. » Oui, tout cela nous amène à relire l'Évangile ; et à le méditer.

Cela m'a amené aussi à relire une lettre de notre regretté pasteur de la paroisse Notre-Dame-de-Toutes-Joies, le père Dominique Petit, auquel j'avais demandé son avis sur ce chapitre. Il me l'a adressée au lendemain de Noël, trois jours avant sa mort brutale. Je vous en livre un large extrait, en souvenir de l'amitié qu'il m'a témoignée, et comme conclusion :

Notre-Dame-de-Toutes-Joies, Noël 1984.

« [...] Je me permettrai quelques développements, en fonction de ce que j'ai moi-même reçu, approfondi par l'expérience et essayé de mettre en pratique auprès des enfants et des jeunes, m'appuyant sur la parole de l'Évangile (Mt 18).

"Jésus appela un enfant et le plaça au milieu d'eux..."

La présence de l'enfant, des enfants au sein d'une communauté

337

chrétienne, au sein de l'Église a été voulue par Jésus comme le rappel vivant de l'esprit d'enfance et de l'ouverture à Dieu et aux autres.

"Si vous ne deveniez comme les petits enfants, vous n'entrerez pas dans le royaume des Cieux."

Je crois donc nécessaire de dire que cette donnée doit apparaître constamment en éducation, en étant nous-mêmes, adultes, en état de réceptivité par rapport à l'enfant, car il nous "enseigne" autant que nous l'enseignons. Aux catéchistes, j'aime dire que nous ne transmettons bien la Parole de Dieu aux enfants, aux jeunes, que si nous les écoutons bien réagir à cette parole et en parler.

"Laissez venir à moi les petits enfants."

Permettons-leur d'exprimer par leur vie, par leur parole, leur dessin, leur jeu, leur chant, par le geste, ce qu'ils ont au fond de leur cœur, ce qui est en eux le fruit de l'Esprit Saint. Ne les empêchons pas de nous dire Dieu! C'est leur plus grande dignité.

Il y aura toujours à approfondir cette place irremplaçable de l'Enfant, au sein de la famille, au sein de la société, au sein de l'Église.

"Ce que vous aurez fait au plus petit d'entre les miens…"

Une société qui ne verrait plus en l'enfant qu'un "gêneur" est une société qui meurt. Une Église qui n'accueillerait plus les enfants est une Église qui perd sa Joie… la Joie de transmettre l'Amour révélé par Dieu dans un enfant : Jésus. »

Merci, Dominique Petit.

CONCLUSION

Mes parents ont su adapter les méthodes éducatives
d'un autre siècle, avec sagesse et libéralité,
mais surtout dans un grand amour.
J'ai fait bien des erreurs pour les adapter à mon tour.
Mais mon épouse et moi avons aimé nos enfants,
et nous n'avons pas eu d'autre but
que de leur transmettre l'amour.
Chef de service à l'hôpital et médecin de la pouponnière
de la Civelière, je me suis efforcé avant tout de faire comprendre
à mes élèves et aux infirmières l'importance des problèmes
affectifs, chez les enfants, en demandant de leur donner l'amour
comme principal et bien souvent seul médicament.
Vous qui désirez en imprégner vos enfants, que ces pages
puissent vous aider, là où j'ai tâtonné.
Les générations passent, les méthodes éducatives varient.
« Seul l'Amour ne passe pas. »

TABLE DES MATIÈRES

SUR LE COUPLE ET LA FAMILLE, AUX MÊMES ÉDITIONS

Collection Vie des hommes

L{EMOINE} Paul, *Transmettre l'amour. L'art de bien éduquer.* Développement affectif, intellectuel, psychomoteur et spirituel de l'enfant.

L{UBICH} Chiara, *Amour, famille et unité.* La spiritualité de l'unité vécue dans la famille.

M{ARRONCLE} Jeannine, *Reprendre souffle.* Thérapeute du couple : un métier, une foi. À la recherche, entre le psychologique et le spirituel, des points de contact qui peuvent sauver certains couples de l'échec.

R{ÖTZER} Joseph, *L'Art de vivre sa fertilité. Méthode sympto-thermique de régulation naturelle des naissances.* Référence mondiale pour la recherche sur la fertilité féminine, le docteur Rötzer est traduit en 17 langues.

S{ALÄUN} Paul, *Séparés, divorcés, le chemin du pardon.* Les causes profondes des séparations et une invitation au pardon.

S{ALÄUN} Paul, *Séparés, divorcés, une possible espérance.* Peut-on trouver un sens à l'épreuve et la vivre dans la fidélité à Dieu et à l'Église ?

Collection Récit

DEBARBIEUX Anne-Marie, *Son ombre nous éclaire : accueillir notre enfant trisomique.* Le cheminement du questionnement et de l'accueil d'un tel enfant « exceptionnel » (écrit par la maman d'un enfant trisomique).

FILY Dominique, *Couples : le temps des premières crises.* Sous forme d'un récit, des histoires vraies, témoignages des tempêtes qui passent et de l'amour qui grandit dans la durée.

NIQUET Gilberte, *Même le couchant peut être beau.* Le quatrième âge dans son isolement mais aussi dans toute sa dignité et sa grandeur (expérience de l'auteur avec sa mère).

Collection Foi Vivante

BÉGIN Yves, *La Dynamique de l'intimité.* Questions relatives à la communication, moteur de toute relation humaine et en particulier de la vie de couple.

Collection Spiritualité

DANEELS (cardinal), *Familles, Dieu vous aime.* Tensions et « ponts » entre la famille et l'Église.

LUBICH Chiara, *L'Art d'aimer en famille.* 87 réponses concrètes pour affronter aussi bien les grandes étapes de la vie d'une famille que les difficultés du quotidien.

CET OUVRAGE
A ÉTÉ REPRODUIT
ET ACHEVÉ D'IMPRIMER
PAR L'IMPRIMERIE FLOCH
À MAYENNE EN JANVIER 2007
POUR LE COMPTE DES
ÉDITIONS NOUVELLE CITÉ
DOMAINE D'ARNY
91680 BRUYÈRES-LE-CHÂTEL

ISBN 978-2-85313-517-7
N° d'impr. 67390.
D. L. : janvier 2007.
(Imprimé en France)